Månpocket

En bra bok fastnar

En miljövänlig bok!

Pappret i denna bok är framställt av råvaror
som uteslutande kommer från miljöcertifierat
skogsbruk. Det är baserat på ren mekanisk
trämassa. Inga ämnen som är skadliga
för miljön har använts vid tillverkningen.

Åke Edwardson

RUM NUMMER 10

Kriminalroman

Månpocket

Denna Månpocket är utgiven enligt överenskommelse med
Norstedts förlag, Stockholm

Omslag av John Eyre
Omslagsbild © Michael Skoglund/Scanpix

© Åke Edwardson 2005

Tryckt i Danmark hos Nørhaven Paperback A/S 2006

ISBN 91-7001-414-0
978-91-7001-414-7

Till min far, Karl-Erik

Varmt tack till kriminalkommissarie Torbjörn Åhgren, som läste hela manuskriptet och kom med värdefulla synpunkter, och ett lika varmt tack till kriminalkommissarie Lars Björklund för all hjälp genom åren.

1

KVINNAN BLINKADE MED HÖGRA ÖGAT. En, två, tre, fyra gånger. Kriminalkommissarie Erik Winter blundade. När han öppnade ögonen igen såg han att blinkningarna fortsatte, som en spastisk rörelse, som någonting som levde. Winter kunde se augustiljuset speglas inne i kvinnans öga. Solen sände in en stråle genom det öppna fönstret. Winter kunde höra förmiddagstrafiken därnere på gatan; en bil passerade, en spårvagn rasslade i fjärran, en sjöfågel skrek. Han hörde steg, en kvinnas klackar mot kullerstenen. Hon gick raskt, hon skulle någonstans.

Winter såg på kvinnan igen, och på golvet under henne. Det var av trä. Solstrålen skar sig vidare genom golvet som en brand. Den fortsatte genom väggen, in i nästa rum, kanske genom alla rum på det här våningsplanet.

Kvinnans ögonlock darrade ännu några gånger. Ta bort dom förbannade elektroderna nu. Vi vet nu. Han flyttade blicken från henne. Han såg hur gardinerna i fönstret vajade för en svag vind. Den förde med sig dofterna från staden, inte bara ljuden. Bensinlukten, oljeparfymen. Den salta doften av hav, han kunde känna den. Han tänkte plötsligt på hav, och på horisontlinjen, och på det som låg bortom. På resor, han tänkte på resor. Någon sa något i rummet men Winter hörde inte. Han tänkte fortfarande på resor, och på att han skulle tvingas ge sig ut på en resa i den här kvinnans liv. En resa bakåt. Han såg sig om i rummet igen. Det här rummet.

Portiern hade gjort sig ärende till rummet, ännu oklart varför.

Han hade rusat fram till henne.

Han hade ringt därifrån på sin mobiltelefon.

LKC hade skickat en ambulans och en radiobil till hotellet. Polisbilen hade kört mot enkelriktat. Alla gator var enkelriktade i de gamla kvarteren söder om Centralstationen.

De båda polisinspektörerna, en man och en kvinna, hade blivit visade till rummet på tredje våningen av en kvinna som såg mycket skrämd ut. Portiern hade väntat utanför. Dörren hade varit öppen. Poliserna såg kroppen på golvet. Portiern hade berättat vad han sett med en tunn röst. Hans blick hade sökt sig in i rummet, som om den hörde hemma där. En av poliserna, det yttre befälet, kvinnan, hade snabbt gått in i rummet och knäböjt vid kroppen som låg i en onaturlig ställning på golvet.

Snaran var fortfarande hårt åtdragen runt hennes hals. Det låg en omkullvräkt stol en meter från hennes huvud. Det fanns inget liv i hennes ansikte eller i de brustna ögonen. Polisbefälet kände länge efter en puls som inte fanns. Hon tittade uppåt och såg bjälklaget som korsade taket. Det såg egendomligt ut, medeltida. Hela rummet såg medeltida ut, som något ur en annan värld, eller ur en film. Det var ett prydligt rum, bortsett från den liggande stolen. Nu hörde hon ambulansen tjuta genom det öppna fönstret, först på avstånd och sedan högt och brutalt när den bromsade in på gatan. Men det var ett meningslöst ljud.

Hon såg på kvinnans ansikte igen, hennes öppna ögon. Hon såg på repet, på stolen. På bjälklaget däruppe. Det var långt dit upp.

"Ring tekniska", sa hon till sin kollega.

Teknikerna hade kommit. Winter hade kommit. Rättsläkaren hade kommit.

Nu tog läkaren bort de två elektroderna som hon hade fäst vid kvinnans högra öga. Här fanns ingenting hon kunde läka längre, men hon kunde försöka avgöra hur länge kvinnan varit död. Ju närmare hon var dödsögonblicket, desto intensivare muskelsammandragningar. Dödsögonblick, tänkte Winter igen. Det är ett märkligt ord. Det där är en märklig metod.

Rättsläkaren såg på Winter. Hon hette Pia E:son Fröberg. De hade samarbetat i snart tio år, men för Winter kändes det ibland som dubbelt så lång tid. Det kunde bero på brotten, eller på något annat.

"Sex till åtta timmar", sa Pia E:son Fröberg.

Winter nickade. Han tittade på sitt armbandsur. Klockan var kvart i elva. Kvinnan hade dött under den tidiga morgonen, eller sena natten om man så ville. Det hade varit mörkt därute.

Han såg sig om i rummet. De tre teknikerna arbetade med stolen, med bjälken, med golvet runt kvinnan, med de få andra möbler som fanns i rummet, med allting som kunde ge ledtrådar. Om det fanns sådana. Nej, inget om. En gärningsman lämnar alltid något efter sig. Alltid-något-efter-sig. Om vi inte tror det kan vi packa ihop och bege oss ut i solen.

Rummet fick med ojämna mellanrum ett annat sken av fotoblixtarna, som om solen därute också nu ville vara med härinne.

Om det finns en gärningsman. Han såg upp mot bjälken. Han såg på kvinnan på golvet igen. Han såg på den omkullvräkta stolen. En av teknikerna arbetade med ytan, sittytan. Eller ståytan. Han tittade upp på Winter och skakade på huvudet.

Winter tittade på kvinnans högra hand. Den var vitmålad, bländvit, snövit. Färgen var torr, den nådde halvvägs upp till armbågen. Det såg ut som en grotesk handske. Vit målarfärg. Det stod en burk på golvet, på ett tidningsuppslag, som om det viktigaste i det här rummet var att skydda golvet. Viktigare än livet.

Det låg en pensel på tidningssidan. Färgen hade runnit ut lite grand över ett fotografi som visade en stad i ett främmande land. Winter kände igen silhuetten av en moské. Han kunde känna lukten av färg när han stod nära, när han knäböjde.

Det låg ett pappersark på rummets enda bord.

Brevet var handskrivet och knappt tio rader långt. Kanske hade hon skrivit det på en annan plats. Numret var tillverkat i förgylld mässing, siffrorna hängde på dörren på en spik. Tredje våningen av fyra. Därinne fanns en doft kvar efter det att fönstret stängts. Den var söt, men det ordet har många innebörder.

Winter lyfte kopian av brevet från sitt skrivbord och studerade handstilen ännu en gång. Han kunde inte se om handen skakat när hon skrev sina sista ord, och han hade ändå kunnat jämföra med andra ord, med annan skrift från henne. De hade skickat alltsammans till SKL, brevet och annan text som kvinnan bevisligen skrivit.

"Jag älskar er och jag kommer alltid att älska er vad som än händer med mig och ni kommer alltid att finnas med mig vart jag än går och om jag gjort er arga på mig så vill jag be om förlåtelse och jag vet att ni förlåter mig vad som än händer med mig och vad som än händer med er och jag vet att vi kommer att träffas igen."

Där hade hon satt den första punkten. Sedan hade hon skrivit de följande raderna och sedan hade det hänt. Vad som än händer med mig. Det upprepades två gånger i brevet till föräldrarna, skrivet med vad Winter tyckte var en stadig hand, även om teknikerna trodde sig se de osynliga darrningarna i mikroskop.

Handen som hon använt för att skriva brevet som Winter höll i sin ena hand. Han tittade på den. Han kunde inte se att den skakade, men han visste att den kunde göra det. Han var ju fortfarande en människa. Hennes vita hand. En perfekt målning. Eller en hand som av gips. Någonting som inte längre tillhörde henne. Som lika gärna kunde avlägsnas. Så hade han tänkt. Han undrade varför. Hade någon annan tänkt så?

Hennes namn var Paula Ney och hon var 29 år och om två dagar skulle hon ha fyllt 30, den första september. Den första höstdagen. Hon hade en egen lägenhet, men hon hade inte bott där de senaste två veckorna eftersom hyresvärden renoverade och hantverkarna gick från lägenhet till lägenhet och sedan tillbaka igen, en timme där, en timme här, och renoveringen skulle ta mycket lång tid. Hon hade flyttat hem till föräldrarna.

Tidigt i förrgår kväll gick hon på bio med en väninna och efter föreställningen drack de var sitt glas rött vin på en bar i närheten av biografen och sedan skildes de vid Grönsakstorget. Därifrån skulle Paula ta spårvagnen, hade hon sagt, och där slutade spåren efter henne ända tills hon återfanns i rummet på Hotell Revy nästa förmiddag, en och en halv kilometer österut från Grönsakstorget. Ingen spårvagn passerade Revy. Det var ett egendomligt namn.

Hotellet var också egendomligt, som kvarglömt från en sämre tid. Eller en bättre, enligt vissa. Det låg i de täta kvarteren söder om Centralstationen, i ett av de hus som överlevt 60-talets rivningar. Fem kvarter hade överlevt, som om just den här delen av staden legat i skugga när stadsplanerarna studerat kartan, kanske under en picknick i Trädgårdsföreningen tvärs över kanalen.

Revy hade funnits länge, och dessförinnan hade där legat en restaurang. Den var borta nu. Och hotellet låg fullständigt i skugga av det relativt nybyggda Sheraton vid Drottningtorget. Det fanns något slags symbolik där.

Revy hade också haft rykte som bordell. Det var väl närheten till Centralen och den stora omsättningen av gäster, av båda könen. Det mesta av det där var över nu, ryktena och verkligheten. Winter visste att trafficking-gruppen tittade till stället ibland, men inte ens hororna och torskarna trivdes bland det förflutna. Kanske hade ägaren blivit åtalad för koppleri en gång för mycket. Gud vet vilka som bodde där nu. Knappt några. Rummet de hittat Paula Ney i hade stått tomt i tre veckor. Dessförinnan hade en arbetslös skådespelare från Skövde bott där i fyra nätter. Han hade kommit till staden för audition till en teveserie men inte fått rollen. Bara en liten roll, hade han sagt i telefon till Winters kollega Fredrik Halders: Jag skulle spela död.

Winter hörde en knackning och tittade upp. Innan han hann säga något öppnades dörren och kriminalkommissarie Bertil Ringmar, tredje i rang på spaningsroteln, steg in genom dörren och stängde den efter sig och gick snabbt genom rummet och satte sig på stolen framför Winters skrivbord.

"Varsågod och stig på", sa Winter.

"Det var ändå bara jag", sa Ringmar och sköt stolen närmare. Det skrapade i golvet. Han såg på Winter. "Jag gick upp till Öberg."

Torsten Öberg var kommissarie som Winter och Ringmar, och ställföreträdande chef på tekniska roteln våningen ovanför spaningsroteln.

"Ja?"

"Han hade nåt på gå..."

Telefonen på Winters skrivbord ringde och avbröt Ringmar mitt i meningen. Winter lyfte luren.

"Erik Winter här."

Han lyssnade utan att säga något mer, la på, reste sig.

"Tala om trollen. Öberg vill träffa oss."

"Det är svårt att hänga nån annan", sa Öberg. Han stod lutad mot en av arbetsbänkarna i laboratoriet. "Speciellt om offret kämpar för livet." Han gjorde en gest mot föremålen på bänken. "Men det är svårt även utan motstånd. Kroppar är tunga." Han såg på Winter. "Det gäller unga kvinnor också."

"Kämpade hon emot?" frågade Winter.

"Inte det minsta."

"Vad hände?"

"Det där är ditt jobb, Erik."

"Kom igen, Torsten. Du hade nåt till oss."

"Hon stod aldrig på den där stolen", sa Öberg. "Vad vi kan se har aldrig nån stått på den." Han gnuggade sig över näsryggen. "Sa portiern att han hoppade uppåt och fick tag i repänden?"

Winter nickade.

"Han klev aldrig upp på stolen?"

"Nej. Den ramlade när kroppen föll."

"Hon har en skada på axeln", sa Öberg. "Den kan hon ha fått då."

Winter nickade igen. Han hade talat med Pia E:son Fröberg.

"Portiern, Bergström heter han, Bergström fick tag i änden och drog neråt med all kraft och knuten löstes upp."

"Låter som om han visste vad han gjorde", sa Öberg.

Men han hade inte haft en aning, hade han sagt till Winter under det första korta förhöret i ett litet illaluktande rum bakom lob-

14

byn. Han hade bara handlat. Instinktivt, hade han sagt. Instinktivt. Han ville rädda liv.

Han kände inte igen kvinnan, inte då, inte senare. Hon hade inte skrivit in sig, hon var inte gäst där.

Han hade sett brevet, pappersarket. Avskedsbrevet, han hade uppfattat det så under sekunden innan han handlade. Någon som var trött på livet. Han hade sett stolen stå under henne, men också repänden, och han hade kastat sig framåt och uppåt.

"Den där stolen är omsorgsfullt rengjord", sa Öberg.

"Vad menas med det?" frågade Winter.

"Om hon ville hänga sig måste hon först kliva upp på stolen och knyta fast repet runt bjälken", sa Öberg. "Men hon har inte stått på den där stolen. Och om hon gjort det så har nån torkat av den efteråt. Och det är inte hon."

"Vi förstår det", sa Ringmar.

"Det är en glatt yta", fortsatte Öberg. "Hon var barfota."

"Skorna stod vid dörren", sa Ringmar.

"Hon var barfota när vi kom dit", sa Öberg. "Hon dog barfota."

"Inga spår på stolen", sa Winter men mest för sig själv.

"Som herrarna vet är avsaknaden av spår lika intressant som spår i sig", sa Öberg.

"Hur är det med repet då?" frågade Ringmar.

"Det var det jag ville berätta", sa Öberg.

Winter kunde se att han var stolt, eller något åt det hållet. Han hade något att berätta.

"Det fanns inga fingeravtryck på repet, men det förvarnade jag väl om?"

"Ja", svarade Winter. "Och jag är inte obekant med nylonrep."

Repet var blått, en obscent blå färg som påminde om neon. Den skrovliga ytan fångade sällan upp några avtryck från fingrar. Det gick knappt att ens se om någon burit handskar eller inte.

Men det fanns andra spår. Winter hade sett teknikerna i arbete i rum nummer tio. De topsade omsorgsfullt av repet efter spår av saliv, hårstrån, svett. Det var mycket svårt att inte lämna något sådant DNA-spår efter sig.

Den som bar handskar kunde ha spottat i handsken.

Strukit tillbaka håret.

Men det var inte omöjligt att gå fri. Winter försökte hålla huvudet kallt i dessa tider när DNA-drömmen om alla brotts lösning och förlösning kunde bli en önskedröm, en dagdröm.

Han visste att Öberg skickat alla prov till SKL.

"Gert hittade nånting mer", sa Öberg, och det blänkte till i hans ena öga. "Inne i snarans knut."

"Vi lyssnar", sa Winter.

"Blod. Inte mycket, men tillräckligt."

"Bra", sa Ringmar. "Mycket bra."

"En av de minsta fläckar jag sett", sa Öberg. "Gert löste upp knuten och eftersom han är en grundlig man så tog han sig en grundlig titt."

"Jag såg inget blod i det där rummet", sa Winter.

"Ingen av oss såg nåt blod", sa Öberg. "Och framför allt inte på kvinnan." Han vände sig mot Winter. "Har Pia sett några småsår på hennes kropp?"

"Nej. Åtminstone inte än."

"Så om repet inte är Paula Neys..." sa Ringmar.

"... så är det någon annans", fyllde Öberg i, och det blänkte till i ögat igen.

"Jag talade med Paulas föräldrar för en timme sen", sa Ringmar och flyttade tillbaka stolen en halv meter, ljudet var högre nu. De var tillbaka i Winters rum. Winter kände en upphetsning, som en början på feber. Ringmar flyttade stolen igen, det skrapade igen.

"Kan du inte lyfta stolen?" sa Winter.

"Jag sitter ju i den!"

"Vad sa dom? Föräldrarna?"

"Hon hade inte verkat annorlunda den sista kvällen, eller eftermiddan. Eller veckan innan. Bara irriterad på hantverkarna, eller hyresvärden. Det var i alla fall vad dom sa. Föräldrarna. Eller mamman, snarare. Jag pratade med mamman. Elisabeth."

Winter hade också pratat med henne, i går eftermiddag. Han hade pratat med hennes man, Paulas far. Mario. Han hade kommit till Sverige som mycket ung och fått arbete på SKF. Många italienare hade fått arbete där.

Mario Ney. Paula Ney. Hennes handväska hade legat på sängen i hotellrummet. Hittills hade Öberg och hans kolleger inte upptäckt om någon gått igenom innehållet i väskan. Där fanns en plånbok med betalkort och lite kontanter. Inget körkort men ett träningskort från Friskis & Svettis. Andra små saker.

Och en ficka med fyra fotografier av den typ som tas i en fotoautomat. De såg nytagna ut.

Allting i den där väskan visade att den tillhörde Paula Ney, och att det var Paula Ney som hängts i det mörka hotellrummet som bara släppte in en tunn strimma sol åt gången.

"När skulle Paula ha flyttat tillbaka till lägenheten?" frågade Winter.

"Nån gång i framtiden, som hon hade uttryckt det."

"Hade hon sagt så? Sa föräldrarna att hon hade sagt så?"

"Pappan hade visst sagt det. Jag frågade mamman."

Winter höll upp brevet, en kopia av brevet. Orden var desamma som på originalet. De sex raderna. Ovanför: "Till Mario och Elisabeth."

"Varför skrev hon det här? Och varför till föräldrarna?"

"Hon hade ingen man", sa Ringmar.

"Svara på den första frågan först", sa Winter.

"Jag har inget svar."

"Blev hon tvingad?"

"Absolut."

"Vet vi att hon skrev det här brevet efter försvinnandet, eller vad vi ska kalla det? Efter att hon skildes från väninnan på Grönsakstorget?"

"Nej. Men vi utgår från det."

"Vi kopplar ihop brevet med mordet", sa Winter. "Men det kanske handlar om nåt annat."

"Vad skulle det vara?"

17

De var inne i en av sina rutiner, metoder, frågor och svar och frågor igen i en medvetandeström som kanske skulle röra sig framåt, eller bakåt, åt vilket håll som helst, bara den inte stod stilla.

"Hon kanske behövde få ur sig nåt", sa Winter. "Hon kunde inte säga det ansikte mot ansikte. Ansikte mot ansikten. Nåt hade hänt. Hon ville förklara sig, eller söka försoning. Eller bara höra av sig. Hon ville hemifrån, för ett litet tag. Hon ville inte vara hos föräldrarna."

"Det där är önsketänkande", sa Ringmar.

"Förlåt?"

"Alternativet är helt enkelt för hemskt."

Winter svarade inte. Ringmar hade rätt, förstås. Han hade försökt se scenen framför sig eftersom det var en del av hans arbete, och han hade slutit ögonen när han såg den: Paula framför ett papper, någon bakom henne, över henne. En penna i hennes hand. Skriv. Skriv!

"Är det hennes ord?" frågade Ringmar.

"Tog hon diktamen?" frågade Winter.

"Eller fick hon skriva vad hon ville?"

"Jag tror det", sa Winter och läste de första meningarna igen.

"Varför då?" frågade Ringmar.

"Det är för personligt."

"Det kanske är mördarens personlighet."

"Du menar att det är hans meddelande till föräldrarna?"

Ringmar ryckte på axlarna.

"Jag tror inte det", sa Winter. "Det är hennes ord."

"Hennes sista ord", sa Ringmar.

"Om det inte dyker upp fler brev."

"Fy fan."

"Vad menar hon med att hon vill be om förlåtelse?" sa Winter och läste orden igen.

"Det hon skriver", sa Ringmar. "Att hon vill be om förlåtelse om hon förargat föräldrarna."

"Är det det första man tänker på i ett brev som detta? Skulle hon tänka på det?"

"Tänker man överhuvudtaget?" sa Ringmar. "Hon vet att hon är mycket illa ute. Hon får order att skriva ett avskedsbrev." Ringmar skruvade sig på stolen igen men flyttade den inte. "Ja. Det är möjligt att tankar om skuld dyker upp då. Precis som tankar om försoning."

"Fanns det nån skuld? Jag menar riktig skuld?"

"Inte enligt föräldrarna. Ingenting som var... tja, nåt utöver det normala mellan barn och föräldrar. Det finns ingen gammal fejd, eller vad man ska kalla det."

"Fast det vet vi inte", sa Winter.

Ringmar svarade inte. Han reste sig och gick bort till fönstret och tittade ut genom springorna i persiennen. Han kunde se vinden i de svarta trädkronorna framför Fattighusån. Det fanns ett matt ljus över husen på andra sidan ån, det var något annat än högsommarens klara skimmer i natten.

"Har du varit med om nåt sånt här förut, Erik?" sa Ringmar utan att vända sig om. "Ett brev från... andra sidan."

"Andra sidan?"

"Kom igen, Erik", sa Ringmar och vände sig om, "flickstackarn vet att hon ska bli mördad och hon skriver ett brev om kärlek och försoning och förlåtelse, och sen får vi ett samtal från det där förbannade lopphotellet och det enda vi kan göra är att ta oss dit och konstatera vad som hänt."

"Du är inte den ende som är frustrerad här, Bertil."

"Så – har du varit med om nåt sånt här förut? Ett avskedsbrev på det här sättet?"

"Nej."

"Skrivet med en hand som sedan målats? Målats vit? Som om den vore... avskild från kroppen?"

"Nej, nej."

"Vad fan är det som händer, Erik?"

Winter reste sig utan att svara. Han kände en skarp smärta i nacken och över ena skulderbladet. Han hade suttit i djup koncentration över brevet alltför länge och glömt att röra på sin 45-åriga kropp, och det gick inte längre, han klarade inte längre av att sitta stilla under alltför lång tid. Men han var fortfarande vid liv. Han hade sina händer framför sig. Han kunde lyfta dem och massera nacken. Han gjorde det, tog ner händerna, gick bort till Ringmar som fortfarande stod vid fönstret. Winter öppnade det en decimeter. Han kände kvällens dofter, de var som en svalka.

Bertil var förbannad. Han var professionell och förbannad och det var en bra kombination. Det stärkte fantasin, drev på. En polis utan fantasi var en dålig jägare, medelmåttig i bästa fall. Poliser som lyckades stänga av allting när de steg ut från polishuset och åkte hem. Det var kanske bra för dem men det var inte bra för arbetet, den som saknade fantasi kunde stänga av efter kontorstid – och sedan fundera över varför det aldrig blev några resultat. Många var såna, hade Winter tänkt åtskilliga gånger under sin karriär inom kriminalpolisen, det fanns gott om knappt dugliga medelmåttor som inte kunde tänka längre än fram till slutet av backkrönet. På det sättet var de besläktade med psykopaterna, saknade förmågan att tänka i den egna näsans riktning: Finns det nåt på andra sidan krönet? Nä, jag kan ju inte se nåt här så där kan ju inte finnas nåt. Jag tror jag kör om.

"Jag vet inte om det är ett meddelande till oss", sa Winter. "Handen. Den vita handen."

"Vad var det med hennes hand?" sa Ringmar.

"Hur menar du?"

"Finns det nån... historia runt hennes hand? Varför målade han handen med den där jävla lackfärgen?"

Färgen kom från Beckers, den hette Syntem, var en antikvit halvblank lackfärg för snickerier, möbler, väggar och järnytor inomhus. Allt detta stod på literburken som stått i rum nummer tio. Det var teknikernas sak att konstatera att färgen också använts på en mänsklig kropp. Det fanns ingen anledning att betvivla det, men de måste ha klarhet. En sak hade de redan klarhet i: Paula Ney hade aldrig rört penseln som legat invid burken som var i det närmaste full. Den färg som använts hade använts för att måla Paulas hand. Sedan hade penselns skaft noga torkats av.

"Inget... onormalt med handen, enligt föräldrarna", sa Winter.

Herregud. Föräldrarna hade inte sett hennes hand ännu. Pia E:

son Fröberg och Torsten Öberg var inte färdiga med den. Winter hade fått dölja den för föräldrarna och samtidigt berätta om den, ställa frågor om den. Vilket jävla jobb det här är.

"Jag har alla familjefotona på rummet", sa Ringmar.

"Vi kommer inte att hitta nånting där", sa Winter.

Ringmar svarade inte.

"Vad ska han med den då?" sa Ringmar. "Handen?"

"Det låter på dig som om han burit med sig den."

"Känns det inte så då?"

"Jag vet inte, Bertil."

"Det finns en mening med det här. Den jäveln vill säga oss nåt. Han vill berätta nåt för oss." Ringmar slog ut med handen i luften. "Om sig själv." Han tittade på Winter. "Eller om henne." Han tittade ut genom fönstret. Winter följde hans blick. Det fanns bara mörker därute. "Eller om dom båda."

"Dom kände varandra?" sa Winter.

"Ja."

"Dom hade stämt möte på ett undanskymt hotell? Och för säkerhets skull låtit bli att anmäla sin ankomst i lobbyn?"

"Ja."

"Och det tror vi på?"

"Nej."

"Men hon kände mördaren?"

"Jag tror det, Erik."

Winter svarade inte.

"Jag har varit i det här jävla yrket tio år längre än du, Erik, jag har sett det mesta men jag har svårt att få ihop vad som sker här."

"Vi ska få ihop det", sa Winter.

"Naturligtvis", sa Ringmar, men han log inte.

"På tal om förr", sa Winter. "När jag var riktigt grön, det var första året som spanare tror jag, så jobbade jag med nåt där Hotell Revy förekom."

"Det är sannerligen inte första gången det stället förekommer i en utredning", sa Ringmar. "Det vet du lika väl som jag."

"Ja... men fallet... eller vad det ska kallas, var speciellt."

Winter betraktade natten utanför, ett svagt mörker och ett svagt ljus, som om ingenting kunde bestämma sig därute när sommaren i det närmaste var över och hösten sakta gled upp ur jorden med dimman.

"Det var ett försvinnande", sa Winter. "Jag minns det nu."

"På Hotell Revy?"

"Det var en kvinna", sa Winter. "Jag kommer inte ihåg hennes namn just nu. Men hon försvann hemifrån. Skulle gå nåt ärende. Hon var gift, tror jag. Och vad jag kommer ihåg hade hon checkat in på Revy natten innan hon försvann."

"Försvann? Försvann vart?"

Winter svarade inte. Han sjönk bort i tankarna, i minnet, som mörkret därute sjönk över takåsar och gator och parker och hamnar och hotell.

"Vad hände med henne?" frågade Ringmar. "Jag har nog utrett för många försvinnanden, dom flyter ihop."

"Jag vet inte", sa Winter och fixerade Ringmars ansikte. "Ingen vet. Jag tror inte hon nånsin har återfunnits. Nej."

Winter hade varit 27 år och grön kriminalassistent och sensommaren hade varit grönare än den brukade vara eftersom det hade regnat ovanligt mycket hela sommaren. Winter hade rört sig i staden varje dag utan tanke på semester men han hade tänkt på framtiden, den här framtiden, spanarens framtid, han hade avbrutit juridikstudierna innan de egentligen kommit igång, för att bli polis, men efter utbildningen och ett år i uniform och ett halvår i spanarcivila kläder var han fortfarande inte säker på om han ville ägna sitt liv åt att tränga ner i den undre världen. Det fanns så mycket ovanför som var så mycket ljusare. Även när det regnade. Under halvtannat år i kåren hade han sett saker som normala människor aldrig ser, även om de lever i hundra år. Det var så han tänkte: Normala människor. De som levde i överjorden. Han levde där också ibland, han kom och gick, kröp upp och kröp ner igen, men han visste att hans liv aldrig skulle bli "normalt". Vi har en egen värld härnere, vi poliser, tillsammans med våra tjuvar och mördare och våldtäktsmän. Vi förstår. Vi förstår varandra.

Han hade börjat förstå vad det innebär att förstå. När han gjorde det blev det lättare. Jag blir som dom, tänkte han. Mördarna.

Jag blir alltmer som dom eftersom dom aldrig kan bli som jag.

Han förstod att han måste tänka i oregelbundna mönster för att finna svar på gåtor. Det blev lättare då. Det blev också svårare då. Han kände hur han förändrades under tiden som han blev allt bättre i sitt arbete, i sitt tänkande. När han funnit gåtornas svar, eller delar av svaren, sa han att han hade livlig fantasi och sen var det inte mer med det. Men det var inte bara fantasi. Han hade tänkt som *dom*, gått in i mörkret som *dom*. Han hade inget eget liv under långa perioder av sitt liv, ju skickligare han blev desto svårare blev det att leva "normalt". Han var ensam. Han var som en stenudde. Han höll inte ordning på dygnet. Han höll inte ordning på någonting mer än sin gåta. Han vårdade gåtan, stoppade om den, vattnade den, när det gällde gåtan var han en pedant, tvångsmässig i sin omsorg. Hans dokument låg i räta rader på skrivbordet. Därhemma låg hans kläder i slarviga högar på vägen mellan sovrum och badrum. Han hade snygga civila polisiära kläder eftersom han inte såg någon dygd i att vara en slusk, men han var en slusk lik förbannat under ett vackert skal. Han försökte laga riktig mat men gav upp mitt i. Han öppnade en flaska maltwhisky i stället, när knappt någon visste vad maltwhisky var för något, där hade Winter ett försprång i den normala världen och han försökte dricka whiskyn så långsamt som möjligt och lyssna på den atonala jazz som ingen annan stod ut med. Whisky och jazz, det blev hans metod, när natten föll, och allt annat därute, och han satt i halvmörkret med sina handlingar, sina gåtor, så småningom med en laptop som spred ett kallt ljus.

Efter ett par år på roteln kom han fram till att han funnit sig själv eftersom han sakta förlorat det som varit han själv, och han tyckte att det var skönt, det var en befrielse från normalitet.

*

Ellen Börge hade befriats från normalitet. Eller befriat sig själv. Hon hade gått ut för att köpa en tidning och aldrig kommit tillbaka. Det var faktiskt så, verkligheten blev som sagan: Ellen hade faktiskt gått ut för att köpa en tidning, en så kallad damtidning. Winter hade först gissat att det var Femina eftersom det legat en tunn hög Femina på soffbordet och inga andra tidningar. Hennes man, Christer Börge, hade ingen koll. Jaså, Femina? Ja, jag vet inte. Hon sa inte.

Hon hade aldrig kommit fram till ICA-affären i närheten där hon brukade köpa sina tidningar, och allt annat också. De hade tur på det sättet att de två expediterna som hade arbetat den eftermiddagen kände igen Ellen Börge och nog skulle ha kommit ihåg om hon varit där, hade de sagt.

Christer Börge hade väntat fem timmar innan han ringde polisen. Han kopplades först till lokala Vaktdistrikt 3, som det hette då, och efter ett dygn utan Ellen kopplades spaningsroteln in, närmare bestämt skyddspolisen som arbetade med försvinnanden. Gröngölingen Erik Winter hade fått fallet, blöt-bakom-öronen-Winter. Han misstänkte brott eftersom det var hans jobb att misstänka brott, det var också hans natur att misstänka brott, och han hade suttit framför soffbordet med Femina på och ställt frågor om 29-åriga Ellen Börge till hennes 31-årige man. Trion var ungefär jämnårig men Winter kände sig utanför, han hade inte träffat Ellen, och Christer hade inte jublat när Winter anlänt. Christer Börge hade varit nervös men Winter förstod inte vad det var för sorts nervositet. Sådan människokännedom krävde år som förhörsledare. Det var ingenting som kunde läras ut på Polishögskolan. Det var bara att vänta in åren, eller vänta ut dem, ställa sina frågor om och om igen, läsa ansikten, lyssna på orden och samtidigt försöka förstå innebörden. Winter hade vetat redan då, i tidernas begynnelse, 1987, att litteraturvetare pratade om undertext, och det var ett bra ord också för polisförhör: Det kunde finnas ett bråddjup mellan det som uttalades och det som avsågs.

"Du väntade fem timmar innan du kontaktade polisen", hade han sagt till Christer Börge. Det var ingen fråga.

"Ja, vadå?"

Börge hade rört sig på soffan mitt emot. Winter hade suttit i en fåtölj, ett slags vit plysch, han hade tänkt att möblerna verkade alltför... vuxna för jämnåriga till honom, hela hemmet verkade... etablerat, inbott, som av ett par i övre medelåldern, men han litade inte på sitt eget omdöme där; hans egen lägenhet var en tvåa med en säng och ett bord och något slags fåtölj, och i ett direkt förhör skulle han själv inte kunna redogöra för vad han hade för möblemang, och vad det hade för syfte.

Men Christer Börge skulle kunna redogöra för allt i sitt hem, en komplett innehållsförteckning ner till antalet servetter i andra kökslådan uppifrån. Winter hade varit säker på det. Börge hade sett ut som någon som måste ha total kontroll om världen skulle behålla sin normalitet. Hans fru hade sett ungefär likadan ut på ett fotografi som stod på soffbordet, ett konservativt ansikte, en frisyr med stora säkerhetsmarginaler, en blick som var någon annanstans. Men Ellen Börge hade haft vackra, rena och regelbundna drag på det där fotot. Det var ett ansikte som skulle kunna vara närmast sensationellt i ett annat sammanhang, med en annan frisyr, och Winter hade tänkt, medan han satt i den tunga soffan, att Ellen Börge kanske inte varit så lycklig med sin man. För mycket kontroll. Kanske barn var inplanerade men först om några år, när månen stod rätt, när tidvattnet dragit sig tillbaka, när ekonomin krävde det. Winter hade själv inga tankar på barn men han hade å andra sidan ingen kvinna att inte dela sådana tankar med.

Ellen Börge kanske inte hade stått ut.

Fem timmar. Sedan hade mannen ringt polisen. Om Christer Börge var den han verkade vara borde han ha ringt direkt. Krävt sin rätt. Krävt en massiv insats. Krävt tillbaka sin fru.

Winter hade undrat.

"Var du inte orolig? Fem timmar kan vara en lång tid när man väntar på nån."

"Hade ni gjort nåt om jag ringt tidigare, va?" Börges röst hade plötsligt blivit ljusare, nästan gäll. "Hade ni inte bara sagt att man fick vänta och se?"

"Har du ringt förut?" frågade Winter. "Har Ellen varit försvunnen förut?"

"Eh... nej. Jag menar bara att man får väl vänta. Det har man ju läst. Polisen avvaktar, va?"

"Det beror på", sa Winter som plötsligt var den som svarade på frågor. Det var svårt det här, förhör var mycket svårt. "Det går inte att vara generell."

"Ibland... tog hon en promenad", sa Börge utan att Winter ställt någon följdfråga. "Hon kunde vara borta några timmar utan att säga till. Som i förväg, alltså."

"Fem timmar?"

"Nej, aldrig. Två kanske, tre nån enstaka gång."

"Varför då?"

"Vadå varför då?"

Börge var stilla nu i sin soffa, som om han börjat bli lugnare när han såg tillbaka på det som varit.

"Varför var hon borta i timmar utan att säga till i förväg?"

"Jag sa ett par."

"Frågade du henne?"

"Vad skulle jag fråga?" Börge strök utefter plyschen, som om han smekte en hund, en katt. "Hon tog ju bara en promenad."

"Och den här gången gick hon ut för att köpa en tidning. Kanske Femina."

"Om du säger det så."

"Det finns bara den tidningen här", sa Winter och grep högen framför sig och läste utgivningsmånaden på omslaget på den översta. "Du är säker på att hon sa att hon skulle köpa en tidning?"

"Ja."

"Prenumererade hon på några andra?"

"Vad? Nej... hon har gjort det förut... men nu blev det väl... lösnummer, eller vad man ska säga."

"När slutade hon prenumerera?"

Allt sådant kunde han kontrollera, men han ville ändå fråga. Det kunde vara viktiga frågor. Oftast visste man först efteråt.

"Ja..." sa Börge och såg på den lilla högen på bordet, "det kommer jag inte riktigt ihåg. Några månader sen, tror jag."

"Läser hon några andra tidningar eller tidskrifter?"

"Njae, dagstidningen har vi ju, GP. Och så är det väl den där då."
Han pekade på högen som Winter fortfarande höll i handen. "Du
får gärna leta i garderoberna men jag har bara sett den där."

"Hon hade den redan", sa Winter.

"Vad?"

Winter höll upp de två översta tidningarna.

"Hon hade augusti månads tidning, och septembers."

"Septembers? Det är väl inte september än?"

"Dom kommer väl ut lite innan månadsskiftet, gissar jag." Win-
ter läste igen på omslaget. "Det står här: September 1987."

"Det var kanske inte den tidningen", sa Börge. "Alltså den hon
pratade om att gå och köpa."

Winter sa ingenting. Han väntade. Han visste att det var bra att
vänta ibland. Det var det svåraste, den svåraste förhörskonsten.

Det gick trettio sekunder. Han kunde se hur tystnaden fick Bör-
ge att tänka att han hade sagt något som Winter ogillade, eller blivit
misstänksam emot, och att han borde säga något nu som gjorde
stämningen runt soffbordet lite bättre, lättare kanske.

Han reste sig plötsligt och gick bort till bokhyllan som mest var
ett mycket stort skåp utefter väggen, ett vitrinskåp, med plats för
porslin, prydnadssaker, böcker, några fotografier i ramar. Winter
hade sett Ellens ansikte.

Börge stod kvar framför böckerna, som om han letade efter en
särskild titel. Han vände sig om.

"Vi hade grälat lite."

"När då?"

"Då... när hon gick ut."

"Vad grälade ni om?"

"Barn."

"Barn?"

"Tja... hon ville ha barn men jag tyckte att det var tidigt. För
tidigt."

Winter sa ingenting till 31-åringen framför sig, framför allt för att han själv inte hade något att säga om barn eftersom "tidigt" i hans sammanhang bara var förnamnet, ett förord. En egen familj låg eoner framåt i tiden. Inte ens hans fantasi räckte till för att överblicka det backkrönet.

"Ni grälade om det?"

"Som jag sa. Men det var inte så farligt."

"Vad menar du med det?"

"Det var inget bråk egentligen. Det var bara att hon... pratade om det."

"Och du ville inte prata om det?"

Börge svarade inte.

"Hade ni grälat om det förut?"

"Ja..."

"Slutade dom här grälen med att hon gick ut? Utan att säga när hon skulle komma tillbaka?"

Börge nickade. Winter ville ha svar i ord. Han upprepade frågan.

"Ja", svarade Börge.

"Är det orsaken till att hon gick ut den här gången?"

"Njae... vi grälade egentligen inte. Och hon skulle ju gå och köpa en tidning." Börges blick föll ner på tidningen som Winter lyft från högen, tidningen hon skulle köpa men redan ägde.

"Var det alltid orsaken till att hon gav sig iväg?" Winter följde Börges blick. "Gräl om när ni skulle ha barn?"

"Jae... jag kan inte komma ihåg", sa Börge. "Men hon kom ju alltid tillbaka." Han tittade rakt på Winter nu, sökte hans ögon. "Hon kom ju alltid tillbaka."

Men den här gången kom hon inte tillbaka.

Hon kom aldrig tillbaka.

"Jag minns nu", sa Winter. "Hon kom aldrig hem. Ellen. Hon hette Ellen. Ellen Börge."

De stod kvar vid fönstret. Den sena augustikvällen var mörk som i november. Winter tänkte på ett tidningsomslag med "September" tryckt under tidningens namn.

September kom och gick genom åren men Ellen Börge samlade

dem inte på hög längre, inte på det där soffbordet i alla fall.

"Jag minns också", sa Ringmar. Han log svagt i skenet utifrån. "Och jag minns dig. Det där var väl ditt första fall, eller ett av dom första."

"Första fall, första misslyckande."

"I en lång rad", sa Ringmar.

Winter nickade.

"Allvarligt talat", sa Ringmar, "det är ett försvinnande som vi inte klarat ut, men vi har inte upptäckt om det låg ett brott bakom."

"Vi har inte ens klarat ut om det var ett brott som vi sedan ska klara upp", sa Winter.

"Betyder det nåt för dig?" sa Ringmar. "Nåt särskilt? Hennes försvinnande? Ellens?"

"Jag vet inte." Winter kände sig plötsligt förbannat trött, som om åren från då till nu hade kommit stapplandes i en enda rad och lagt sig över honom, alla på en gång. "Men det var nåt med det där... med Ellen... som gjorde att jag hade svårt att släppa det."

"Det är nog värre i början", sa Ringmar. "När man är grön."

"Nej."

Winter strök sig över hakan. Han kände och hörde raspet från skäggstubben. Den hade börjat bli grå, sedan något år. Det var inte åldern. Det var genetik, ren normalitet. Så gammal var han inte än.

"Jag har tänkt på det ibland", fortsatte han. "Genom åren. Att där fanns nåt. Nåt jag kunde ha gjort. Nåt jag kunde ha sett. Det fanns där, framför mig. Jag borde ha sett det. Hade jag sett det hade jag kommit längre."

"Längre vart då?"

"Längre mot... Ellen."

"Du talar som om det var ett brott", sa Ringmar. "Att hon blev utsatt för ett brott."

Winter slog ut med armarna, mot Ringmar och natten.

"Men vi har ett alldeles verkligt och självklart brott framför oss", sa Ringmar.

"Mhm." Winter ruskade på huvudet. Han kände hur något

skramlade till därinne, kanske en mutter som behövde dras åt ännu hårdare. "Jag känner mig trött plötsligt. Nu kommer jag inte ens ihåg hur vi kom in på Ellen Börge."

"Hotell Revy", sa Ringmar. "Hon hade också checkat in på stans mysigaste härbärge."

"Men Paula Ney checkade aldrig in", sa Winter.

"Nej", sa Ringmar. "Och hon checkade aldrig ut heller."

2

HADE VERKLIGEN PAULA NEY SJÄLV SKRIVIT brevet till föräldrarna, Mario och Elisabeth? Handstilen liknade hennes, och de utgick i nuläget från att Paula skrivit brevet, men närmare analyser fick avgöra. Det pågick närmare analyser av allt de funnit på fyndplatsen, men Winter kunde inte bara sitta på sitt rum och vänta på att andra skulle göra allt förarbete, eller bakgrundsarbete. Analyserna kom när de kom. Han måste från den första timmen fundera kring fyra stora frågor som alltid måste ställas, omedelbart: Vad hände, exakt? Varför hände det, och varför på just det sättet? Vem kan ha utfört mordet på detta sätt? Vilka orsaker ligger i så fall bakom?

Winter stod i hotellrummet på Revy. Den levande staden rörde sig utanför, mumlade bakom de fördragna gardinerna. Han gick bort till fönstret och drog undan gardiner som var som draperier och ljuset över staden bländade honom och ljuden blev plötsligt högre, som om någon vridit upp volymen på en centralknapp i stadshuset.

Ett par dagar bara till september och den värme som stannat kvar vid Kräftans vändkrets hela sommaren, och aldrig nått hit upp, hade plötsligt tryckts norrut. Solen var på väg ner till Stenbocken nu men själva värmen var tung och kompakt över Norden. Rostiga utegrillar kom i bruk, eldar brann ute i trädgårdar i de svarta kvällarna, det luktade av sot i det fuktiga mörkret och Winter tänkte på andra länder, därnere mellan Kräftan och Stenbocken. Tropikerna. En dag skulle han vara på väg dit, Thiruvananthapuram, Cochin, Madurai, Georgetown, Singapore, Padang, Surabaya.

Det fanns inga skuggor i tropikerna. En människa kastade ingen skugga, den rann rakt igenom kroppen och försvann under fotsulorna.

Han blinkade i det överraskande ljuset genom fönsterrutan och vände sig in mot rummet igen och väntade tills konturerna blivit tydliga.

Rummet skimrade i guld. Rött guld. Om han kisade kunde han inte urskilja fläckarna på väggarna. En del av dem tillhörde tapeten, en del hade tillkommit senare.

Han gick några steg tillbaka in mot sängen som stod utmed bortre långväggen. Han flyttade blicken mot dörren. Det fanns ett mönster på den, som en blomma. Det såg ut som om någon vräkt ett glas svart vin mot dörren. Vin? Varför tänker jag på vin? Det ser ut som bläck. Det är svart som skriften i Paulas brev. Avskedsbrev.

Det mesta därinne såg ut som då, när de kommit hit första gången. Tystnaden hängde där som en påminnelse, eller ett minne. Som en av tavlorna på väggen, den största. Det fanns inga spår kvar som han kunde se nu. Inga sådana fläckar. Det röda härinne var det röda guldet, lika falskt som rummet, hotellet, kvarteret, ibland hela den förbannade staden. Men var det tyst härinne nu, som om avspärrningen också stängde ute alla ljud från staden.

Men det hängde ihop, allt hörde samman på ett sätt som han ännu inte kunde se, som när man betraktar en hög pusselbitar och vet att alla de där bitarna hör ihop, men ännu inte hur.

Det hemska meddelandet i brevet var en del i ett större meddelande. Han kunde orden utantill nu, hennes ord. De handlade om kärlek, en stor kärlek. Eller enbart om motsatsen. Nej. Ja. Nej. Hade hon varit drogad? Dikterade han? Vad skriver man för sista ord? Visste hon att det var hennes sista ord? Nej. Ja. Nej. Ja.

Han släppte frågan och svaren och koncentrerade sig på rummet. Vad hände här inne, exakt? Paula hade kommit hit men de visste inte om hon gjort det ensam, som inför ett möte. Mannen nere i receptionen hade inte märkt något och det var kanske hans jobb att inte märka något. Hon hade inte skrivit in sig och ingen mindes att hon stått ensam vid receptionsdisken. Om hon stått där. Folk kom och gick här, kvinnor, män, kvinnor, män. Sällan några barn. Det fanns inget lekrum här. Det fanns inga ljud av barn och Winter trodde inte att det någonsin gjort det. Här fanns inga sådana minnen.

Mördaren hade kommit hit. Paula Ney hade skrivit sina ord på hotellets brevpapper. Det fanns ett sådant, som en kvarleva från en bättre tid. Kvarleva. Det var ett jävla ord. Hade mördaren vetat att det fanns brevpapper på rummet? Eller var brevet ett plötsligt beslut, en tillfällig nyck? Paula hade inte lämnat det här rummet efter det att hon stigit in genom dörren. Winter kände sig säker på det. Efter några timmar hade hon skrivit ett brev. Han såg sig om igen. Varför det här rummet? Varför det här hotellet? Rum nummer tio. Han tänkte plötsligt på Ellen Börge. Hon hade bott här en natt. Vilket rum hade hon tagit in på? Det måste stå i hennes akt, sådan den nu var. Winter kunde se den framför sig. Den låg nere i arkiven, ett arkivex som inte digitaliserats eftersom innehållet handlade om brott som inträffat före 1995. Efter det inföll den moderna tiden. Handlingarna om Ellen Börge var stämplade "Ej spaningsresultat. F.U. nedlägges." och det var många år sedan Winter hållit papperen i sina händer. Om det stod något om förundersökning. Det hade tekniskt sett inte varit någon förundersökning. Han mindes inte alla detaljer i texten. Plötsligt ville han veta, så fort som möjligt, och drog upp mobiltelefonen ur linneskjortans bröstficka.

Janne Möllerström, registratorn, svarade.

"Handlingarna om Ellen Börges försvinnande", sa Winter. "Jag nämnde fallet för dig i går."

Ellen hade försvunnit långt innan Möllerström kom till roteln. Winter hade kort beskrivit förloppet för honom.

"Korttidsminnet fungerar fortfarande", sa Möllerström nu.

"Ett dygn? Kallar du det kort tid?"

"Ha ha."

"Har du hittat handlingen?"

"Ja. Ett försvinnande dokumenterat för eftervärlden."

"Det är inget vanligt försvinnande."

"I vilket fall får du nöja dig med papper, från början."

Möllerström var en varm vän av datoriserade arkiv.

"Har du hunnit hämta upp arkivexet?"

"Svaret är faktiskt ja", sa Möllerström, "fråga mig gärna hur jag hann med det."

"Hur hann du med det?"

"Ingen aning."

"En detalj", sa Winter och stirrade rakt in i väggen ovanför sängen. Den var naken, utan tavlor. Tapetmönstret flöt samman på så här nära håll. "Kan du få fram vilket rum Ellen Börge hade på Hotell Revy?" Winter försökte ändå urskilja mönstret på tapeten. "Jag står i Ney-rummet nu."

Winter såg bort mot fönstret. Ljuset var fortfarande starkt därute. Han kände ett vagt igenkännande, en obehaglig känsla, som ett begynnande illamående. Det var något med husfasaden på andra sidan gatan. Koppartaken.

"Bör stå nånstans i början", sa han in i telefonen.

"Om det står alls."

"För fan, jag var själv med."

"Ja, då så."

"Ring mig direkt du hittar nåt."

Winter tryckte av och blev stående med mobilen i handen. Solen strök över de gröna koppartaken på andra sidan gatan. Det var inte mer än tjugo trettio meter dit. Det blixtrade plötsligt till genom fönstret, som av en kraftig strålkastare, när vindflöjeln på taket till vänster svängde i en plötslig vind och träffades av solen.

Winter visste att det var en tupp, en röd kam.

Han hade stått här förut, i en annan tid, ett annat liv. Ett yngre, osäkrare, öppnare. Ofärdigt, mer ofärdigt än nu.

Obehaget rörde sig i magen igen, som en påminnelse om något.

Han kände darrningen i handen sekunden innan telefonen ringde.

"Rum nummer tio", sa Möllerström. "Stod redan på sidan två."

"Ja."

"Du verkar inte överraskad."

"Jag kände just igen nåt." Han såg tuppen svänga ett kvarts varv och strålkastaren släcktes. "Men tack för snabbt besked, Janne."

Winter tryckte av och blev stående mitt i rummet.

En tillfällighet?

Naturligtvis.

Hur många rum hade det här stinkande loppboet?

Fler än någon visste.

Var nummer tio reserverat för ensamma kvinnor utan eskort? Eskortservice hade annars varit Revys specialitet. Han hade varit tillbaka här några gånger under karriären. Prostitution, narkotika, misshandel. Revy var som en gammal punch drunk-boxare som alltid reste sig på nio. Stället hade fått vara kvar när resten av Nordstan och omkringliggande kvarter krossades av rivningssläggorna. Var det av nostalgiska skäl? Var det den blinda solfläcken på kartan i Trädgårdsföreningen? Hade stadsplanerarna varit gamla kunder här? I två fall var det så, en stadsarkitekt och ett före detta kommunalråd. Socialdemokrat. De rev allting annat, vackert och fult om vartannat, men Revy fick stå kvar. Stadsarkitekten tillät bygge på tomter som kommunalrådet låtit spränga. Kanske de gjorde upp på bordellen, två gamla gangstrar. Winter såg sossen på stan då och då, han gick med käpp nu och tänkte antagligen fortfarande med pitten. Han hade mycket på sitt samvete. Han verkade alltid vara på gott humör.

Revy hade stått kvar tills nu, till Paula Neys död. Stått här under Ellen Börges försvinnande. Rum nummer tio. Hade andra saker inträffat här? Han fick sätta Möllerström på det. Sökord: Rum tio. Herregud. Och ett grävande i de dammiga arkiven. Utan arkiv, elektroniska eller inte, kunde de lägga av, lägga ner. Allt som hände nu hängde ihop med det förflutna, direkt eller indirekt. Det var aldrig som i tropikerna. Det förflutna kastade långa skuggor här, på Winters breddgrad.

Det fanns skuggor som flyttade sig i rum nummer tio. Sängen såg inte längre riktigt likadan ut som när han kom in, inte bordet eller fåtöljen heller, inte mönstret på väggar och golv. Det hängde en reproduktion av ett konstverk på väggen invid fönstret. Det var den sämsta platsen för en tavla, det fanns nästan inget ljus där. Det var ett porträtt av en kvinna med mörka drag. Gauguin. Winter hade sett originalet på ett museum i Rom, ett inlånat verk. Gauguin, han tänkte också med pitten. Winter hade ganska nyligen läst en biografi om honom. Han valde tropikerna, levde där, dog där. Syfilis. Winter tog upp anteckningsblocket ur bakfickan på linnebyxorna och skrev: Kolla tavlor alla rum. Han visste inte varför just nu. Det var inte nödvändigt att veta. Han visste att det fanns fler frågor än svar, det gick hundra frågor på ett svar. Det skulle svänga, svaren skulle bli fler men frågorna skulle fortsätta att vara hundra, tusen, och om svaren blev fler än frågorna så skulle det ändå inte vara säkert att de kommit närmare en lösning på gåtan. Lösning. Upplösning. Förlösning. Det där var flera ord för något som nästan alltid förblev oklart, ofärdigt. Han rörde sig i rummet nu. Paula Ney hade inte checkat ut. Hon hade mördats. Hon hade dött här. Hon hade dött eftersom någon hatade. Var det så? Naturligtvis. Hur kunde någon hata så? Hon hade skrivit om kärlek och därefter hade hon dött. Våldet var av sådan karaktär att det måste vara personligt. Det syntes inte i det här rummet, det fanns inga spår på väggar och golv. Den man älskar mördar man. Eller: Våldet hade stegrats till en sådan grad av opersonlighet att det blivit... personligt. Kände de varandra, mördaren och Paula? Nej. Ja. Nej. Ja. Han såg hur skuggorna flyttade sig igen, blev längre. Eftermiddagstrafiken verkade tätna nere på gatan. Han kunde plötsligt höra den, som om avspärrningen brutits. Han hörde ett rop, ett signalhorn från en bil, en plötslig ambulans borta i väster, och, i bakgrunden, ett stumt brummande från hela staden. En sjöfågel tog vid när ljudet av ambulansen klipptes av. Och nu: ljudet av steg i en ny ficka av tystnad. En kvinnas steg. Paula måste ha hört alla de där ljuden, hört livet där ute, stadens... normalitet. Vad hade hon tänkt? Visste hon att hon aldrig mer skulle få röra sig bland alla de underbara ljuden? Ja. Nej. Ja.

"Nej", sa mannen bakom disken, "jag minns ingen som gjorde henne sällskap. Jag minns inte henne."

Han hade ett obestämt utseende som formats under flera decennier. Kanske var det densamme som när den unge Winter stått här och frågat om Ellen Börge. Nej. Det var inte han. Winter hade vetat. Men han såg ut att ha funnits här då, som om han alltid varit här. Vissa människor hade ett sådant utseende, de såg ut att höra samman med omgivningen.

Winter ställde en omöjlig fråga. Han ville det. Kanske var den inte omöjlig, kanske var det den bästa han kunde ställa just nu.

"Kommer du ihåg en ung kvinna som tog in här 1987? Hon hette Ellen Börge."

"Förlåt?"

"Hon försvann dagen efter."

Mannen tittade på Winter som på någon som druckit sig igenom lunchen.

"Vi var här och frågade efter henne. Jag var här."

"Jag kommer inte ihåg", sa portiern.

"Hon bodde i samma rum", fortsatte Winter.

"Samma som vem?"

"Ney. Paula Ney."

"1987?" Mannen såg sig om, som om ett vittne stod någonstans och kunde bekräfta att kommissarien framför honom var full, eller galen. Här fick de in alla typer. "Åttisju? Just nu minns jag inget av hela 80-talet."

"Du verkar inte minnas nåt av hela förra veckan."

Mannen svarade inte. Han hade redan svarat. Han mindes inte att kvinnan skrivit in sig och det var allt. Folk kom och gick i receptionen hela tiden, och vad han visste var de hotellets gäster allihop. Någon hade haft en nyckel till rum nummer tio, men han kom inte ihåg att han givit henne den.

"Har ni många stamgäster?" frågade Winter.

Mannen såg ännu mer förbryllad ut, bakom sin attityd. Winter förstod varför. Frågan var felställd.

"Manliga stamgäster."

"En del affärsmän", sa mannen och log.

"Några du känner igen?"

"Jag brukar inte känna igen folk."

Mannen gäspade. Det var en stor gäspning. Den var mycket demonstrativ.

"Har du fel på ögonen?"

Winter hade höjt rösten.

"Va? Nej..."

Mannens käke hade fastnat halvvägs mitt i en ny gäspning.

"Jag har väl inte gjort nåt?!" sa han efter några sekunder. "Du behöver inte bli förbannad."

"Det har skett ett mord här och du låtsas att du är en dövblind idiot. Skärp dig för fan!"

Mannen såg sig om igen. Det fanns fortfarande inga vittnen i receptionen, ingen bakom den nedrökta krotonen som slokade vid trappans fot, ingen halvvägs upp eller ner i trappan, ingen bakom en halvöppen dörr som ledde gudvetvart, ingen bakom palmen i krukan som stod borta vid entrén. Winter tänkte plötsligt på tropikerna igen, det var palmen, och fläkten som snurrade i taket ovanför dem, och den fuktiga värmen därinne. Sensommaren hade blivit tropisk de senaste dagarna. Han kände svetten genom skjortan. Och Hotell Revys reception påminde om ett kolonialt hotell, eller kulissen till ett. Det var filmversionen av tropikerna. Men den här filmen var på riktigt.

"Alltså", sa Winter och tog upp sitt block.

Kriminalinspektör Fredrik Halders tackade nej till kaffe. Ingen i den här lägenheten ville ha nåt jävla kaffe i alla fall. Han förstod hur de kände sig. Paret framför honom försökte ta sig fram dag för dag, och då hjälpte inte kaffe och bulle. Inte sprit heller. Halders hade försökt med sprit när hans exfru, mamman till hans barn, kördes ihjäl av en rattfyllerist. Han hade inte börjat dricka direkt. Det började månader efter mordet på Margareta. Halders hade känt hur chocken sakta släppte och hatet strömmade in i honom och han hade druckit för att hålla hatet borta, för att göra sig själv orörlig, passiv, för att inte verkställa avrättningen av mördaren, eller hugga sönder hans mordredskap. Halders visste var biljäveln stod, framför villan som väntade på att sättas i brand.

Han hade druckit sig ur krisen och han skämdes efteråt. Inte för att han inte verkställt sina planer mot rattmördaren. Men för att han använt sprit som bedövningsmedel. Det var spriten som varit aktiv medbrottsling till mordet. Han borde bli helnykterist och han var det så gott som nu. Det fanns tid kvar att vara rörlig, det var ännu för tidigt för Länkarna, han var inte en länk ännu. Han drack kaffe, liter efter liter. Men inte just nu.

Mario och Elisabeth Ney tänkte kanske på hat, eller kanske de inte kunde tänka alls. Men Halders hade frågat om fiender till dem, till Paula. Vem kunde hata så?

"Paula var omtyckt av alla", sa Elisabeth Ney.

Det var en av de stora klichéerna i språket men inte för henne. Elisabeth såg ut som om det var sant för henne. Halders själv befann sig i den andra änden. Han var inte omtyckt av alla. Det var bättre nu, han kunde faktiskt räkna sina vänner på ena handens fingrar, men tidigare, under många år, hade det räckt med ett uppåtsträckt långfinger. Hans eget.

"Hur var det på jobbet?"

"Hur menar kommissarien?" Hon pratade med en entonig röst. Hennes man, Mario, pratade inte alls.

"Inspektör. Men säg du." Halders hade under några år tänkt på sig själv som kommissarie, men det där låg också bakom honom nu. Han var inte ett chefsämne. Han kunde inte kompromissa ens med sig själv.

"Hennes arbetskamrater", fortsatte han.

"Jag... hörde aldrig nånting."

"Hörde vad?"

"Att hon skulle vara ovän med nån på arbetet."

"Trivdes hon?"

"Jag har aldrig hört nåt annat", sa Elisabeth.

"Trivdes hon med själva arbetet?"

"Hon har aldrig sagt nåt annat."

Inga ovänner, inga konflikter, ingen oro över jobbet. En unik människa, tänkte han. Eller så var det helt enkelt så att hon aldrig sa någonting om någonting överhuvudtaget.

Han tittade på porträttet av Paula. Det stod mitt på köksbordet. Elisabeth hade ställt det där när de satte sig. Paula skulle vara med under samtalet. Det gällde henne.

Fotografen hade fångat hennes svartvita bild för evigheten mitt i början av ett leende, eller kanske i slutet. Halders hade aldrig förstått porträttfotografers besatthet av leenden. Barn som skrämdes till skratt av leksaker. Vuxna som skulle tänka på något trevligt. Säga "omelett". För Halders gick det lika bra med "skiiit". Leenden. Blev folk vackrare iklädda ett beställt leende? Blev framtiden vackrare?

Paula Ney var vacker, på ett konservativt sätt. Hon tog inga risker med sin frisyr. Hennes blick var någon annanstans, kanske på väggen ovanför fotografens huvud, kanske långt utanför väggen. Paula Ney hade vackra, regelbundna drag på det där fotografiet, det var ett ansikte som inte förändrades av det ofärdiga leendet, och Halders tänkte, medan han satt på den hårda köksstolen, att Paula Ney kanske inte varit så lycklig.

"Hur många år arbetade hon på Telia?"

Halders hade vänt sig till Mario Ney, men Elisabeth svarade:

"Nio år. Men det hette ju inte Telia förut."

"Ett år efter gymnasiet..." sa Halders. "Vad gjorde hon det året?"

"Inget... speciellt", sa Elisabeth.

"Skola? Jobb?"

"Hon reste."

"Reste? Vart reste hon?"

"Inget... speciellt ställe."

Alla ställen är väl speciella, tänkte Halders. Speciellt om man väljer att resa till dom.

"Sverige? Utomlands?" Han lutade sig framåt över köksbordet. Vaxduken var gul och blå. "Det är viktigt att ni kommer ihåg. Allting kan vara viktigt i en förundersökning. En resa kan va..."

"Vi vet inte riktigt", avbröt Mario Ney. Det var det första han sagt, han hade inte ens sagt något när de hälsade i hallen. Han såg inte direkt på Halders, hans blick var riktad uppåt, mot köksväggen, kanske långt bortom den. "Hon berättade inte så mycket."

"Hon var nitton år och var bortrest i ett år och hon berättade inte var hon var?" frågade Halders. "Var ni inte oroliga?"

Själv skulle han ha ringt polisen om det gällt Magda. Någon annan polis.

"Det... var inte ett helt år", sa Elisabeth på sitt dröjande sätt. "Och hon skickade oss några kort. Vi visste ju att hon var ute och reste." Elisabeth tittade på Mario. "Vi vinkade ju av henne på stationen."

"Vart var hon på väg då?"

"Hon hade en biljett till Köpenhamn."

"Kom hon dit?"

Mario ryckte lätt på axlarna.

"Varifrån skickade hon det första kortet?"

"Milano."

Halders försökte fånga Marios blick men den gled undan uppåt igen. Mannen hade fötts i Italien. Han såg ut som någon som kom från en annan del av Europa, eller världen. Ett mörkare utseende, ögonen, hakan. Håret var nästan borta, en gråsvart krans runt öronen. Halders hår var helt borta, det som inte fallit av av sig självt var bortrakat.

"Ville hon söka sina rötter?"

"Hennes rötter är här", sa Mario. Hans tonfall var oväntat hårt.

Inget Bella Italia för honom, tänkte Halders.

"Men hon åkte till Italien", sa han.

"Hon åkte till andra länder", sa Elisabeth.

"Har ni kvar hennes vykort?"

"Spelar det verkligen nån roll?" sa Mario.

"Som jag sa förut", sa Halders. "Allt kan spela roll."

Mario reste sig. "Jag ska se om jag kan hitta dom."

Han ville ut. Halders såg att hans händer darrade, kanske också resten av kroppen. Han höll ansiktet bortvänt.

"Din man verkar inte längta tillbaka till det gamla landet", sa Halders när Mario Ney lämnat köket.

"Han lämnade det kanske inte utan anledning", sa Elisabeth.

"Vad hände?"

Hon ryckte lätt på axlarna, på exakt samma sätt som mannen. Hon hade lärt det av honom, eller han av henne. Men det såg ut som en rörelse från något land långt söderut.

"Tvingades han iväg?" frågade Halders.

"Han har inte sagt nåt om det."

Herregud. Sa ingen något om något i den här familjen?

"Kom han ensam till Sverige?"

Hon nickade.

"Varifrån?"

"Från Sicilien."

"Sicilien? Det är en stor ö. Vilken ort?"

"Jag vet faktiskt inte." Hon såg Halders i ögonen. "Jag förstår att det låter underligt, men det är faktiskt sant. Mario har aldrig velat prata om det." Hon vände bort blicken. "Och jag... förstår inte vad det har med... det här att göra."

"Har Mario träffat sin familj? Efter att han reste?" fortsatte Halders. "Sin familj från Sicilien?"

"Nej."

"Han har aldrig rest tillbaka?"

"Nej."

"Ingen av er?"

"Nu förstår jag inte."

"Det var inte dit Paula var på väg?"

"Då hade hon väl berättat det?" sa Elisabeth.

Jag är inte så säker på det, tänkte Halders. Men vad visste hon om Sicilien? Hon hade bara sitt namn med sig till faderns ö, och Ney kanske var ett vanligt namn.

"Talade Paula italienska?"

"Inte då", svarade Elisabeth.

"Nu är det jag som inte förstår", sa Halders.

"Hon lärde sig det... lite senare. Lite av språket."

"Efter den där resan?"

Elisabeth nickade.

"Efter Milano?"

Elisabeth nickade igen.

"Reste hon tillbaka?" frågade Halders.

"Jag vet faktiskt inte", sa Elisabeth och såg direkt på Halders igen, och han trodde henne. Eller han trodde att han trodde henne.

"Hon hade ingen reskamrat?"

"Nej."

"Inte nån gång under den tiden?"

"Hon sa inget om det i alla fall."

"Hur var hon när hon kom hem? Var hon förändrad?"

Elisabeth svarade inte. När Halders gått hit hade han inte tänkt på resor. Nu ledde hans frågor honom runt Medelhavet. Kanske det var helt fel, en meningslös utflykt.

"Var hon glad? Ledsen? Upprymd?"

"Hon var som vanligt", sa mamman.

Hon vände plötsligt på huvudet, som efter något ljud ute i trädgården. Plötsligt såg Halders likheten. Det var något med ljuset. Han hade inte sett den förut. Det var något med profilen. Halders flyttade blicken fram och tillbaka mellan kvinnan på fotografiet och kvinnan som satt framför honom. Det var en likhet han inte sett omedelbart. Likhet. Vilket jävla ord.

"Vad betyder det?" frågade han. "Att hon var som vanligt?"

Kanske Elisabeth hade tänkt svara. Hon hade vänt tillbaka huvudet. Men Mario återvände in i köket och gick snabbt fram till dem och la några vykort på bordet.

"Det här är alla jag kunde hitta. Jag tror hon tog med sig nåt hem till sig också."

Hem. Halders hade varit i Paulas lägenhet. Den var nästan färdigrenoverad, ett och ett halvt rum tapetserat och målat. Det hade varit en märklig upplevelse. Att gå runt i en lägenhet som höll på att få ett nytt ansikte, och en annan doft, samtidigt som människan som bott där inte längre fanns. Han hade inte kunnat minnas att han varit med om det tidigare. Det var något vidrigt över det. En skymf mot livet.

Halders hade sett skåp och hyllor och en fristående hurts, allting täckt av till hälften genomskinlig plast, det såg ut som imma, som om någon andades under plasthöljet. I ett hörn hade Öbergs tekniker lyft på plasten och börjat röra vid hennes tillhörigheter. Också det kändes som ett slags skymf.

De skulle kanske hitta ett tio år gammalt vykort. Skulle det hjälpa dem? Ja. Nej. Nej.

3

GRUPPEN SAMLADES I SAMMANTRÄDESRUMMET. Det hade renoverats två gånger under Winters tid på roteln men nu var det slut. Det skulle inte bli något mer putsande i de här korridorerna som klätts med tegel som påminde om en annan tid. Nu skulle det inte bli någon mer renovering. Pengarna till sådant var borta. Teglet utanför hans rum skulle falla till golvet med tiden.

Han kunde se resterna av soluppgången över Ullevi. Solen tog sig motvilligt upp över hans del av världen. Ett meningslöst arbete. Vintern skulle komma i vilket fall. Solen var på väg till ekvatorn, där den hörde hemma. Här rådde årets stora solnedgång, och sedan mörker. Arktisk natt, bara ett par månader dit. Långkalsongerna skulle klia i början, men man vande sig alltid.

"Fan vad det är varmt", sa Ringmar som just kommit in i rummet och satt sig och nu strök bort hinnan av svett från pannan.

"Lägg av med det där", sa Halders.

"Förlåt?" sa Ringmar med handen fortfarande kvar mot pannan.

"Det värsta jag vet är nordbor som gnäller på solen så fort den kommer fram."

"Jag sa bara att det är varmt", sa Ringmar.

"Du sa FAN vad det är varmt." Halders pekade ut mot soldiset. "Är inte det en negativ kommentar?"

"Sagt av den store optimisten inom poliskåren", sa Ringmar och torkade pannan igen.

"Carpe diem", sa Halders och log.

"Mea culpa" sa Ringmar, "mea maxima culpa."

"Är det nån som kan översätta?" sa Lars Bergenhem, fortfarande gruppens yngste kriminalinspektör.

"Gick du inte klassisk variant?" frågade Ringmar.

"Klassisk vadå?"

"Klassiska varianten på Polisskolan", sa Halders. "Tänk först, handla sen. Borta nu. Bortsopat."

"Carpe diem begriper jag", sa Bergenhem, "men det andra?"

"Mitt fel, min skuld", sa Ringmar.

Winter drack det sista av kaffet i muggen. Åtminstone kaffet var kallt i det varma rummet. Han harklade sig. Morgonens uppvärmningssnack mellan Halders och Ringmar och Bergenhem tystnade.

"Ordet är fritt", sa han, "men polismakten har tyvärr inte råd med översättare längre."

Aneta Djanali skrattade till, mycket kort. Det var det första ljudet från henne i sammanträdesrummet denna morgon. Hon hade pratat med Fredrik Halders tidigare på morgonen, och med Fredriks barn Hannes och Magda, men uppvärmningen stod hon gärna över. Hon var redan varm. I kväll skulle de åka ut till Saltholmens klippor och ta sommarens sista dopp. Det hade de sagt i en vecka redan. Men solen gick ner bakom Asperö som en blodapelsin varje kväll, och det betydde att den skulle komma tillbaka nästa morgon.

"Det finns en rejäl spricka mellan Paula och föräldrarna", sa Halders. "Fanns."

Winter nickade.

"Ingen säger nåt eller har sagt nåt, och det gör mig alltid misstänksam."

Winter nickade igen.

"Jag tror att hon gick hemifrån den där kvällen för att inte komma tillbaka", sa Halders.

"Utan resväska?" Ringmar lutade sig över bordet. "Handväskan var av det minimalistiska slaget."

"Hon hade en lägenhet, eller hur?" Halders såg sig om i rummet, runt bordet. Bergenhem nickade uppmuntrande. "Hon hade en nyckel, eller hur? Det var kväll, målarna hade gått hem till sitt för dan. Hon kunde ha åkt hem till lägenheten och packat en väska och stuckit igen, och träffat den där väninnan vadhonnuheter och dragit vidare."

"Till Hotell Revy?" sa Ringmar.

"Jag vet inte om hon just tänkt åka dit."

"Väninnan heter Nina Lorrinder", sa Winter. "Hon nämnde ingen resväska."

"Frågade vi efter nån då?" sa Halders.

"Nej", sa Bergenhem. "Jag frågade henne inte om det."

"Så går det när man inte gått klassisk variant", sa Halders.

"Så det var det första du skulle frågat henne om?" sa Bergenhem. Han började se förbannad ut. Det var det uttrycket Halders väntade på.

"Lägg av", sa Winter. "Hon är vid liv. Vi kan fråga henne nu."

"Jag ringer direkt", sa Bergenhem och reste sig.

"Bra tänkt!" sa Halders.

"Sluta, Fredrik", sa Aneta Djanali.

"Det var nåt jävligt konstigt med föräldrarna", sa Halders oberört, och utan att vända på huvudet mot Aneta Djanali.

"Dom har just förlorat sitt enda barn", sa Ringmar.

"Det var tystnaden hemma hos dom", sa Halders som om han inte hade hört Ringmar. "I tio fall av nio vill alla prata efter ett sånt här helvetestrauma. Folk kan inte prata nog. Gråta nog. Men hos Neys fanns det inga tårar."

"Chocken sitter fortfarande i", sa Ringmar.

"Nej", sa Halders och hans ansikte förändrades. "Tro mig, Bertil, jag har... erfarenheten. Dom första dagarna finns ingen chock. Bara hat."

Det blev tyst i rummet. Alla kunde höra kaffeautomaten dra en av sina sista suckar. Ringmar torkade sig över pannan igen. Winter kunde höra trafiken utanför. Aneta Djanali kunde höra luftkonditioneringen, som sorgsna viskningar utefter det låga taket.

Bergenhem kom tillbaka.

"Ingen resväska", sa han.

"Hon kunde ha ställt den i garderoben. Biografer har garderober ibland", sa Halders.

"Dom träffades utanför. Hon hade bara sin handväska."

"Hon kunde ha varit därinne och lämnat väskan."

"Dom hade sällskap därifrån, till puben. Baren. Ingen väska."

"Och du frågade om allt detta?" sa Halders.

Bergenhem nickade.

"Hon kunde ha gått i förväg till puben och lämnat in väskan där", sa Halders.

"Nej."

"Du frågade om det också?"

"Hon, Nina, sa att det var hon som föreslog att de skulle gå dit. Paula hade föreslagit ett annat ställe."

"Då får vi kolla där", sa Halders.

"Dom öppnar klockan fyra", sa Bergenhem.

"Har du kollat redan?"

Bergenhem nickade igen.

"Bra tänkt, grabben. Du har ju fantasi."

"Men allt vi har är en imaginär resväska", sa Winter.

"Är det nån som kan översätta?" sa Halders och såg sig om i rummet.

"Hon kan ha tagit sig till Centralen också", sa Aneta Djanali. "Om hon hade en resväska och om hon hade planerat att sticka för gott och om hon inte ville bära runt på väskan."

"Det fanns ingen skåpnyckel i hennes handväska", sa Bergenhem. "Alltså till ett sånt där förvaringsskåp. Förvaringsbox."

"Mördaren kan ha tagit nyckeln", sa Ringmar. "Det kan ha varit en frestelse för svår att motstå."

"Eller så ligger den nån annanstans", sa Aneta Djanali.

"Kanske är skåpet fortfarande låst", sa Bergenhem, "med väskan kvar därinne."

"Det var dit jag ville komma", sa Aneta Djanali.

"Vi har alltså två saker att göra", sa Halders, "göra en ny koll i Paulas lägenhet och fastställa om hon packade en väska. Och ta reda på var den är."

"Och om vi lyckas få fram det?" sa Aneta Djanali. "Det betyder i så fall att hon tänkte ge sig iväg. Att föräldrarna kanske inte visste om det. Men det kan vara allt det betyder."

"Det kan också betyda att hon tänkte resa iväg med nån annan", sa Halders. "Det kanske fanns biljetter i hennes handväska."

"Snart är det mycket imaginärt vi saknar i den där handväskan", sa Ringmar. "Varför inte stjäla hela handväskan? Det är en liten handling för en mördare. Sannolikt en försiktighetsåtgärd."

"Det kan betyda att det inte fanns nåt i handväskan som han ville ha", sa Winter.

"Så mitt snack om en imaginär resväska är bara..." började Halders.

"Imaginärt", fyllde Bergenhem i.

"Det är värt att följa upp", sa Winter. "Gör en koll i hennes lägenhet, Fredrik."

Aneta Djanali läste samtidigt Paula Neys sista brev. De förutsatte att det var hennes sista brev. Hon läste högt: "Om jag gjort er arga på mig så vill jag be om förlåtelse." Hon tittade upp. "Är det nåt man vill skriva som en sista hälsning?"

"Hon kanske inte trodde det var en sista hälsning", sa Ringmar.

"Men om hon trodde det. Om hon trodde att hon skulle dö. Är det i den stunden en dödsdömd ber om förlåtelse?"

Ingen runt det slitna bordet kommenterade Aneta Djanalis ord. En smal solstråle sköt plötsligt in genom fönstret och delade bordet i två: Bergenhem och Halders på ena sidan, Winter och Ringmar och Aneta Djanali på den andra. Det var som en gräns, men det fanns ingen gräns mellan dem. Vi har varit tillsammans länge, tänkte Winter och höll blicken kvar på solgränsen. Till och med Bergenhem börjar få rynkor. Winter tänkte plötsligt på ett av de första svåra fall han haft som färsk kommissarie. Kanske det svåraste någonsin. Utan tvekan ett av de hemskaste. Det var snart tio år sedan. Herregud, Bergenhem hade varit ny han också, en färsk kriminalassistent, och sett ut som om han kommit till roteln direkt från grundskolan. Bergenhem hade gjort ett misstag. Han hade nästan dött. De hade trott att han var död.

"Hon var väl katolik?" sa Halders. "Hon kanske bad om syndernas förlåtelse."

"Nej", sa Winter, "Paula var inte katolik."

"Vilka synder?" frågade Bergenhem och lutade sig fram mot Halders.

"Jag menar i överförd betydelse. En rutingrej, liksom, eller vad man ska säga. En bikt."

"Paula biktade sig, menar du?" frågade Aneta Djanali.

"Jag vet inte. Det kanske är fel ord."

"Nån kanske var beredd att ge henne syndernas förlåtelse", sa Ringmar.

"Vem då? sa Halders.

"Mördaren."

"Mördaren blev hennes biktfader?" sa Bergenhem.

"Han lät henne skriva brevet."

"Eller tvingade henne", sa Halders.

"Dikterade", sa Bergenhem.

"Nej", sa Winter. "Jag tror inte det."

"Men det kan ju antyda att det fanns nån stor, och gammal, motsättning mellan Paula och hennes föräldrar", sa Halders.

"När gör det inte det?" sa Aneta Djanali. "Mellan barn och föräldrar?"

"Jag sa STOR motsättning", sa Halders.

"Vi får ta reda på det", sa Ringmar.

"Det blir inte lätt", sa Halders. "Vi kan liksom inte höra båda sidor."

"Det finns fler sidor än två", sa Bergenhem.

"Hör här", sa Halders och vände sig mot Bergenhem, "först latin och sen filosofi. Har du gått ABF-kurs i sommar, Lars?"

"Det behövs inte för att begripa att vi kan prata med andra än hennes föräldrar om hennes relation till föräldrarna", sa Bergenhem.

"Antecknade du det där, Erik?" sa Halders och vände sig mot Winter.

"Nu börjar vi jobba", sa Winter och reste sig.

Winter jobbade vid telefonen. Han ringde portiern på Revy, det var samme man. Nej, han hade inte sett någon resväska. Han hade inte upptäckt någon väska. Varför skulle han ha gjort det? tänkte Winter när han la på luren. Han såg ingenting annat, hörde ingenting, sa ingenting.

Telefonen ringde.

"Ser ut som om nån rivit runt lite bland kläder och skor", sa Halders.

Han lät långt borta.

"Ja?"

"Kan vara hon, kan vara nån annan, det kan vara för hundra år sen. Men jag tror inte det."

"Varför inte?" frågade Winter.

"Det finns ingen resväska här. Ingen ryggsäck heller, eller nåt som man fraktar sina kläder i."

"Har du kollat på vinden? I källaren?"

"Naturligtvis", svarade Halders. "Man har väl gått ABF."

"Hemma hos föräldrarna då?"

"Jag ringde nyss."

"Hon måste ju haft nåt att bära i när hon flyttade hem", sa Winter, "under renoveringen."

"Tänkte så långt också", sa Halders. "Och vet du vad: Föräldrarna kan inte hitta den heller. Dom säger att hon hade en rätt ny Samsonite, svart, men den finns inte hemma hos paret Ney nu."

"Bra, Fredrik."

"Vete fan. Jag har tänkt lite här i den här spöklägenheten. Det ser ut som en enda stor jävla liksvepning här. Vitt, plast, nån antiseptisk lukt från målarfärg och lacknafta. Det är inte roligt att vara här, Erik. Det är för vitt här."

"Jag förstår vad du menar, Fredrik."

Halders sa ingenting. Winter kunde höra ett brus genom telefonen. Kanske hade Halders öppnat fönstret i Paulas vita lägenhet, kanske var det vinden därute på de grå höjderna i Guldheden.

"Du sa att du hade tänkt?" sa Winter efter en liten stund.

"Va? Ja, tänkt och tänkt... men kanske är allt det här bara ett stickspår. Resväskan, alltså. Det kanske inte alls hänger ihop med mordet. Att nån tagit den. Mördaren. Hon hade bara en jävla otur på väg till Centralen. Träffade nån. Och sen gick det åt helvete."

"Du tror att hon var på väg till Centralen? På kvällen, efter att hon tagit ett glas med väninnan?"

De hade försökt fastställa Paulas sista timmar. Sista timmar ute i friheten, som Winter hade tänkt. Men hittills hade de inte talat med någon som hade sett henne, lagt märke till henne, känt igen henne. Det var som alltid, storstaden var de anonymas plats, gav alltid skydd, för onda, ibland för goda, erbjöd otrygghet, trygghet. Det fanns en stor och egendomligt självklar paradox inbyggd i den stora staden: ju fler människor, desto större ensamhet. På vischan kunde ingen hålla sig undan, alla visste allt inom hundra kilometers urskog, hörde allt, såg allt, la märke till allt, kände igen allt.

"Tror och tror", svarade Halders, "det är dags att få veta nu."

Halders la på. Han såg sig om, på skyddsplasten, på det halvfärdiga måleriarbetet på väggarna, som om allt var definitivt och samtidigt en fortsättning och nu bara tillfälligt avstannat. Lägenheten var en bostadsrätt, inget exklusivt, inget skräp, även om sånt inte längre spelade nån roll eftersom alla lägenheter kostade fantasibelopp, den här tvåan uppe på Guldhedens topp skulle gå för halvannan miljon, kanske mer, oberoende av månadsavgift. När köpte hon den? Hade nån frågat än? I så fall hade Halders inte fått veta än. Hur många år hade hon bott här? Köpte föräldrarna? Nån annan? Jag får läsa på, tänkte Halders. Fråga vidare.

Träden vajade i vinden utanför, almar, lindar, lönnar, tjugofem meter höga kronor, hundraåriga jättar som skulle stå kvar här när också han var borta, tillsammans med alla de andra som suttit runt kaffebordet i morse; hela gänget skulle vara väck från det jordiska paradiset, en del förr, andra senare, och allt det gröna halvvägs upp i himlen skulle vaja vidare i den ljuva sommartiden. Han hade börjat tänka på existensen de senaste par åren, blivit existentialist eftersom det bara var en tidsfråga i det här jobbet. Han jobbade mitt i existensens upphörande, de förtidiga avsluten. Det var ett svårt arbete, ett känsligt arbete, och han undrade ibland varför Gud och justitieministern gett det till just poliser.

Han skakade av sig tankarna, eller vad det nu var, och gick in i sovrummet för andra gången.

Det var något han inte hade sett när han var därinne första gången. Något han förväntat sig att finna men inte visste vad det var. Så var det ofta, han visste att han saknade något men inte vad. Det kunde vara i ett rum, hos en person, på en fyndplats, på en brottsplats. Det som inte fanns där kunde vara mer intressant än det han kunde se, hålla i. Bilden var inte fullständig om han inte fick fatt i det som saknades.

Vad hade han saknat i det här rummet för en liten stund sedan, innan han pratade med Winter? Det var något man brukade se i ett rum, framför allt i ett sovrum. En säng? Nej, sängen stod kvar, fortfarande med sin sänghimmel av plast. En byrå? Nej.

Halders hade stått i hundratals sovrum under sin karriär som spanare. Han hade spanat. Han hade registrerat. Han hade studerat detaljer, försökt tänka sig tingen i en annan situation, ett annat liv.

Vad var det som alltid fanns i ett rum som detta? Något personligt, intimt rentav. Något som den som bebodde rummet såg på kvällen, på morgonen, som det sista, det första. Det brukade hänga på en vägg. Eller stå på ett nattygsbord. Här hängde ingenting på väggen. Det berodde just nu på att väggarna bestrukits med grundfärg. Det stod ingenting på det lilla bordet invid sängen. Det kunde det ha gjort, plasthimlen skyddade allting därinne.

Det fanns inget fotografi i rummet, inte på Paula, inte på någon annan. Det fanns inte något fotografi i ram någonstans i lägenheten. Det var som om ensamheten förstärktes därinne, blev tommare, blankare.

De hade hittat några fotokuvert med vanliga papperskopior, vardagsbilder, men allt sådant gav alltid ett opersonligt intryck, det var tillfälliga scener från tillfälliga ögonblick, sådant man kunde ha eller mista.

Det var annorlunda med det som sattes i ram. Det var på något sätt mer för eftervärlden. Det var... intimt.

Han hade inte hittat något sådant fotografi i någon av de lådor eller på någon av de hyllor där saker tillfälligt placerats under renoveringen.

Han måste fråga hennes föräldrar om det, Halders tog upp anteckningsboken och skrev. De skulle ändå hjälpa till med identifieringen av alla ansikten på papperskopiorna. Kanske fanns ingenting inom ram. Det var kanske inte Paula Neys stil.

Vad var hennes stil?

Halders gick ut från sovrummet och ställde sig i vad han kallade vardagsrummet, vilket var ett jävla egendomligt namn, det hängde väl fortfarande med från den tid när det fanns ett finrum hemma hos folk, utkylt och tillbommat, som bara användes när det kom besök, vilket kanske var aldrig. Rummet bara stod där, som något slags evigt inneboende. Åtminstone hade det varit så i Halders föräldrahem, ingen kom på besök och dörren till finrummet öppnades aldrig, bordssilvret plockades aldrig upp ur sina askar. Som pojke kunde Halders ibland stå utanför dörren dit in och försöka se tingen därinne genom det mjölkiga glaset. Allt var suddigt, det var mest flytande konturer, som om han var närsynt och inte bar glasögon, men han ville ändå veta vad som fanns därinne, hur det kunde se ut när det var skarpt och tydligt. Som om han på så sätt kunde få veta varför ingen vistades därinne.

Plötsligt mindes han inte om han någonsin varit inne i barndomens finrum. Han borde ha kommit ihåg det. Och sedan, när han fortfarande var ett barn, skildes hans föräldrar och alla flyttade åt olika håll och finrummet blev ett minne, suddigt från början, men aldrig suddigare med tiden. Det var tvärtom, som om bilden blev tydligare med tiden just för att den varit så svår att se då.

Hennes stil, Halders hade tänkt på Paulas stil. Hennes stil var inte att bli mördad. Mordet visade att ingen gick fri. Så småningom, när de skulle lära känna hennes liv bättre, det före detta livet, kanske också den bilden skulle förändras, klarna, eller mörkna medan den blev allt tydligare.

"Hur kom vi in på förvaringsboxar?" sa Ringmar.

De hade bestämt sig för att ta en promenad ute i parken, fram och tillbaka till Shellmacken. Det var inte mycket till park. Macken var större än parken.

"Aneta pekade mot Centralen", sa Winter. "Och det kan ju ligga en väska därnere." Han såg uppåt, som om han bestämde tiden med hjälp av solen. Hans svarta glasögon skimrade plötsligt av guld. "Jag ringde och sökte ansvarige killen för boxarna."

"Och?"

"Dom skulle leta reda på honom."

Ringmar nickade.

Winter följde solens väg igen. Han tittade på sin egen klocka. Plötsligt insåg han att de höll på att begå ett misstag.

"Dom har väl videoövervakning därnere nu, Bertil? Alltså dygnet runt?"

"Jag tror det."

"När raderar dom bilderna från hårddisken?"

"Efter tre dygn", sa Rolf Bengtsson, platschef för Snabbfoto AB som tagit över förvaringsboxarna från SJ. "Nån gång blir det tidigare."

Winter hade kört ner till Centralstationen. Det tog fem minuter, inklusive felparkeringen i taxizonen. Han gick snabbt in i byggnaden. Förvaringsutrymmet hade byggts om därinne nyligen, precis som allting annat. Han fick fråga efter vägen. Boxarna fanns i Centralstationens undre värld nu. Trappan ner var brant. Winter hörde hissen svischa till bakom sig. Han noterade övervakningskamerorna i taket. Det var välgjorda attrapper.

"Jag har en sån där karta automatfoton jag måste visa dig senare", sa Winter när de gick nerför trappan.

"Varför det?"

"Går det att se när nån fotograferat sig i en automat? Vilken tid fotona tagits?"

"Nej."

"Okej, men kan man avgöra i vilken automat fotot tagits?"

"Ja. Vi kan göra det, vi känner våra maskiners egenheter."

"Bra", sa Winter.

Utrymmet därnere badade i en grön färg som arkitekten kanske kallade vilsam. Kanske lugnande, terapeutisk. Det var grönt överallt, som i en tropisk skog. Människor kom och gick i det vilsamma ljuset. Kanske var det för vilsamt, för bakåtlutat för att det skulle gå att se något vettigt på bilderna. Om det fanns något att se som de ville se.

"Men tiden beror på aktiviteten härinne", fortsatte Bengtsson. "Kameran kör igång först när nån rör sig."

Tre dygn, tänkte Winter. De kunde ha tur, eller ha gjort ett stort misstag. Eller så betydde det ingenting.

"Varje hörn härinne fastnar på bilden", sa Bengtsson. "Ingen kommer undan."

"Om det finns nån bild kvar", sa Winter.

"Ibland kan det finnas film kvar från fem dygn tillbaka. Det beror som sagt på aktiviteten härinne."

"Det går väl att fixa fram ändå?", sa Winter. "Även om disken raderas?"

"Jag är expert på fotoautomater och förvaringsboxar", sa Bengtsson, "inte på datorer. Men jag vet att datorexperter hos er på polisen försökt men misslyckats." Han log. "Kalla mig Roffe, förresten."

Aktiviteten hade varit så pass låg inne bland boxarna att bilderna fanns bevarade från fyra och ett halvt dygn tillbaka. Winter kände värme för räkneverket. Det slog fast att de sannolikt skulle kunna se om Paula Ney stoppat in en väska i en box. Och om hon, eller någon annan, hämtat ut den under de senaste dygnen. Offret. Mördaren.

Roffe Bengtsson visade in Winter till kontroll- och förvaringsrummet innanför den lilla expeditionen till vänster om trappan. Två personer arbetade härnere, med städning, förvaring, mottagning, övervakning. Det var en yngre man och en yngre kvinna. De hade mycket att göra. Folk kom och gick därute. Det var mycket folk däruppe, det var dagens högsäsong.

Kvinnan presenterade sig som Helén och tog i hand. Hon nickade mot skärmen till höger på väggen.

"Har du varit här förut?" frågade hon.

"Nej, inte sen det blev ombyggt", sa Winter och gick bort till den platta skärmen. Den såg ut som en tavla, indelad i sex rutor. En installation. I rutorna rörde sig människor med märkligt knyckiga rörelser som inte bara berodde på att de hävde upp och hävde ner väskor därute just nu. Alla på bilderna såg ut som fall för ortopeder. Winter visste att det var priset betraktaren fick betala för digitaliseringen.

"Hur många kameror har ni?" frågade han.

"Åtta." Hon nickade mot skärmen. "Dom två andra är igång också, förstås. En av dom filmar folk på väg upp i trappan. Det är vad vi kallar våran hemliga kamera."

"Bra", sa Winter och studerade bilderna i realtid. "Attrapperna ser bra ut, förresten."

"Förra veckan stals en", sa hon och log.

"Var sitter kamerorna?"

"I sprinklarna och brandvarnarna."

"Jag tyckte väl att det var många av dom."

"Man kan aldrig vara nog försiktig", sa hon och log igen.

Winter satt framför skärmen och studerade filmerna från kvällen för Paulas försvinnande. Bara en första gång. De skulle kopiera från hårddisken härnere och köra allt i förstoringar i egna monitorer uppe på polishuset. Eller ta med hela datorn härifrån. Det hade skett förr.

Han koncentrerade sig först på kvinnor. Han såg kvinnor i sommarkläder som öppnade boxar, stängde boxar, låste, låste upp, gick fram, gick tillbaka i den egendomligt knyckiga upplösningen på skärmen. Det var som en stumfilm men de här bilderna var i färg, förvånansvärt skarpa, men samtidigt som överdragna med den gröna färg som skuggade allt därnere. Skuggorna föll över några hörn längst bort i ett par av gångarna, det gick inte att se lika bra vad som hände därborta, vem som gjorde vad.

Men Winter såg en man som började klä av sig i ett av hörnen som verkade vara en återvändsgränd.

"Det finns ingen attrapp därborta", sa Helén och nickade mot skärmen. "Där tror folk att dom kan göra vad som helst."

Winter såg på mannen. Han var helt naken nu och såg sig om, som efter ytterligare plagg att ta av sig. Hans ansikte låg delvis i dunkel. Pitten svängde i takt när han rörde sig fram och tillbaka.

"Vad hände med den där killen?" frågade Winter.

"Dina kolleger kom och hämtade honom."

Winter läste på skärmen. Nakennisse hade strippat åtta och tjugoåtta kvällen då Paula försvann. Men vid den tiden satt hon på bio.

"När dom hämtade honom skrek han nåt om att det var för varmt för årstiden."

"Där hade han rätt", sa Winter och studerade rutorna igen. Han skulle behöva fasettögon för det här. Han koncentrerade sig på kvinnorna igen. De var inte många. Och kamerorna undvek på något egendomligt sätt att visa ansikten rakt framifrån. Kanske var det av hänsyn till människors integritet. En absurd avvägning som bara kunde ske i det här landet, tänkte han: Övervaka men avslöja ingenting, slå fast att nån varit på en viss plats men skydda den personliga integriteten. Den brottsliga integriteten.

"Det är svårt att se några ansikten", sa han.

"Hemliga kameran över trappan är bäst när det gäller det", svarade Helén. "Där får vi alla ansikten." Hon pekade ut mot den gröna salen. Winter kunde se trappräckena. "Dom drar av sig rånarhuvorna halvvägs upp i trappan."

4

DE TOG DATORN TILL POLISHUSET. Ringmar och Aneta Djanali väntade i ett större sammanträdesrum, med en större monitor. Andra kolleger väntade i andra rum.

"Har alla klart för sig hur hon ser ut?" hade Winter sagt.

"Åtminstone hur hon ser ut på fotografierna dom fått", hade Ringmar sagt. Han hade själv hållit upp ett par foton av Paula i sin hand. "Men det är en annan sak på en usel videofilm."

"Ska vi försöka vara lite positiva?" hade Aneta Djanali sagt.

"Den är inte usel", hade Winter sagt.

De hade varit positiva, alla poliser i alla rum. Det fanns några gissningar, men ingenting definitivt.

Winter satt på sitt rum och tittade igenom gissningarna nu. Kvinnorna i sensommarkläderna. Han visste hur Paula varit klädd den sista kvällen, men det behövde inte betyda någonting.

Först skulle de försöka hitta Paula på de grönskimrande bilderna.

Sedan skulle de titta efter någon som kanske hämtade ut en väska från samma box där den stoppats in.

Winter hade sex möjligheter framför sig, sex möjliga Paula. Han såg bilderna om och om igen, sex-sju-åtta-nio-tio gånger. De här kvinnorna lyfte alla in en väska som liknade Paulas, en svart Samsonite. En del lyfte med svårighet. Andra bara hivade in väskan, oavsett höjden.

Han jämförde med de fotografier de hade av den 29-åriga kvinnan. Nästan 30-åriga. Hon hade inte riktigt nått den ålder där vissa plötsligt känner sig gamla.

De hade några timmars tidsspann när hon kunde ha lämnat in väskan, såvida hon inte gjort det dagar tidigare. Men om det skett den kväll hon försvann, tidigare den kvällen, eller snarare under eftermiddagen, så kunde någon av de sex anonyma profilerna på filmerna vara Paulas. Förstoringarna hade inte givit den vägledning han hade hoppats. Det var något med ljuset, och färgerna i underjorden. Sättet som människor höll sina huvuden.

Winter ringde åklagaren för beslut om husrannsakan.

De identifierade de sex boxarnas nummer med hjälp av Roffe Bengtsson.

De öppnade väskorna direkt på plats.

Det satt prydliga namnetiketter utanpå, i ett par fall inuti.

De kunde snabbt identifiera alla ägarna.

Ingen av dem var Paula Ney.

Winter gick ut igen från Bengtssons kontor, som låg dolt bakom rader på rader av förvaringsboxar. Det såg ut som om hela världen hade något att förvara. Som om hela staden var på resa. Hemma bra men borta bäst. Om de nu hade något sådant val. Winter visste att fler människor än någon kunde föreställa sig vräktes från hemmets härd och flyttade ägodelarna till Centralen. De fick rymmas i några plastkassar, kanske en resväska.

Han hörde Bengtsson bakom sig.

"Hur många boxar har du här?"

"394 stycken", sa Bengtsson och såg sig om, som för att räkna igenom antalet en gång.

"Och hur många rymmer en resväska av den storlek vi letar efter?"

Bengtsson skrattade till. Det ekade till i salen. En kvinna tio meter bort vände sig om och gav dem en skarp blick.

"Du vet väl att det finns världsrekord på hur många det får plats i en folkvagn?" sa Bengtsson och följde kvinnan med blicken när hon lämnade salen. Hon gick snabbt, som om hon just blivit utsatt för en förolämpning. "När det fanns folkvagnar, alltså. Den gamla modellen." Bengtsson slog ut med handen. "Och så är det här. Det är inte klokt hur mycket skit folk kan proppa in i en förvaringsbox. Försöker slå världsrekord varje dag."

Winter nickade. Som en bekräftelse på Bengtssons ord kom en familj in i salen, de släpade på koffertar som skulle kräva en egen godsvagn, eller ett transportplan. Gruppen gjorde halt mitt på det skinande golvet och mannen började leta efter öppna boxar.

Bengtsson skrattade till igen. Mannen tittade upp och log. Han hade indiskt ursprung. Han vände sig om mot skåpen igen.

"Den där måste hyra trettio boxar och då måste han dessutom kapa väskorna i fem delar", sa Bengtsson. "Kanske är det motorblock i dom. En del utlänningar försöker frakta hem bilar i byggsats."

"Jag vill att du öppnar alla boxar härnere", sa Winter medan han såg mannen därframme återvända till sin familj och slå ut med armarna.

Ringmar hade köpt en räksmörgås som såg ut att ha legat i en förvaringsbox i sju dygn. Winter sa det till honom innan han hunnit hejda sig.

"Varför just sju?" frågade Ringmar och torkade majonnäs från överläppen.

"Då är tiden över", sa Winter. "Det finns ett räkneverk för maximalt sju dar och när det räknat ner och ingen hämtar sina grejer i boxen öppnar Bengtsson och kollar vad det är."

Ringmar tittade på sin räkmacka.

"Så han hittade den här?"

De satt på ett av de nya kaféerna på Centralen. Bengtsson hade ringt efter hjälp, öppningshjälp. Beslutet om husrannsakan gällde ännu.

"Var är han?" frågade Ringmar, la ner mackan på tallriken, la servetten över och såg sig om.

"Jag skojade bara, Bertil", sa Winter och tittade på tallriken. "Förlåt mig. Smörgåsen ser underbar ut. Så fräsch. Du behöver inte gömma den."

"Då kan du äta resten", sa Ringmar och sköt fram tallriken.

"Jag har ingen aptit just nu."

"Det hade jag", sa Ringmar. "Du drog iväg mig från min lunch på stan."

"Förlåt mig, Bertil, det vara bara nåt Bengtsson sa."

"Skyller du på honom nu? Och han som inte ens är här." Ringmar såg sig om igen. "Var är han?"

"Kommer snart. Men vad han sa var att dom rätt ofta får öppna boxar på grund av matlukt. Eller vad det ska kallas."

Ringmar reste sig och grep tallriken med den halva räkmackan och bar bort den till en rullvagn fylld med disk.

"Jag bjuder på en ny", sa Winter när Ringmar kommit tillbaka.

"Inte här."

"Det är ännu värre än det låter", sa Winter. "Matresterna kommer från nåns skafferi. När folk vräks tar dom med sig det dom kan, och låser in det här. Några fotografier. Nån prydnadssak. Lite kläder. Mat från kylen." Han slog ut med ena handen. "Det blir deras vardagsrum och kök i ett."

"Rum nummer trehundra", sa Ringmar. "Eller nummer tio."

"Vi får snart själva se hur det ser ut."

Winter hade frågat Bengtsson om han någon gång tidigare kontrollerat alla boxar vid samma tillfälle. Nästan, hade Bengtsson svarat; en gång när en för jävlig stank höll på att driva bort allt levande från Centralen. Till slut hittade de någon stackars vräkt sates varor, från kylskåpet. Ägaren kom aldrig tillbaka. Kanske hade han, eller hon, hoppat framför tåget. Det var vanligt. Spåren fanns ju i närheten.

"Vad gör han med alla grejor som folk aldrig hämtar ut?" frågade Ringmar och drack det sista av caffelatten. Det fanns inget vanligt kaffe här. "Och då menar jag inte rutten ost."

"Sparar det mesta ett par månader", svarade Winter. "I mån av plats. Hör ingen av sig går grejorna till Frälsningsarmén. Som sen skänker bort en del till dom hemlösa."

"Så man kan säga att det är ett kretslopp", sa Ringmar.

Han visste att många av Bengtssons kunder var uteliggare.

Många dog med nyckeln i fickan, eller försvann på andra sätt. Någon tog faktiskt tåget därifrån.

"Han tömmer tio femton övergivna boxar om dan", sa Winter. "Här kommer han förresten."

Halders kunde inte hitta något vykort i Paula Neys lägenhet. Inte från för tio år sedan. Inte från något år alls. Antingen fanns det ingen som tänkte på henne, inte ens med de hastiga tankar som rymdes på ett vykort, eller så var också det avlägsnat från lägenheten, tillsammans med fotografierna.

Väskan, tänkte han, resväskan. Hon reste aldrig iväg men väskan finns nånstans. Jag tror inte den är tömd. Nån har sparat den, av en speciell anledning.

En målad högerhand. Vad är det för jävla sjuk skit? Aldrig varit med om. Kan ju inte ha med identifieringen att göra. Födelsemärke. Det behöver vi inte. Ligger det ett foto av handen i resväskan nu? Varför tänker jag så? Är den vita handen på väg nånstans? Varför behövde den jäveln hennes hand? En handsamlare? Herregud. Halders gick bort till fönstret och tittade ut. Dessa tankar. Vilket jobb. Sysselsätta intellektet med tankar om målade döda händer. Döda människor. Han kunde ha varit kärnfysiker, discjockey, hockeytränare. Sett solen gå ner över stan utan att fundera på vad den skulle dra upp för fanskap nästa morgon.

Nu var den på väg ner igen, allt längre ner, och bort. I slutet av oktober nästa år skulle han ta med sig Aneta och ungarna till Cypern, det hade de redan bestämt. Det var fortfarande varmt där i oktober, och en bit in i november, det visste han eftersom han hade gjort en vinterbataljon där på 80-talet. En hårdsnaggad MP som fortfarande haft håret kvar. Nu hade han en hårdsnaggad flint. Det var bättre, han behövde inte riva nån när han skallade nån. Men det gjorde han inte, inte ens den bilburne fyllemördaren. Cypern. Han skulle visa dem Cypern för första gången. Själv hade han inte varit tillbaka. Men det låg kvar. Han trodde inte Larnaca förändrats så jävla mycket. Han visste att Fig Tree Bay gjort det. Då fanns där ingenting, bara en bukt dit dom åkte i en gammal bussjävel, ett skjul som sålde dricka. Aiya Napa, inte mycket då. En trött fiskeby, bakfulla FN-soldater, Nizzi Beach. Ett par dopp i saltet, en siesta i skuggan i palmdungen vid ingången, två öl på Pelican Bar och man var redo för allt igen.

Oktober. Denna, eller nästa. Skulle dom ha gripit Paula Neys mördare då? Han såg ut genom fönstret, det var samma utsikt som Paula haft de senaste åren. I oktober skulle träden vara så gott som avlövade på den där kullen. Det skulle inte finnas så många färger kvar i den här stan. Och det skulle bara vara början på vinterhelvetet. Det skulle vara dags att lämna det. Att resa. Resor. Det här fallet handlade om resor, på något sätt som dom inte förstod ännu. Han vände sig om. Det var inte bara resväskan.

Halders mobil ringde. Ljudet dämpades i den halvfärdiga lägenheten. Han tänkte på den som halv.

"Vad gör du?" sa Aneta Djanali.

"Tänker på Cypern, faktiskt."

"På arbetstid?"

"Säg inget till nån."

"Hon kanske var på väg till solen", sa Aneta Djanali.

"Eller vart som helst."

"Är du kvar i lägenheten?"

"Ja."

"Hittat nåt?"

"Nej. Inget personligt."

"Vi vet inte mycket om Paula Neys privatliv", sa Aneta Djanali.

"Märkligt lite."

"Hon verkar inte ha haft några vänner på jobbet. Inte som jag träffat, i alla fall."

"Inte så lätt med lurar över örona dan i ända", sa Halders.

"Hon jobbade med annat, åtminstone just nu."

"Exakt vad?"

"Ja..."

"Tack. Mer exakt går inte att vara."

"Det var tjänster. Utveckling av tjänster till kunderna."

"Åh fan. Jag trodde allt gick ut på att avveckla tjänster till kunder", sa Halders och vände sig in mot rummet, vardagsrummet. Finrummet. "Före detta kunder."

"Det var lite invecklat", sa Aneta Djanali.

"Ja, det förstår jag verkligen."

"Men hon hade alltså inte lurar över öronen."

"Vi får prata ordentligt med dom tjänsteutvecklande kamraterna", sa Halders. "Nåt annat nytt?"

"Winter håller på att tömma alla boxarna på Centralen."

"Man tackar." Halders gick ett par steg in i rummet. Han var inte helt passé än, de lyssnade på honom än. Han såg grenverket röra sig utanför fönstret i en mäktig rörelse. Trädkronan var mycket grön.

"Det är visst fyrahundra", sa Aneta Djanali.

"Då behöver dom hjälp."

Paula Ney hade ägt en svart Samsonite och det var vad de kunde titta efter. Ungefärliga mått hade de fått från Paulas föräldrar. Det var inte en av de största modellerna. Det var en av de äldre.

Bengtsson öppnade skåp tillsammans med två deltidsanställda i Snabbfoto AB och sex poliser.

"Vad letar du efter egentligen?" hade Bengtsson frågat när de satte igång.

"Bara en resväska", hade Winter svarat.

"Vad är det i den då?"

"Kläder, foton, kanske biljetter. Det är det vi ska kolla."

"Mhm", hade Bengtsson mumlat och sett ut som om han inte trodde på vad Winter sa.

Det var många resväskor.

"Många resväskor är det", sa Halders som anslutit.

De försökte arbeta så snabbt som möjligt. Det kändes som ett omöjligt arbete, det var ett omöjligt arbete. Vad letar du efter egentligen? tänkte Winter. Det är inte bara en väska.

De hade tur att den stora semestersäsongen nu var över och resandet stannat av. En tredjedel av boxarna var tomma. En del innehöll hela bohag, ett hem i en box. Det stod en trädgårdstomte i en av de största boxarna. Tomten sökte Winters blick när han öppnade.

Efter en timmes arbete ropade Bengtsson till bortifrån västra gaveln. Winter tittade upp och såg honom ta ett par steg tillbaka.

Winter sprang genom hallen.

Bengtsson vände sig mot honom med ett egendomligt uttryck i ansiktet.

"Det finns ju ingen lukt", sa han. "Ska det inte finnas nån lukt?"

Winter böjde sig ner, boxen var lågt placerad. Det tog några sekunder att vänja ögonen vid mörkret.

Han såg en hand. Den var invirad i en genomskinlig plastpåse. Påsen var tillsluten med ett gummiband som såg färglöst ut. Handen var kritvit.

Boxens nummer var 110.

Det fanns verkligen ingen lukt därinne.

Handen såg ut som gips.

Den var av gips. Den låg på ett bord i det undre av Centralstationen. Det kalla ljuset gjorde den ännu naknare. Som levande. Den hade fastnat i ett öppet handslag, eller i vila. Fingrarna var knappt åtskilda.

"Vad i helvete är detta?" sa Halders.

"En hand av gips", sa Ringmar, men som för sig själv.

"En avgjutning", sa Winter. "En perfekt avgjutning."

"Av Paulas hand?" sa Halders.

"Det vet vi inte än", sa Ringmar.

Halders såg ner på handen. "Den är inte stor." Han såg upp. "Hennes hand var lika vit."

"Hittar du många såna här?" frågade Halders, vänd mot Bengtsson som stod några steg bortom bordet.

"Det är första gången", sa Bengtsson som fortfarande såg ut att vara i något slags chock. "Gipskatter har jag sett, och grodor... men inte det här."

"En perfekt avgjutning", upprepade Ringmar. "Om det är en avgjutning."

"Handen var i vila när det gjordes", sa Winter.

"Den var sannolikt död", sa Halders.

"Det finns nåt slags ärr på ovansidan", sa Winter, " en linje."

Han såg ner på handen. Han böjde sig, böjde sig närmare. Det var ett otäckt föremål. Den skimrade i grönt därnere nu bland de gröna boxarna och de gröna väggarna, en nyans som gjorde människor illamående. Han var inte längre säker på att den var så perfekt. Den såg mer ut att ha gjutits i en standardform. Kanske hade den till och med inhandlats i någon egendomlig butik.

Men det viktiga var inte hur den såg ut. Det var vad den var, vad den betydde. Symboliserade, om man så ville. Winter var övertygad om att den här handen hängde ihop med fallet. Med Paula. Det var mördarens hälsning till dem.

En vinkning. Han ville att de skulle se honom.

Han visste att de skulle göra det.

Mördaren visste att de snart skulle *se* honom.

Se honom på en videofilm som skimrade i grönt.

Han kanske skulle vinka. Göra något tecken som de skulle förstå. De skulle förstå att han visste.

Winter kände den välbekanta gamla kylan i kroppen. Den anlände under vissa fall, de allra svåraste. Det kunde gå år emellan. Det var en känsla som hörde ihop med rädsla.

Se mig! skrek mördaren.

Se vad jag har gjort!

Det här är JAG!

"Nån bar hit handen och låste in den", sa Ringmar.

"Nu får vi titta på teve igen", sa Halders.

Winter tänkte plötsligt på antika statyer. De saknade lemmar, huvuden. De var oftast bara en torso, en kritvit torso. Han hade sett hundratals under sina resor i södra Europa.

Här var de tvärtom. En lem utan torso, en ensam hand. Betydde det nånting här? En staty var ett dött ting som föreställde det levande.

Winter vände sig mot Bengtsson.

"Timern hade börjat räkna av andra dygnet", sa han. "Nån låste den här boxen för knappt fyrtio timmar sen. Borde finnas kvar på hårddisken, eller hur?"

Bengtsson nickade.

Enligt displayen hade boxen låsts om sitt innehåll klockan 00.17, för nästan exakt 39 timmar sedan.

Videofilmen visade en rygg och inte så mycket mer.

De stod framför skärmen i det kala rummet innanför expeditionen. Ryggen syntes längst bort i korridoren. Bilden var så skarp den kunde bli, men det var inte till så mycket hjälp nu.

De såg bara en rygg, en lång rock, baksidan av en bredbrättad hatt. Det gick inte att avgöra hur stor personen var. De fick ta mått mot skåphöjden.

"Där har vi vår man", sa Halders.

Winter körde sekvensen en gång till. Den varade femtio sekunder. Under den tiden hann Ryggen stoppa mynt i springan, lägga in något, stänga, vrida runt nyckeln. Av kroppsrörelserna kunde de följa vad han gjorde.

"Den jäveln har handskar", sa Ringmar.

"Skönt", sa Halders. "Vem hinner kolla fingeravtryck på tiotusen femkronor?"

De körde filmen en gång till.

"Titta hur han rör sig", sa Ringmar. "Inte ens en halv profil. Det är bara ryggen hela tiden."

"Långrock i högsommaren", sa Halders. "Han var sannerligen klädd för en plats på scen."

"Han vet exakt var kamerorna sitter", sa Winter och vände sig mot Bengtsson igen. "Eller är det tur?"

"Kör det igen", sa Bengtsson.

De körde det igen. Winter kände en upphetsning, och en ännu större frustration. Där hade de kanske mördaren. Han fanns verkligen i den här staden, åtminstone nyss. Han stod där på bilden, gick där i bilden i den digitala upplösningens ryckiga rörelser.

Winter kunde sträcka fram handen och röra vid honom.

Och han visste att Winter kunde göra det, visste att Winter skulle se det här. Varför gjorde han det? Det var ändå en risk. Han exponerade sig. Han var skyddad av sin klädsel och sin kroppshållning, men det var ändå en synlig klädsel, och kroppshållning. Kroppen avslöjade alltid något om sin ägare. Längden. Sättet att gå, att röra kroppsdelarna, även när de påverkades av tekniken.

Ryggen sträckte fram handen. Winter såg rörelsen just nu, bakifrån. Han sträckte fram... handen med... handen.

"Han undviker kameror i ansiktet, framifrån", sa Bengtsson.

"Det kan inte vara tur", sa Ringmar.

"Då känner han till det här stället bättre än jag", sa Bengtsson.

"Är det möjligt?" frågade Ringmar.

"Nej."

"Då har han studerat salen och boxarna noga", sa Halders, "i förväg."

"Eller så är han en före detta anställd", sa Ringmar. "Han vet var kamerorna sitter."

"Nej", sa Bengtsson igen, "här är bara jag och ett par gamla extra. Och dom har inte såna där ryggar." Han tittade på Ringmar. "Och det har inte jag heller."

"Han kanske finns på andra filmer", sa Winter. "Om han går omkring och kollar in vinklarna."

"Det är väl raderat", sa Halders.

"Det finns ju några dygn. Vi har några dygn."

"Det här kanske är planerat långt i förväg", sa Ringmar. "Han kanske var här för månader sen."

Winter svarade inte.

Gestalten försvann från skärmen.

"Han tog aldrig trappan!" sa Winter.

"Den hemliga kameran", sa Ringmar.

"Vad menas med det?" frågade Halders.

"Hade han tagit trappan hade vi fått honom rakt i ansiktet", förklarade Ringmar.

"Ser ni ljuset under trappan?" sa Winter.

Han körde sekvensen en gång till. Det var som om ett ljus slogs på för några sekunder.

"Han tog hissen!" sa Winter.

"Finns det ingen kamera i den?" frågade Halders.

"Nej", svarade Bengtsson. "Men utanför."

"Inte vad vi sett", sa Ringmar.

"Den ska fungera", sa Bengtsson. "Den har fungerat förut."

"Kollar ni inte sånt?" frågade Halders.

"Naturligtvis."

"Låt oss göra det då", sa Halders.

De hittade sekvensen. Men allt de såg var en bit av en rock som doldes av hissdörren.

"Han måste ha klättrat på väggen", sa Bengtsson.

"Är det samma rock?" sa Ringmar.

"Ja", sa Winter och vände sig mot Bengtsson: "Hur ofta städar ni härnere?"

"Förlåt?"

"Hur ofta sopar ni golvet härnere?"

Winter kunde se en bit av golvet därute, släta stenplattor som också de skimrade i grönt.

"Det är inte jag som städar", svarade Bengtsson. "Jag får fråga Helén." Han gick ut till expeditionen och kom tillbaka efter en halv minut. "Minst fyra fem gånger om dan, säger hon."

"Fan", sa Winter, "men vi gör ett försök." Han vände sig till Bergenhem, som just kommit tillbaka efter att ha kontrollerat brandvarnaren ovanför hissen. "Se till att spärra av runt den där boxen. Och ring Öberg."

"Vaffan MENAS med den här handen?" sa Halders. "Det menas ju nåt med den, eller va? Han menar nåt med den. Han visste att vi skulle hitta den här gipsskiten förr eller senare."

"Han visste inte när", sa Winter.

"Okej, han kanske trodde det var senare, han visste inte hur smarta vi är, eller hur dumma, men han *visste*, och han kände till övervakningen, och han tog risken att lämna... meddelandet."

"Det kanske inte är ett meddelande", sa Ringmar.

"Vad är det då?" frågade Halders.

"Det är precis vad det ser ut att vara. En förvaring av ett föremål. Nån ville förvara det i förvaringsboxen."

"I samma box där han hämtat ut Paulas resväska?"

"Det vet vi inget om", sa Winter. "Vi vet inte om hon ens lämnade in den. Vi vet inte ens om den är relevant för det här fallet. Hon kan ha gett bort den, sålt den, förvarat den nån helt annanstans."

"Vi måste ju kolla filmerna igen", sa Halders, "scenerna där box nummer hundratio spelar huvudrollen."

Winter nickade.

"Och kolla upp vilka som var här strax efter midnatt i förrgår." Han vände sig mot Bengtsson. "Var du här?"

"Ja. Här inne på kontoret." Bengtsson såg sig om, och sedan ut genom den stängda dörren, som om det först nu gick upp för honom att han befunnit sig några tiotals meter från en möjlig mördare.

"Vi stänger halv ett", fortsatte han, "och öppnar halv fem på morron."

"Var det nåt folk därute då?" frågade Halders.

"När då?"

"Halvt ett på natten. Vid midnatt."

"Åtminstone en", sa Bengtsson och nickade mot den flimrande monitorn.

"Såg du några andra?"

"Jaa... några fanns det väl därute. Ute i Centralen, alltså. En del stackare som vill hålla sig varma så länge det går."

"Inget folk bland boxarna?"

"När jag stängde härnere var det tomt."

"Ska vi titta på film igen då?" sa Halders.

5

"DÄR!" HALDERS FLÖG UPP OCH PEKADE med hela handen. "Det är hennes väska!"

Winter såg en svart Samsonite. Ringmar såg, och Bengtsson. Winter såg en kvinna han inte kände igen, och den öppna boxen, nummer 110. Kvinnan ställde in väskan och låste och gick därifrån utan att se sig om. Han hade sett en del av hennes ansikte, hennes klädsel i sensommaren. Ingen långrock, ingen hatt. Håret var mycket ljust på skärmen, vitt eller blont. Hon bar svarta glasögon som fördärvade det mesta av identifiering.

"Hon är inte bekymrad om kamerorna", sa Ringmar.

"Kanske hon inte känner till dom", sa Winter. "Eller bryr sig."

"Känner vi till henne?" sa Halders.

"Det är alltså inte Nina Lorrinder, väninnan?" frågade Ringmar. "Du är den ende som har träffat Lorrinder, Fredrik."

"Det är inte hon, det ser jag genom solglasen", sa Halders. "Lorrinder är snyggare. Och framför allt yngre."

"Vad är klockan?" sa Ringmar.

Han tänkte på den tid han såg på skärmen. Det som hände där hände för fyra dygn sedan.

"Halv sex", sa Bengtsson. "På eftermiddan."

"När träffade Paula sin kompis?" frågade Ringmar. "För det där biobesöket?"

"Kvart över sex utanför Biopalatset", sa Winter. "Bion började halv sju."

"Hon hade hunnit ställa in väskan själv och sen gå till bion", sa Ringmar.

"Men hon gjorde inte det, eller hur?" sa Halders. "Det där är inte hon, eller hur?"

"Kör filmen igen", sa Winter.

Han såg en okänd kvinna ställa in en okänd väska i en känd förvaringsbox.

"Det kan vara en vanlig medborgare, och vilken Samsonite som helst", sa Ringmar och pekade mot skärmen. "Efter några timmar hämtade hon ut väskan igen och nån annan använde boxen, och nån annan, och så vidare."

Winter tittade på Bengtsson.

"Det går inte", sa Bengtsson, "det skulle vi ju se. Den där skumme fan som vi såg på skärmen var tvungen att betala tre dygns tilläggsavgift för att öppna boxen." Han nickade mot skärmen. Kvinnan på bilden var på väg därifrån för fjärde gången. Winter tänkte på filminspelningar, omtagningar. Ännu hade de inte fått det rätt.

"Hundratian", förtydligade Bengtsson.

"Så då är det hundraprocentigt att Ryggen plockade ut samma väska som blondinen satte in?" frågade Halders.

Bengtsson nickade.

"Vem är hon?" sa Ringmar.

De hade två personer som hängde samman med mordet på Paula Ney. Den ena tydlig, den andra otydlig, som en skugga, men båda okända. Att skicka ut en bild på kvinnan i medierna skulle vara meningslöst, de skulle få tiotusentals vittnen som sett en blond kvinna i solglasögon. Det skulle i princip vara som att skicka ut en bild på en mansrygg.

"Det är nåt... förslaget över det här", sa Ringmar. "Från båda dom här karaktärerna."

De hade återvänt till kafeterian. Servitrisen behandlade dem redan som stamgäster. Hon log flera gånger. Vi kommer inte härifrån, tänkte Winter. Titta på henne. Fallet börjar och slutar här. Om det slutar. Han ville inte tänka på någon symbolik, han hade för lätt för det och sådant kunde leda vart som helst, ofta åt fel håll. Det ledde sällan framåt. Han slog bort tankar på någon som sitter på en järnvägsstation och aldrig får se sitt tåg komma upp på dator-skärmen. Som blir sittande i timmar, dygn. Ett hårt öde. Men inte lika hårt som döden. Servitrisen log mot honom när hon ställde cappuccinon på bordet. Han hade sett att de hade whisky i baren, en halvmeter flaskor. Servitrisen var blond, som kvinnan på skär-men.

"Ta blondinen", sa Ringmar. "Hon travar in med näsan i vädret men med solbrillor på tippen. Det är en förklädnad. Hon vet att hon är iakttagen, eller kommer att bli det. Kanske har hon peruk, förresten." Han smuttade på latten. Den smakade mjölk och ing-enting annat och han längtade plötsligt efter det fruktansvärda au-tomatkaffet uppe i högkvarteret. Det var Halders som kallade det högkvarteret, eftersom roteln höll till på våningen över våningen under. "Men hon bryr sig inte. Det är förslaget på nåt sätt... det finns nån arrogans över det. Hon välj..."

"Varför skulle hon bry sig?" avbröt Halders. "Hon gjorde inget brottsligt. Ställde in en väninnas väska, bara. Paula skulle hämta ut den sen."

"Är det vad du tror?"

"Nej."

"Hon ställer in nån annans väska", fortsatte Ringmar. "Det kan vara hennes egen, men vi utgår från att det är nån annans efter-som hon inte hämtade ut den själv. Varför? Varför dra dit en väska? Den såg rätt tung ut när hon lyfte in den. Var det på Paula Neys uppdrag? Eller är väskan stulen? Varför förvara den på Centralen? Varför vänta flera dygn med att hämta ut den?" Han nickade bort mot avgångshallen. "Alltså när Ryggen hämtar ut den?"

"Det finns ju en sak som visar att den här kvinnan är inblandad i mordet på Paula, på nåt sätt", sa Winter.

"Vilken då?" sa Halders.

"Hon har inte hört av sig", sa Winter.

De satt kvar på Centralstationen. De kunde inte röra sig. Vi kan tänka här, tänkte Winter, det är nåt med det här stället. Går vi här-ifrån så försvinner fantasin. Vi har annat folk som är bra på fotarbetet. Men här är tänkarbåset. Här är högkvarteret. Jag tycker inte om mitt rum i alla fall. Jag går inte tillbaka.

Kaféet hade inga fönster mot bangården men han kunde se ut genom något slags pelargång som tillkommit samtidigt som den andra nybyggnaden. Han kunde se att solen var borta därute nu. Det brann ett elektriskt ljus överallt på stationen. Ljuset märktes först när solen gick i moln eller gick ner. Kolonnerna kastade svaga skuggor på de vita väggarna. Allt såg ut som gips.

"Vi kommer att hitta henne", sa Halders.

"Om hon lever", sa Ringmar.

"Varför skulle hon inte leva?" sa Halders.

Ringmar ryckte lätt på axlarna. Gesten sa att Paula Ney var död och att andra människor också kunde vara döda.

"Om hon lever – och inte hålls fången – måste hon vara inblandad", sa Winter.

"Som vår vän med långrocken", sa Ringmar.

"Han är inte min vän", sa Halders. "Jag gillar inte den jäveln, oavsett vad han gjort eller inte gjort."

"Han har gjort en hand", sa Winter.

"Jag kan knappt hejda mig tills jag får veta varför", sa Halders.

"Hejda dig inte, Fredrik", sa Ringmar. "Varför börja nu?"

Aneta Djanali ringde när Winter var på väg in i bilen. Stationens norra utbyggnad var en vägg av vass metall och glas som gav en spegeleffekt i solsken. Där fanns inga kolonner, bara svängdörrar som gled fram och tillbaka när resenärerna gick fram och tillbaka. Bussar körde fram och körde bort. När han var på väg till bilen slog det honom att han inte hade åkt buss på väldigt många år, inte ens till den årliga kommissarieträffen någonstans i en bohuslänsk kuststad. Han körde alltid själv.

"Dom är som musslor på hotellet", sa Aneta Djanali.

"Dom anser sig väl ha anledning."

"Jag förstår att du menar misstankarna om prostitutionen. Men det här är ju en mordutredning."

"Spelar ingen roll", sa Winter.

"Inte för att dom har ett rykte att förlora, men i alla fall."

"Hotellet skyddar sina kunder", sa Winter. "Torskarna, och gud vet vilka andra."

"Jag har inte fått namnen på alla gästerna", sa Aneta Djanali. "Jag tror inte det i alla fall. Det är inte lätt, om man säger."

"Jag förstår det."

Det skrapade till i Winters hörsnäckor, som om de kommit in på en annan frekvens.

"Men du blir inte förvånad, va?" sa Aneta Djanali.

"Vad?"

"Över vilka som gästar sängarna på Revy. Eller som gjort det förut."

"Nej", svarade Winter. "Inte längre."

"Dom ska visst slå igen, förresten."

"Jaså?"

"Portiern jag pratade med sa det. Han visste inte mer. Men det var nåt på gång."

Det fanns en tid. Winter kunde bli förvånad över allting. Förvånad, förbannad, förskräckt. Förvirrad. Då fanns det så mycket som han inte visste. När han fick kunskapen hjälpte det honom i arbetet, så småningom, men han kände inte att han blev en rikare människa för det, en helare människa. Allt mörker han stötte på fick honom att längta efter sol, mycket sol. Han kände att han blev en allt ensammare människa ju mer erfarenhet han skaffade sig. Han kunde inte hänga av sig tankarna på kroken på dörrens insida när han lämnade arbetsrummet. Han kunde inte lämna polishuset och glömma allt när portarna svängde igen bakom honom. Han visste att det fanns kolleger som glömde allt när kvällen kom, inte många, men tillräckligt många för att det skulle göra det svårare för honom själv, och andra som tog arbetet på allvar. I början tänkte han att han tog det här på för stort allvar. Men hur skulle han annars ta det? Och ensamheten var en förutsättning för det. Han hade aldrig haft en stor vänskaps-krets. Några kvinnor, ett par män. Någon barndomskamrat. Han hade aldrig haft något emot ensamheten. Han kände sig inte ensam. Om motsatsen var att sitta med folk och prata sig igenom kvällarna föredrog han sitt eget sällskap. Han kunde prata med sig själv om han ville höra en röst i kvällen. Han hade gjort det ibland. Han kunde ringa någon. Han behövde inte vara ensam med sig själv om han inte ville. Han sökte sin egen metod. Den förutsatte en tystnad som bara fanns i hans lägenhet, inte på roteln. Han bodde uppe på Guldheden då, i en hyreslägenhet mellan Guldhedsskolan och Doktor Fries Torg. Huset var högt och han kunde se långt, över älven, bergen, sjöarna i öster, motorvägarna som byggdes runt stan, trettio år för sent, men som samtidigt ringade in något slags oskuld som fanns i den här stan där han vuxit upp, och stannat kvar. Han kunde stå på den svajiga balkongen på sjunde våningen och se det breda vägnätet slingra sig runt de gamla utfarterna, han tänkte mer på dem som utfarter än infarter, därnere byggdes motorvägen meter för meter och en rest av oskulden skulle stanna kvar innanför vägarna som den gjort innanför den gamla vallgraven. Utanför vägarna: vildmarken. Eller om det var tvärtom. All statistik, precis alla tillgängliga fakta, visade att staden hade blivit en värre plats att leva i under de snart tjugo år han varit polis här. Farligare, mer oberäknelig, som ett yxhugg i skallen i den milda vårkvällen. Tjugo år, ett halvt arbetsliv. Får jag hållas tjugo år till finns bara vildmark, djungeln har tagit över men det finns inga vackra palmer. Han tänkte flera sådana tankar. Det var inte meningen att han skulle tänka så men han visste vad det var: metoden. Eller inledningsfasen. I början av ett fall var han inte mycket värd. Hans värld var meningslös och det var han som hade skapat den sådan. När han var borta för gott skulle det bara finnas ett tjockare brottsregister, en större hårddisk. Han blev mindre för varje år, alltmer ersättlig. Och så vidare, och så vidare.

Han reste sig och gick ut på balkongen och tände en tunn cigarr och betraktade koppartaken på andra sidan Vasaplatsen. Obelisken nere i parken var ett finger mot himlen. Ljuden från spårvagnarna dämpades på vägen upp till hans balkong, ljusen var klarare därnere, som blixtar i ultrarapid när bilar och vagnar långsamt sattes i rörelse eller bromsade in.

En stund på balkongen. Det var en av de bättre stunderna, särskilt nu, och särskilt på kvällen, i skarven mellan augusti och september, när luften omkring honom hade en lätthet och ett särskilt blont och blått ljust som gjorde allting mera genomskinligt än någonsin. Det fanns dofter häruppe som dröjde sig kvar från högsommaren och blandades med något kryddigare, och våtare. Hösten hade en våtare doft, sommaren en torrare. Det hade varit en sommar som inte varit någondera. Och plötsligt var den borta.

Han gick in i rummet och hällde upp en whisky från karaffen som stod bland andra karaffer och flaskor på ett hörnbord. Han visste vilket märke det var i karafferna, men vänner som kom på besök kanske ville testa sina kunskaper om maltwhisky. Han hade vänner, nya vänner. Det var en sak som förändrats. Angela hade nog hjälpt till där, och Elsa; eftersom några av de nyblivna föräldrarna fortsatt att träffas också när de inte var så nyblivna längre. Och sedan kom Lilly och allt började om igen, möjligen utan så många nyblivna.

Angela.

Han tittade på klockan. Antingen ringer hon inom fem minuter eller så gör jag det. Han lyfte glaset till munnen. Telefonen ringde när han kände dagens första klunk glöda sig ner genom halsen och bröstet och mellangärdet.

"Högkvarteret", svarade han.

"Tänk om det inte varit jag", sa hon.

"Högkvarteret är där jag hänger min hatt."

"Du har ingen hatt."

"Det är ett talesätt."

"Det är en anglicism. Dessutom heter det hemma. Hemma är där jag hänger min hatt."

"Det här är hemma", sa Winter och såg sig om.

"Hur är det hemma då?" sa Angela.

"Ensamt. Hur har ni det?"

"Ganska varmt. Men det regnade i går. Folk dansade på gatorna. Senast det kom regn i augusti här var visst nittonhundratjugotre."

"Mitt födelseår", sa han och tog några droppar av whiskyn i munnen. Den doftade av bränd torv och femgradigt Atlantvatten. Smakade vilda örter från norra Europa. Det var en kontinent från Costa del Sol. Angela och flickorna var kvar hos Siv, hans kedjerökande lilla mamma. Han hade åkt hem för tio dagar sedan med en djup solbränna och lätt baksmälla från mors mycket torra martinis. Men hon hade dragit ner på drickandet de senaste åren. Kanske var det i samband med Elsas födelse. Kanske ville hon leva lite längre. Ett liv på solkusten frestade på, bland golfbanor och gallerior och uttråkade skatteflyktingar som försökte fly undan tillvaron redan under den tidiga eftermiddagens cocktailpartyn.

Angela gillade Siv. Hon hade till och med fått henne att börja bada i saltvatten, efter bara ett par decennier vid Medelhavet. De hade hittat en bra strand bortanför Estepona. Det fanns också små vikar närmare Puerto Banús för den som letade. Elsa och Lilly badade, skrattade, Elsa sprang ut och in från parasollernas skugga, blev som choklad.

Det fanns plötsligt liv i det kritvita huset uppe i Nueva Andalucía, skratt, barngråt, slammer och dån i köket, och inte längre enbart från mixern som så länge varit Sivs favoritredskap. Elsa lekte under palmen i trädgården, ettåriga Lilly höll på att lära sig gå. Angela var trött på våningen vid Vasaplatsen ibland. Hon sa det ibland. De hade en tomt vid havet, söder om Billdal. Något höll honom tillbaka. Tillbaka här i stadens kärna. Våningen var stor. Barn tycker om att leka i stora våningar. Det var vad han sa till Angela. Kanske höll hon med. Men balkongen var ingen trädgård. Tomten vid havet kunde ge rum för ett sommarhus, till en början.

"Känner du dig gammal igen, Erik?" hörde han hennes röst. Det surrade genom linjen, som om han kunde höra cikadorna ända hit.

"Jag kom att tänka på dom första åren", sa han.

"Tjugotalet?"

"När jag började det här jävla jobbet."

"Så det är så illa i kväll?"

Han berättade kort om Paula Neys öde.

"Så det var alltså vad du reste hem till."

"Jag borde stannat kvar."

"Jag sa ju det."

"Vem ska då försörja den alltmer växande familjen?"

"Jag, förstås."

"Du har väl inte pratat mer med dom på kliniken inne i Marbella?"

"Nej, inte än."

"Har du tänkt göra det?" frågade han.

"Jag skulle tjäna mer än du och jag tillsammans, Erik."

"Jag hoppas du skämtar."

"Inte om lönen."

"Jag skulle kunna lägga av. Vi skulle ändå klara oss."

"Det är ju det jag säger."

"Jag menar att det finns pengar oavsett jobbet på kliniken."

"Det vet jag också."

"Så du behöver alltså inte ta det."

"Jag vill nog inte ändå. Men ett halvår eller så härnere... flickorna är i rätt ålder, vi behöver inte tänka på skolor... en vinter i solen... tja..."

"Vad skulle jag göra då?"

"Vara med flickorna, förstås."

Det lät så enkelt. Och så självklart.

Det var för att det var enkelt och självklart.

Han tittade på klockan, som för att se när vintern började.

Plötsligt hade han bestämt sig.

"Det är en bra idé", sa han. "Det är bara en fråga om tjänstledighet."

"Varför inte pension?"

"Jag skojar inte nu, Angela."

"Menar du det?"

"Det är bra idé. Jag insåg det just nu. Jag är allvarlig."

Han var allvarlig, han kände sig allvarlig. Han var inte påverkad av spriten, inte än.

"Jag pratar med Birgersson i morgon. Jag kan ta tjänstledigt från första december."

Hon svarade inte.

"Det är enligt boken. Det är mer än två månader till december."

"Ditt... fall då? Det här mordet?"

Det är löst då, tänkte han. Det måste vara det.

"Vi ordnar ersättare som förundersökningsledare", svarade han. "Det fungerar. Vi kan göra det redan nu, utifall att."

Hon sa ingenting.

"Har jobbet på kliniken gått till nån annan?" frågade han.

Winter märkte själv hur ängslig han lät på rösten. Plötsligt ville han vandra i solen i vinter, mer än något annat. En glass med flickorna nere i hamnen. En tur till Málaga, ett glas seco bland tunnorna och sågspånet på Antigua Casa Guardia, Picassos gamla tillhåll. Mer glass till flickorna. Bad. Grillad havsabborre. Olika tapas i solnedgång efter solnedgång.

"Angela?" Hon måste höra ängsligheten i hans röst. "Har du tackat nej? Har jobbet gått till nån annan?"

"Jag har bara pratat med dom en gång, Erik. Och då var det nästan bara i förbigående. Åtminstone från min sida."

"Ring med en gång och boka tid för intervju."

"Här går det undan", sa hon. "Men... var ska vi bo, till exempel? I så fall. Vi kan inte bo hos Siv hela tiden."

"Skit i det nu! Allt sånt löser sig."

Nu var det ombytta roller. Hon tvekade. Han hade bestämt sig. Men hon hade aldrig bestämt sig. Det var en idé, ett uppslag, något annorlunda. Ett bra minne, kanske. Man lever bara en gång. Och Elsa skulle snabbt lära sig beställa åt honom på originalspråk. Un fino, por favor.

"Okej, jag ska ringa", sa hon. "Men i kväll är det för sent."

"Spanska kliniker öppnar tidigt på morgonen."

"Jag vet det, Erik."

Han hörde hennes leende.

"Nu vill jag prata med Elsa", sa han. "Och Lilly."

"Lilly somnade för timmar sen. Elsa kommer här."

Och hon berättade om sin dag. Orden kom i klump, det fanns inget mellanrum.

Han berättade inte om sin dag.

Han drömde om en kvinna som vinkade till honom med ena handen. Den andra höll hon dold bakom ryggen. Hon hade inget ansikte. Det fanns ingenting. Där hennes ansikte skulle ha suttit fanns bara en vit yta, den var matt. Hon vinkade för andra gången. Han vände sig om för att se om någon stod bakom honom men han var ensam. Bakom honom fanns bara en vit yta, en vägg som saknade slut. Någon sa ordet kärlek. Det kunde inte vara hon eftersom hon saknade mun. Det kunde inte vara han, han visste att han inte hade sagt något. Nu kom det igen: kärlek. Det var som en vind. Nu kunde han se vinden, den var röd, den rusade ner över väggen och gjorde väggen röd. Hela tiden stod kvinnan där med sin armrörelse, en klänning som greps av vinden. Allting blev rött, vitt, rött, vitt. Han hörde något igen men det var en röst utan ord, eller ord som han inte kunde förstå, ett annat språk som han aldrig hade hört. Han visste inte vad han gjorde där. Det fanns ingenting han kunde göra. Han kunde inte hjälpa kvinnan som sveptes bort med vinden. Han kunde inte röra sig. Vinden ökade, ljud som av slag, vind, slag, vind. Han hörde ett namn. Det var inte Paulas namn, inte Angelas, eller Elsas eller Lillys.

Winter vaknade naken. Den första tanken var på den vita väggen som blivit röd. Han kunde inte se den i mörkret. Han kände att han frös. Han hörde ljuden av slag, och vind, och förstod att han hade somnat med fönstret på glänt och vinden hade ökat därute och fönstret hade slitit sig och nu slog det mot fönsterkarmen med perfekt regelbundenhet. Det lät som ett rop.

Han hävde sig upp och satte fötterna på lakanet som hamnat på golvet. Han tittade på klockan. När han släckt ljuset för ett par timmar sedan hade det varit en varm och fuktig natt, tidig natt. Han hade haft svårt att somna och dragit ut det tunna täcket ur påslakanet. Nu hade vädret slagit om, med vind från norr. Från tropiskt till tempererat, eller nordligt. Han huttrade till igen och drog på sig linnebyxorna och gick genom mörkret ut i köket och tog en flaska mineralvatten ur kylskåpet och drack. Det var fortfarande svart natt utanför fönstret mot gården. Nyss hade det varit som dag vid den här tiden, för bara några veckor sedan. Det var alltid samma överraskning. Mörkret kunde inte vänta. Det kunde inte hejda sig. Några få månader till och det skulle vara natt klockan tre på eftermiddagen. Välkommen till Norden.

Han ställde ner flaskan. Han kom ihåg namnet han hört i drömmen. Ellen. En kvinnoröst hade ropat det, rakt genom vinden. Ellen. Han hade sett Paula men hört Ellens namn. Han hade inte sett Paulas ansikte men det måste ha varit hon. Hon hade dolt sin hand.

De hörde ihop. Ellen och Paula hörde ihop.

Nej.

Han kom ihåg vad han sagt till Bertil häromdagen, när de talat om fallet Ellen Börge: Där fanns något. Något jag kunde ha gjort. Något jag kunde ha sett. Det fanns där, framför mig. Jag borde ha sett det.

Vad var det han borde ha sett? Hängde det ihop med fallet Paula Ney? Varför hade han börjat tänka på Ellen Börge när Paula Neys död kom in i hans liv?

Det var rummet.

Hotellet, tänkte han. Revy, det har dom gemensamt. Och rummet, och åldern, tjugonio år.

Men jag är inte densamme.

Winter frigjorde sig från diskbänken, det kändes som om han fastnat vid den.

Han gick in i vardagsrummet och satte sig i soffan. Allt var fortfarande mörker.

Var finns Ellen?

Bar hon solglasögon?

Nej, lägg av nu Winter.

Vad betydde Paulas hand? Vad skulle den användas till? Pekade fingrarna någonstans? Skulle dom förstå det? Gå i rätt riktning?

Nej.

Ja.

Nej.

6

WINTER KLEV IN GENOM DÖRREN OCH nickade åt vakten bakom glaset. Killen log, som om de delade ett hemligt skämt.

Winter betraktade hissdörrarna. De glänste med en matt glans som kastade tillbaka spegelbilden som en silhuett. Man kunde vara vem som helst.

I hissen tänkte han att det här är som en första resa.

Dörrarna öppnades mot hallen och han gick ut. Han kunde se Gamla Ullevis gräsmatta genom fönstret. Den var grön som i en tavla. Han gick tvärs över hallen och knappade in kombinationen till den lockande korridoren innanför. Det var första gången. Han kände att det var en speciell dag. Dörren öppnades inte. Han tryckte kombinationen igen men ingenting hände. Det var inte fel siffror, såvida de inte bytt sedan i går eftermiddag. Han tryckte en tredje gång.

"Du har visst kommit fel, grabben."

Han vände sig om. Mannen log men det var inte ett vänligt leende. Winter kände inte igen honom. Han var klädd i civila kläder, som Winter. Men "civila" var en definition med stor spännvidd. Winter såg kanske ut som en snobb. Den andre såg definitivt ut som en slusk. Winter kände igen de flesta ansikten i polishuset, men inte det här. Det var inte ett behagligt ansikte. Det kunde skrämma människor, och inte alltid på rätt sätt. Hakan var fyrkantig och öronen mindre än de borde vara. Ögonen hade en särskild glans som Winter misstänkte fanns där lite för ofta. Han hade ett leende som inte var lugnande. Det där ansiktet hörde hemma på andra sidan lagen, på sidan ett eller två eller tre i brottsregistret. Det tillhörde en ny klient.

Eller en ny brottsbekämpare.

"Legitimation, tack!" sa den snaggade slusken och sträckte fram handen och log sitt egendomliga leende igen.

"Hör nu..."

"Legitimation! Vi vill inte ha kreti och pleti skrapandes på spaningsrotelns dörr."

"Jag jobbar här", sa Winter och backade ett steg när den aggressive kollegan tog ett steg framåt. Det var en kollega. Winter kände lukten av gårdagskvällens sprit i sluskens morgonfräscha andedräkt. Det fanns ett par tunna bristningar i hans ögon. Han var inte på ett jublande morgonhumör. Det var inte Winter heller. Han började tröttna på teatern.

"Vi har varken beställt skoputsning eller fönsterputsning i dag", sa kollegan och log sitt leende igen och knuffade till Winter på axeln och Winter klippte till honom där det kändes som mest.

"Jag har aldrig varit med om maken!"

Winter stirrade rakt in i ett annat ansikte, mer fårat än det förra, men med klarare ögon. Ansiktet var nära. Winter kände en vag men ändå tydlig lukt av tobak. Den kom från mannens kläder, och blandades med färsk lukt från cigarretten han höll i sin hand. Röken sved plötsligt till i Winters ögon. Han blinkade för att undvika tårar. Det skulle inte se bra ut.

"Vad i HELVETE håller ni på med?!"

Den äldre mannen vände sig mot den yngre som satt bredvid Winter, han med leendet, och tryckte upp sitt ansikte nära hans. Det fanns inget leende i den äldre ansikte. Leendet var borta ur den yngres.

"Ska vi skicka ut dig på gatan igen där du hör hemma, Halders?!"

"Det var han som började."

"Håll KÄFTEN", skrek den äldre medan han höll kvar sitt ansikte och Winter kunde se spottet som ett duggregn över Halders ansikte. Han hette alltså Halders. Han måste vara ny på roteln, inte riktigt så ny som Winter men näst intill. Winter visste att den skrikande och spottande och kedjerökande mannen var Sture Birgersson, kommissarie och chef för spaningsroteln. En problemlösare med fantasi. Det var därför han löste problem. Men det här problemet hade gjort honom livsfarligt röd i ansiktet. Blodtrycket visste inte vart det skulle ta vägen, det såg ut att rusa runt i hans kropp, desperat sökande efter en väg ut.

"Sitter du och SKYLLER IFRÅN DIG, förbannade fegfan?!"

Han drog tillbaka ansiktet från Halders och kastade de hårda blickarna på Winter. Winter såg att Birgerssons ögon var gula, klara och gula. Det här var första gången han var i tjänst under honom. Den första dagen, första timmen, första minuterna. En lysande start.

"Och vad gör vi med den här skyltdockan?!"

Halders flinade till.

"Jag sa HÅLL KÄFTEN!" skrek Birgersson utan att titta på Halders. Hans ansikte kom nära Winters igen. "Du har visst missuppfattat jobbet, eller hur? Har du sett för många amerikanska polisfilmer? Miami Vice eller vad fan dom heter? Bögsnobbar i Armanisvider som får puckla på vem som helst? Är det vad du tror jobbet går ut på!?"

Winter öppnade munnen men Birgersson skrek "HÅLL KÄFTEN!" innan han hann säga något.

"Jag la en röst för dig, grabben."

Birgersson stirrade in i Winters ögon. Birgerssons ögon påminde om ett månlandskap. Han kändes också ungefär lika avlägsen, fastän han var så nära att Winter kände cigarrettlukten ur hans mun. Röken från cigarretten i Birgerssons hand steg uppåt och sved i Winters ögon igen och han ansträngde sig för att inte blinka nu. Också en blinkning skulle vara ett tecken på svaghet. Blinkade han en enda gång skulle han åka ut med huvudet före från den här korridoren och den här roteln och aldrig mer få utreda ett fall klädd i Armanisvid. Det skulle bli uniformen igen, nattpatrull i horkvarteren runt Pustervik igen, sannolikt i sällskap med Halders. Döden skulle vara ett bättre alternativ.

"RÖSTADE på dig, din lille skit", sa Birgersson och slet tillbaka ansiktet och satte sig med en tung skräll i kontorsstolen. Det var ett mirakel att den inte gick sönder. "Jag fick till och med HÖJA RÖSTEN", fortsatte Birgersson, som om det var något unikt för honom, "det fanns dom som hade invändningar mot dig och jag fick sätta min heder i pant för att du var mogen för jobbet!" Han vände sig tvärt mot Halders. "Och så detta!"

Halders hade vett att hålla käften.

"Hade inte Bertil stigit ur hissen just då så vet ingen jävel hur det här hade slutat!"

"Förmodligen hos polismästaren", sa den fjärde mannen i rummet. Han hade inte sagt något tidigare. Han hette Bertil Ringmar och var kriminalinspektör på roteln och mogen för kommissarietitel, övermogen, men det var svårt att ständigt vara i Birgerssons skugga, svårt att kliva ur den. Winter hade bytt några ord med Ringmar då och då det senaste året och tyckt att han var en hygglig karl. Han var ungefär tio år äldre än Winter. Winter hade sett fram emot att arbeta med honom, lära av honom.

Nu hade han kanske sabbat det för alltid.

Samtidigt skulle han kunna göra det igen. Sabba det igen. Nita Halders för tillfredsställelsen att se det där förbannade leendet slätas ut till nåt annat. Han var kanske inte mogen för det här.

"Inte bara hos chefen", sa Birgersson. "Det skulle vara den hanterliga delen. Vad jag talar om här är Sahlgrenska, akuten förmodligen, och sen tidningarna förstås, och teve, och tingsrätten, och hovrätten, och regeringen, och hela förbannade FN!"

Det fanns jättelika växter i krukor i varje hörn av kaféet. Det var som en djungel, som en påminnelse om att det var möjligt att ge sig ut på en lång resa. Snart kanske Winter skulle få all tid han behövde. Det berodde på hur mogen han var i den nära framtiden.

De hade lämnat polishuset så fort det var möjligt. Ingen kände för att dricka kaffe tjugo meter från Birgerssons kontor.

Halders gjorde en grimas när han satte sig.

"Gör det ont?" frågade Winter.

"Vilket då?" sa Halders.

"Jag ser verkligen fram emot att jobba med dig", sa Winter.

"Var inte för säker på det", sa Halders. "Gubben har ändrat sig förut."

Gubben Birgersson hade fått slut på rösten och cigarretterna och slängt ut dem med en varning. Ringmar hade skickats iväg med de två slynglarna.

"Och jag tror inte jag hinner sitta barnvakt på jobbet", fortsatte Halders.

"Jag tänker inte sitta", sa Winter.

"Vad tänker du göra då?" sa Halders och log sitt leende.

Det här måste bort, tänkte Winter. Om det så ska ta år måste det bort för alltid. Han har överläge. Ska jag be honom ge mig en magsugare så vi är kvitt?

Ringmar harklade sig:

"Vad Birgersson försökte säga på sitt, eh... subtila sätt är att det här inte är en skolgård, eller nån lekhage."

"Vad betyder subtil?" sa Halders.

"Känslig", sa Winter.

"Jag visste att du visste det", sa Halders och log.

"Känslig som du", sa Winter.

Halders leende fanns kvar.

"Var det nån här som faktiskt förstod vad jag sa nyss?" sa Ringmar.

Augusti hade varit grönare än den brukade vara eftersom det hade regnat mer än normalt den sommaren. Det regnade fortfarande, och det regnade nu, när Winter stod utanför Hotell Revy. Klockan var fyra på eftermiddagen och ljuset hade försvunnit, sugits upp i himlen som var låg och grå, en vinterhimmel redan i den tidiga september.

Han tittade upp mot tredje våningen, en fönsterrad ut mot gatan, tre fönster och det i mitten tillhörde rum nummer tio. Ingen hade klättrat ut från det fönstret mitt i natten, så mycket visste han.

Inte Ellen Börge. Inte någon annan.

Det var samma dunkel i lobbyn som därute. Dunklet förstärktes av krukväxterna. Winter tänkte på kaféet där han och Ringmar och Halders suttit för någon vecka sedan. Han tänkte på sydliga länder igen. Det fanns en främmande lukt i lobbyn. Kanske var det den.

Han var ensam därinne. Någonstans ifrån kom musik, kanske från en radio. Musiken sa honom ingenting. Det lät som om ingen lyssnade. Musiken tystnade och han kunde höra regnet mot markisen över entrén. Det var hål i den, han hade fått en regndroppe på kinden när han gick uppför trappan.

Hotellet verkade stängt, övergivet. Men ett hotell var aldrig stängt, framför allt inte det här.

Han gick fram till disken och såg sig om. Musiken hade börjat igen, ett lågt sus. Kanske var det en dammsugare. Ljudet verkade komma uppifrån. Kanske var det en städerska i rum tio. Winter hade varit däruppe, en tekniker hade varit där men det fanns ingenting att undersöka. Ellen hade bott där en natt, eller nästan en natt, och varit borta med det första morgonljuset. Det var i går natt. Ingen hade sett henne lämna Revy, inte ens portiern. Hon hade betalat när hon checkade in, det var etablissemangets policy. Winter förstod varför. De flesta gäster bodde här bara en timme, en halvtimme. Han undrade varför Ellen valt ett sådant här ställe. Kanske var det just därför. Ingen såg något, hörde något. Den som ville rymma gjorde rätt som valde Revy. Några timmars eftertanke, om det var möjligt här, kanske vila, knappast sömn, och så iväg med morgontåget, eller bussen, söderut, österut, norrut. Västerut fanns bara hav, då fick det bli fartyg, färjor. De visste inte i vilket väderstreck hon rest, om hon rest. Hittills hade ingen resebyråtjänsteman sålt biljetter till henne.

Portiern blev synlig bakom receptionen. Han steg ut genom en dörröppning som legat i dunkel som allt annat därinne. Det fanns ingen dörr, bara ett draperi. Han gäspade, som efter en siesta. Kanske var det ett hårt jobb att vara hotelltjänsteman, framför allt här. Han var en tjänsteman som hade hand om rumsnycklar, och här var det sannolikt svårt att få ostörd sömn på natten.

Mannen gäspade igen, utan att försöka dölja det. Han var ungefär i Winters ålder, ännu inte trettio. Han bar kavaj, som Winter, men skillnaden var att den här killen också använt den som pyjamas.

"Hård dag?" frågade Winter. "Eller natt."

"Eh... va?"

Portiern kliade sig i håret. Det var långt i nacken, kort över öronen. Han kunde vara Elvis. En ishockeyspelande Elvis.

"Jag var här i går", sa Winter.

"Jaha?"

"Försvinnandet. Ellen Börge." Winter höll fram sin legitimation. Portiern studerade den med ögon som verkade närsynta.

"Du var inte här i går", sa Winter. "Din kollega sa att du skulle vara här nu. Det var du som checkade in henne."

"Vem?"

Han hade inte vaknat riktigt än. Kanske han aldrig vaknade riktigt.

"Ellen Börge. Du checkade in henne 23.30."

"Mhm."

"Du kommer ihåg det?"

"Jag är inte dum."

"Ingen har sagt att du är dum."

Inte än, tänkte Winter. Men du är en dryg fan. Det är inte första gången du träffar polisen. Här springer poliser stup i ett. Du är trött på dom. På oss.

"Din kollega visade oss inskrivningspärmen. Hennes namn stod där. Kan du ta fram den igen?"

"Jag kommer ihåg henne", sa portiern utan att röra sig. "Börge. Jag kollade namnet när hon gått upp till rummet. Det är liksom ett killnamn på en tjej, va?"

"Brukar du kolla folks namn när dom skrivit in sig?"

"Eh... nej. Men... hon kom ensam."

"Och hon såg inte ut som en hora? Är det det du menar?"

Portiern tittade ner i bänken utan att svara, som om han plötsligt tog på sig det här hotellets skam. Han tittade upp. "Hon hade ingen väska heller, bara en handväska." Han viftade till med ett par fingrar mot disken. "Hon la den där när hon skrev. Och när hon gick så tänkte jag på det där, att hon inte hade nån resväska."

"Beskriv handväskan", sa Winter.

"Tja... svart."

"Svart? Är det allt du kommer ihåg?"

"Ja... och liten. En rem. Som damers handväskor ser ut. Jag kan inte skilja på dom."

Han såg bort mot trappan, som om Ellen skulle bli synlig där. "Hon såg ut att vara på väg, liksom. Det kommer jag ihåg att jag tänkte. Det här stället ligger ju nära Centralen och vi har många kunder som tar första bästa rum innan dom fortsätter vidare. Resenärer. Jag har liksom blivit van att känna igen folk som är på väg nånstans."

"Och hon såg ut att vara på väg?"

"Jag tyckte det."

"Hon kom ju iväg också."

"Jag förstår det."

"Nån gång under natten, eller tidiga morronen."

"Dom säger det."

"Tror du inte på det?"

"Jag tror inget. Jag *vet* inget. Jag var inte här. Gick av tolv."

"Din kollega märkte inget."

"*Det* vet jag. Det förstår jag."

"Vad menar du?"

"Han märker aldrig nåt. Han sover." Portiern log. "Han delar ut nycklar i sömnen."

Winter trodde honom. Han hade fått samma intryck. Den här skojaren var sömnig men den andra var värre.

"Hur verkade hon?"

"Va?"

"Ellen Börge. När hon skrev in sig. Du iakttog ju henne. Du la ju märke till henne. Hur var hon? Verkade hon nervös? Var hon spänd? Flackade med blicken? Nånting?"

"Hon verkade lugn, tyckte jag."

"Det regnade. Var hon torr?"

"Nu hänger jag tyvärr inte med."

"Det vräkte ner därute. Hade hon ett paraply? Var hon som en dränkt katt? Verkade det som om hon sökte skydd för regnet?"

"Tja... nåt paraply såg jag inte. Och blöt var hon, inte minst i håret." Han strök sig över hockeyfrillan. "Jaa... kanske räddade hon sig in här från regnet. Men därifrån är det väl en bit till att skriva in sig här, eller va?"

Winter svarade inte. Ellen hade gått hemifrån i solsken, knappt ett moln på himlen. Christer Börge kunde inte exakt säga vad hon haft för kläder när hon gick, men det var "nåt lätt". Inga ytterkläder, han påstod att allt hängde kvar. Paraplyerna, de var två, stod absolut kvar i ett prydligt paraplyställ. Ja, hade Winter tänkt, varför skulle hon ta med sig ett paraply när solen sken som besatt, som om den skulle ta igen allt från den här blöta sommaren.

Sju och en halv timme senare hade hon skrivit in sig här, kommit in från regnet.

"Beskriv hennes klädsel", sa Winter.

"Kan du beskriva hennes klädsel en gång till?" sa Winter.

"Är det verkligen nödvändigt?"

"Var snäll och beskriv klädseln", upprepade Winter.

Christer Börge berättade om hennes kläder.

"Jag har verkligen försökt göra mitt bästa", sa han när han var klar.

"Men du är inte säker?"

Börge ryckte på axlarna:

"Vem kan redogöra i detalj för sin frus klädsel? I efterhand? Kan du?"

"Jag är inte gift."

"Du fattar vad jag menar, eller hur?"

Winter nickade.

"Men hon hade nog ingen jacka. Det var ju en varm dag, eller kväll. Eller eftermiddag, jag vet inte vad det ska kallas."

Winter nickade igen, fast det inte fanns något att nicka åt. Börge stod fortfarande stilla framför honom, som han hade gjort sedan Winter stigit in i hallen. Börge ville inte ha honom där, och Winter förstod det.

"Kan vi sätta oss en stund?"

"Varför det?"

Winter behövde inte svara på det, och han gjorde det inte heller. Han nickade in mot rummet. Det var upplyst av ett starkt kvällssken. Solen gick ner i rött och guld, septemberfärger.

Börge vände sig om och gick in i vardagsrummet och Winter följde efter. De satte sig. Det luktade plötsligt som av ljuset därute, som kryddor Winter inte visste namnet på, och kanske aldrig skulle smaka. Dörren till balkongen stod vidöppen. Det fanns ingen vind. Rummet, och balkongen, gav ett intryck av elegans när ljuset föll in från den klara dagen. Men möblerna var lika plyschiga som när han varit här för halvannan dag sedan. Så skulle det kanske förbli. Han undrade om Christer Börge skulle bo kvar här om ett år, ett halvår. Om Ellen skulle komma tillbaka hit. Winter trodde att hon skulle leva lycklig i alla sina dagar någon annanstans. Därifrån skulle hon höra av sig. Christer skulle fortsätta i olycka, eller lycka. Han kanske dolde sin oro bakom en min av leda. Han var en främling för Winter, som nästan alla människor. Winter arbetade med främlingar, en del levande.

"Hotell Revy", sa Winter.

"Aldrig hört talas om stället", sa Börge. "Det har jag ju sagt."

"Det var där hon tog in."

"Tog in? Tog in? Det var ju bara några timmar. Hon hade ingen väska. Det kallar jag inte att ta in."

"Vad ska man kalla det då?" frågade Winter.

Börge svarade inte.

"Varför just det hotellet?" sa Winter.

"Varför ett hotell?" sa Börge.

"Det är det jag frågar mig. Och dig."

Börge sa något som Winter inte uppfattade.

"Förlåt? Vad sa du?"

"Hon hade ingen anledning", sa Börge med låg röst. Det fanns något i rösten som Winter inte kände igen från tidigare, en annan ton.

"Vad menar du med det?"

"Det jag säger." Börge såg Winter i ögonen. "Hon hade ingen anledning att ta in på det där stället, ens för ett par timmar. Eller gå nånstans alls. Hon måste ha blivit sjuk. Hennes hem var här." Han såg sig om, på hemmet. "Här hörde hon hemma." Han såg på Winter igen. "Det var här hon hörde hemma."

Killen låter som om han aldrig mer ska få se henne komma hem, tänkte Winter. Och just då, just där i den mjuka soffan, när solen plötsligt doldes bakom ett moln och allt blev dunkelt, dunkelt som i Hotell Revys lobby, trodde Winter att Christer och Ellen sett varandra för sista gången.

7

MARKISEN ÖVER TRAPPAN VAR BLÅ NU. Det fanns ingen vind, och inget regn. Trappan var torr. Det fanns vertikala sprickor nerifrån och upp. Ett flodsystem utan ett delta.

Winter gick uppför trappan. Han såg sprickorna mellan stegen, och ogräset som var på väg upp från underjorden. Tredje världen, tänkte han. Det går fort när det väl börjat gå bakåt. Det sker en utjämning. Det går åt helvete på båda sidor om ekvatorn.

Det var dunkelt i lobbyn, och mörkret förstärktes av det öppna ljuset därute. Himlen var vidöppen därute, som om den försökte flytta horisonterna. Den hade en ljusare nyans av blått, som om den skrubbats av sommarens regn.

Han var ensam i lobbyn. Någonstans ifrån kom musik, kanske från en radio. Musiken sa honom ingenting. Det lät som om ingen lyssnade.

Han gick fram till disken och såg sig om. Musiken hade börjat om igen, ett lågt sus. Han mindes. Det hade snart gått tjugo år, men allting var likadant. Hans känsla av deja vu var inte deja vu. Den var verklig. Egentligen händer ingenting på tjugo år, tänkte han, allt bara upprepas.

Portiern blev synlig bakom receptionen. Han steg ut genom en dörröppning som legat i dunkel som allt annat därinne. Det fanns ingen dörr, bara ett draperi.

Winter kände omedelbart igen honom.

Portiern kände omedelbart igen Winter. Winter kunde se det i hans ögon. De lyste till, för en tiondels sekund, som en ficklampa genom lobbyn.

Portiern sa ingenting, men hans blick letade sig bort mot trappan, uppför den, genom korridoren, fram till rum nummer tio. Rummet var fortfarande avspärrat. Hela våningsplanet var avspärrat.

Den här mannen måste ha haft några dagars ledighet. Winter hade inte träffat honom under den här förundersökningen. Men det var inte Winter som förhörde hotellvaktmästarna, inte än. Inte förrän nu. Vad hette han? Winter hade glömt. Han hade läst det och glömt det, märkligt nog. Den här killens namn fanns i Paulas akt, som alla de anställda på Revy. Det betydde att hans namn fanns i två akter med ett mellanrum på nästan tjugo år. Han såg inte tjugo år äldre ut. Frisyren var en annan. Tiden rörde sig långsammare härinne i dunklet. Därute i ljuset, bortanför markisen, åldrades allting snabbare. Men portiern hade känt igen Winter. Salko. Han hette Salko. Richard Salko. Hade det inte funnits en konståkare för länge sedan som hette Salko? Dubbel Salko om egen lots. Det var långt bak i tiden, före det ljuva 80-talet.

"Det vár ett tag sen", sa Richard Salko.

"Så du känner igen mig?"

"Precis som du känner igen mig."

"Åren har visst varit snälla mot oss", sa Winter.

"Beror väl på vad man utgick från", sa Salko, "från början. Vad man hade med sig från början."

Salkos blick gled iväg mot trappan igen, och tillbaka.

"Fruktansvärd sak", sa han. "Hur kunde det hända?"

Winter sa ingenting.

"Jag var inte här", sa Salko. "Jag var sjuk."

"Jag vet."

"Så jag har ingenting att säga."

"Vad var det för sjukdom."

"Migrän. Det kan sitta i ett par dar. En vecka nån enstaka gång."

Winter nickade.

"Jag har medicin. Jag går till en läkare."

"Jag tror dig", sa Winter.

"När det... det där hände låg jag hemma."

Winter höll upp ett fotografi.

"Sett henne förut?"

Salko studerade Paulas ansikte.

"Det är inte samma bild som i tidningen."

"Nej."

"Hon är knappt sig lik."

"Det är därför jag visar dig det här."

"Nej", sa Salko och skakade på huvudet. "Jag har inte sett henne förut."

"Hon har inte varit här?"

"Inte som jag vet."

"Ingen av dina kolleger känner igen henne heller."

Salko ryckte på axlarna.

"Ändå valde hon det här hotellet", sa Winter.

"Gjorde hon?"

"Hur menar du?"

"Var det hon som valde det?"

Winter svarade inte.

Salko ryckte på axlarna igen.

"Hon skrev in sig själv, om man får uttrycka det så."

"Hon gick upp på rummet, nummer tio", sa Winter. "Vad vi vet lämnade hon aldrig rummet. Hon hade ingen nyckel. Ingen här såg henne komma, eller gå. Hon var kvar där under natten. Hon fick besök. Vi vet inte när. Ingen här såg nån besökare."

"Det är ett hotell", sa Salko. "Folk kommer och går." Han slog ut med handen, ut mot lobbyn. "Du ser själv. Det är så jävla skumt här att man knappt ser handen framför sig."

"Varför är det så?" frågade Winter.

"Fråga ägarna."

Det skulle de göra. Men det var inget brott att snåla på elektricitet. Och anonymitet var en del av det här stället. Elektricitet gick inte så bra ihop med anonymitet.

"Ni ska visst slå igen", sa Winter.

"Vem har sagt det?"

"Är det bara ett rykte?"

"Fråga inte mig."

"Du vet ingenting om det?"

"Det går så många rykten", sa Salko. "Det här stället har varit på väg att slå igen under tjugo år."

"Du måste ha en otrygg arbetssituation", sa Winter.

Salko log inte. "Den här gången kanske det är sant. Ryktet kanske är sant." Han såg rakt över disken på Winter. "Jag föreslår att du frågar ägaren."

Winter nickade. Han såg hur Salko flyttade blicken. Han hörde ett ljud bakom sig och vände sig om. Dörren svängde men han såg ingen. Han hade inte hört någon gå genom lobbyn. Han vände sig tillbaka mot Salko.

"Vem var det där?"

"Förlåt?"

"Vem var det som gick ut genom dörrrarna?"

"Jag såg ingen."

"Dörrarna rörde sig ju."

"Måste vara vinden."

"Det finns ingen vind."

"Jag sa ju att jag inte såg nån."

Winter såg att han ljög. Det var sådant man lärde sig på tjugo år. Att se lögnen, det var hans arv.

"Vi har pratat med städerskan och hon märkte ingenting. Alltså dagen före, eller dagarna före. Dessutom städade hon inte rummet dom sista två dygnen."

Salko ryckte på axlarna för tredje gången.

"Det stod ju tomt. Vad är poängen?"

"Gör man ingen... tja, inspektion? Går igenom rummen varje dag? Eller kväll?"

"Nej."

"Städas inte rummen varje dag? Åtminstone om det bor nån där?"

"Det är upp till gästen. Det finns en skylt man kan hänga upp."

"Städning undanbedes?"

"Stör ej."

"Det är inte samma sak", sa Winter. "Jag kan inte förstå hur ett hotell kan ge fan i städningen."

Salko märkte nyansskiftningen i Winters röst. Om han hade tänkt rycka på axlarna så lät han bli.

"Du förstår vad det kan innebära?" sa Winter. "Förstår du det?"

Nina Lorrinder var ett halvt huvud högre än Aneta Djanali.

Hon hade också varit ett halvt huvud högre än Paula Ney.

Klockan var kvart över fem och puben på Västra Hamngatan hade öppnat. Den hette Bishops Arms och var det närmaste det gick att komma London i Göteborg. Aneta Djanali hade varit där förut, en kväll ganska nyligen, tillsammans med Fredrik. Efter en halvtimme hade Bertil och Erik dykt upp. Erik hade beställt varsin pint av den nyinkomna färska alen åt allihop. Det var första gången för Aneta, och den sista. Hon kunde få en billigare dryck med samma smak och doft genom att vrida ur en disktrasa.

"Ahhhh", hade Erik sagt när han druckit. "En till?"

Men nu var det inte en till. Det var inte någon ale alls. Aneta Djanali och Nina Lorrinder drack te.

Nina och Paula hade druckit varsitt glas vitt vin. De hade suttit vid det här bordet. Det var det enda som var ledigt i lokalen, som om ryktet hade gått.

Aneta hade frågat Nina om de skulle sätta sig där och hon hade nickat. Det är makabert, tänkte Aneta Djanali. Kanske det hjälper minnet.

"Hur länge satt ni här?"

"Det där har jag väl svarat på?" svarade Nina Lorrinder, men utan att låta ovänlig.

"Vi ställer ofta samma fråga flera gånger."

Ibland för att vi är korkade, tänkte Aneta Djanali. Ibland för att vi får olika svar varje gång.

Nina Lorrinder lyfte sin kopp utan att dricka. Hon satte ner den igen. Hon tittade bort mot dörren, som om Paula skulle kliva in där. Hon flyttade blicken till Aneta Djanali, som om Paula satt där.

Hon började gråta.

Koppen darrade i hennes hand.

"Vi går nån annanstans", sa Aneta Djanali.

*

På ett franskt kafé länge söderut på gatan upprepade Aneta Djanali frågan.

"En timme, ungefär."

"Vad var klockan när ni skildes?"

"Ungefär tio."

"Var det utanför puben?"

"Jag följde henne upp till Grönsakstorget. Hon skulle ta en spårvagn därifrån. Ettan." Nina Lorrinder hoppade till när en spårvagn rasslade förbi utanför. Dörren stod öppen ut mot gatan. Det var en varm kväll, en brittsommarkväll. "Men det vet ni ju."

"Väntade du tills hon klev på?"

"Nej."

"Varför inte?"

"Min egen vagn dök upp. Trean."

"Varför gick ni inte på vid Domkyrkans hållplats?"

"Tja... vi ville väl promenera lite."

"Så du hoppade på trean medan Paula väntade på ettan?"

"Ja." Nina Lorrinder såg mycket blek ut i ljuset inne i kaféet. Ljuset där var en blek blandning av elektricitet och höstsol.

"Var det fel av mig?"

Aneta Djanali såg tårarna i hennes ögon.

"Skulle jag ha stannat kvar?" Nina Lorrinder strök sig över ögonen. När hon tog bort handen hade ögonen en hinna av tårar. Hon snyftade till. "Jag har tänkt på det. Nästan hela tiden. Hade jag inte åkt iväg hade det kanske inte hänt." Hon tittade på Aneta Djanali med sina genomskinliga ögon. "Förstår du? Om jag bara hade stannat kvar."

"Det finns inget du kan anklaga dig själv för", sa Aneta Djanali.

"Hur skulle jag kunnat veta? Hur skulle nån kunnat veta?"

Aneta lyfte sin kopp och drack av det nya teet. Just nu önskade hon sig ett glas vin, eller en whisky. Nina Lorrinder såg ut att behöva en whisky. De kunde gå till en bar om en liten stund. Hon kunde bjuda. Hon hade trängt sig in i Nina Lorrinders sorg.

"Ingen av oss kunde veta", sa Aneta Djanali.

"Hur kunde det hända?" Nina Lorrinder tittade på Aneta Djanali som om hon skulle kunna ge ett svar. "Varför?"

"Det är det vi försöker finna svar på."

"Går det?" Nina Lorrinder slog ut med en hand. Det var som en reflex. "Hur ska man kunna finna svar på nåt sånt här?"

Vad skulle hon svara? Det fanns tusen svar, men kanske inget av dem var det rätta. Det fanns tusen frågor.

"Bland annat genom att prata med alla hon kände", svarade Aneta Djanali till slut. "Det som vi gör nu. Du och jag."

"Hon kände inte så många", sa Nina Lorrinder.

Aneta Djanali sa ingenting, väntade.

"Hon var inte direkt den... vad ska man säga... den ytliga typen." Nina Lorrinder gjorde den där rörelsen igen, som om den hörde ihop med hennes röst. "Paula ville helst dra sig undan lite. Förstår du? Hon ville inte vara i för stora sällskap. Hon ville inte vara i nåt centrum eller så."

"Vad ville hon göra då? Vad ville hon helst göra?"

"Jag... vet inte."

"Pratade ni aldrig om det?"

Nina Lorrinder svarade inte först. Aneta Djanali lät henne tänka, hon såg ut att tänka.

"Hon ville nån annanstans", sa Nina Lorrinder till slut.

"Vart ville hon?"

"Vart? Vart hon ville iväg? Om du menar nån plats eller så, nåt land, så sa hon aldrig det."

"Men du vet att hon ville bort?"

"Ja... det är svårt att förklara... det var som om hon själv *var* nån annanstans ibland. Hon var inte *här*. Förstår du? Hon var här men hon var samtidigt nån annanstans, där hon helst ville vara."

"Och hon pratade aldrig om den platsen? Där hon helst ville vara?"

"Jag vet inte ens om det var en plats", sa Nina Lorrinder. "Jag vet inte ens om hon själv visste."

En ung kvinna kom in i kaféet från den vita gatan utanför. Hon såg sig om efter ett bord. Det fanns flera lediga. Hon markerade bordet närmast väggen med sin långa halsduk och gick tillbaka ut och höll upp dörren för en ung man som körde in en sittvagn och ställde den bredvid det markerade bordet invid fönstret. Ett barn på två år sov i vagnen. Mannen satte sig och tog av sig sina svarta glasögon. Han blinkade några gånger i det svagare ljuset inne i rummet.

"Pratade hon om nån annan?" frågade Aneta Djanali och lutade sig fram över bordet. "Fanns det nån man i Paulas liv? Eller kvinna, för den delen."

Nina Lorrinder ryckte till.

"Det är ju en av frågorna som måste ställas", sa Aneta Djanali. "Det tillhör rutinen, eller vad det ska kallas."

"Kallar ni det rutin?" sa Nina Lorrinder och tittade rakt på Aneta Djanali. "Hur kan man kalla det rutin?"

"Det är ett dåligt ord. Jag håller med om det."

"Gör du sånt här varje dag? Blir folk mör... mördade varje dag?"

"Nej, nej."

"Vilket jobb", sa Nina Lorrinder.

Aneta Djanali svarade inte.

Nina Lorrinder vände blicken mot bordet borta vid väggen när kvinnan kom tillbaka med en bricka. Hon ställde den på bordet. Mannen dukade upp. Kvinnan satte sig. Barnet sov.

"Hon var inte lesbisk om du tror det", sa Nina Lorrinder med blicken kvar på den unga familjen. "Och det är inte jag heller."

"Jag tror ingenting", sa Aneta Djanali. "Just nu får jag absolut inte tro nånting alls."

"Det tillhör rutinen, eller hur?"

Nina Lorrinder hade vänt tillbaka blicken. Aneta Djanali försökte upptäcka ett leende i hennes ansikte, någonstans, men där fanns inget leende.

"Är du trött på det här nu?" frågade Aneta Djanali. "Ska vi sluta?"

"Det fanns en kille", sa Nina Lorrinder.

Hon tittade på paret igen. Barnet hade vaknat och mamman lyfte just upp det. Det såg ut som en pojke. Overallen var blå.

Mamman gav honom en kyss. Pappan hällde vatten i ett glas.

"Hade Paula en pojkvän?" frågade Aneta Djanali.

"Inte nu." Nina Lorrinder vände tillbaka blicken igen. "Inte som jag vet om, i alla fall. Men för ett tag sen fanns det nog nån."

"Vem?"

"Jag vet inte."

"Du träffade honom inte?"

"Nej."

"Hur känner du till honom då?"

"Paula sa nåt."

"Vad sa hon?"

"Hon *sa* inte att hon hade en kille. Det var liksom inte *hon*... att ens berätta det skulle inte vara hon. Men jag liksom förstod. Förstår du? Såna där grejer som man lägger märke till. Som kompis. Det är nåt som är lite annorlunda plötsligt. Vi sågs inte som förut, till exempel. Hon gjorde nåt annat på helgen ibland, när vi kanske hade setts annars. Hon reste nånstans."

"Reste nånstans?"

"Tja, som exempel."

"Är det bara ett exempel? Eller reste hon verkligen nånstans? Som du känner till?"

"Menar du utomlands, eller?"

"Jag menar vart som helst."

"Jag vet faktiskt inte. Men jag vet att jag sökte henne några gånger under nån vecka och hon verkade inte vara hemma."

"När var det."

"Det var... ett par månader sen. Tre, kanske." Nina Lorrinder gjorde armrörelsen igen, som en vag spasm. "Har det nån betydelse?"

"Jag vet inte", sa Aneta Djanali. "Det vet man aldrig. Men jag vill att du försöker komma ihåg när det här var, så exakt som möjligt."

"Jag ska försöka."

"Var det ovanligt?" frågade Aneta Djanali. "Att Paula reste från stan?"

"Jag vet ju inte om hon gjorde det. Den här gången. Men så länge jag känt henne var det nog... ovanligt."

"Ni pratade aldrig om det."

"Nej. Det kom liksom aldrig upp."

"Ni gjorde aldrig nån resa tillsammans?"

"Utomlands?"

"Vart som helst."

"Nej. Om du inte menar spårvagnslinjerna."

"Inte just nu", sa Aneta Djanali.

"Vi höll oss här, i stan. Men vi sågs å andra sidan inte så ofta. Det var inte ens varje vecka."

"Hur träffades ni?" frågade Aneta Djanali.

Nina Lorrinder nickade bort mot fönstret. Aneta Djanali följde hennes blick, förbi den unga familjen. Aneta Djanali såg gatan utanför, en spårvagn som passerade, människor som gick förbi. Domkyrkans fasad.

"Vi sågs i kyrkan", sa Nina Lorrinder och nickade mot fönstret igen.

"Kyrkan?" sa Aneta Djanali. "Menar du Domkyrkan därborta?

"Ja."

"Berätta."

"Det är inte mycket att berätta. Jag gick dit ibland... bara för att sitta lite och... och tänka. Nån aftonbön. Tja..." Hon höll fortfarande kvar blicken på kyrkan. Fasaden var nästan dold bakom grenverken runt kyrkoplatsen. "Jag går fortfarande dit ibland." Hon flyttade blicken till Aneta Djanali. "Det känns tryggt, på nåt sätt. Nej, jag vet inte hur jag ska uttrycka det."

"Det känns bra för dig", sa Aneta Djanali.

"Ja."

"Och du träffade alltså Paula där."

"Ja."

"Hur gick det till?"

Det såg nästan ut som om Nina Lorrinder log. "Ja, inne i en kyrka är väl inget ställe man träffar nya... vänner kanske. Och det var väl utanför, mer. Vi hade väl lagt märke till varandra några gånger och... så bestämde vi väl att ta en fika efteråt. Det var väl så, en gång. Jag kommer inte ihåg riktigt, faktiskt."

"När var detta?" frågade Aneta Djanali.

"När vi tog en fika?"

"När ni pratade med varandra första gången."

"Ja... det var nog... ett par år sedan."

"Var Paula ensam?"

"Ja."

"Alltid?"

Nina Lorrinder nickade. Aneta Djanali kunde se i hennes ögon att hon varit ensam också. Att hon var ensam. Man gick inte till kyrkan i stora sällskap. Den gemenskap man sökte kunde finnas där. Aneta Djanali vände blicken mot fönstret igen. Grenarna vajade runt kyrkan, som en cirkel.

Den lille pojken vid bordet hade fått av sig overallen. Han hade en t-tröja på sig med någonting skrivet på som Aneta Djanali inte kunde läsa där hon satt. Han krängde runt i pappans knä, fram och tillbaka, hit, dit, som om han ville bort, ut igen i solskenet. Pappan ställde sig upp och lyfte honom mot taket och han skrattade till. Skrattet lät högt inne i kaféet, ljust och klart, som dagen utanför. Därinne hade det varit som natt, tänkte Aneta Djanali. Pojken ändrade på det där, för en liten stund.

"Pratade hon nånsin om Italien?" frågade Aneta Djanali.

Nina Lorrinder hade också följt gymnastiken borta vid bordet. Aneta Djanali hade sett det lilla leendet i hennes ansikte. Det hade varit svårt att inte le. Hon hade också gjort det.

"Italien? Nej. Varför frågar du det?""

"Hon pratade inte om sin pappa? Att han kom från Italien? Sicilien? Eller att hon varit där?"

"Hade hon varit på Sicilien?"

"Vi vet inte. Det är möjligt."

"När?"

"För tio år sen."

"Nej. Det har hon aldrig sagt nåt om."

"Pratade hon om sin pappa?"

"Att han kom därifrån, menar du?"

"Överhuvudtaget."

"Tja... det gjorde hon väl nån gång. Men det var väl inget särskilt..."

Nina Lorrinders blick var därute igen, nära kyrkan. Aneta Djanali kunde inte minnas att hon själv någonsin betraktat Domkyrkan under så lång tid.

"Vilken relation hade Paula till sin pappa?"

"Den var väl okej, antar jag."

"Bara okej?"

"Varför frågar du det här?"

"Vi försöker alltid få fram... relationen i familjen."

Det där var inget bra. Det var klumpigt uttryckt. Allt sådant här var mycket svårt.

"Rutinen, menar du?"

"Träffade hon sina föräldrar ofta?"

"Det vet jag faktiskt inte."

"Pratade hon ofta om dom?"

"Har jag inte svarat på det?"

"Pratade hon om sin mamma?"

"Det gjorde hon väl. Ibland."

"Men du märkte ingenting av att dom kunde ha en... att det kunde vara några problem?"

"Problem?"

"Mellan dom. Mellan föräldrarna. Eller mellan Paula och nån av föräldrarna."

Nina Lorrinder skakade på huvudet.

... om jag gjort er arga på mig så vill jag be om förlåtelse...

Paulas sista ord i skrift. Det handlade om skuld, och om förlåtelse. Aneta Djanali kände en rysning varje gång hon läste Paulas brev till föräldrarna, mer än en rysning, det var som en kall vind som överföll en varm dag.

8

WINTER GICK FRÅN RUM TILL RUM och öppnade fönster. Våning-en var varm, varmare än den varit på månader, och dammet hade blivit till luft därinne. Det fanns ett ord för det där: instängt. Det skulle dröja timmar innan det kom någon svalka utifrån, kvällarna var också de varmare än på månader, men han öppnade fönstren ändå. Det blåste åtminstone lite. Det doftade av den sena efter-middagen. Brittsommaren innehöll ett par dofter av höst och det räckte för att dölja lite av kolmonoxidparfymen som steg upp från trafiken. Inte för att han hade problem med den. Han hade känt den hela sitt vuxna liv, han rörde sig i den varje dag och om den blev besvärande tände han en Corps.

Han tände en Corps nu. Det var Europas dyraste cigarr men det var en gammal vana. Den var god. Den var hygienisk. Rökaren fick själv skala de långa smala cigarrerna från skyddande omslag. Winter fick sedan några år specialbeställa Corps från Bryssel, eftersom han uppenbarligen var den ende i staden som rökte märket. Det gav det en exklusivitet som det egentligen inte förtjänade.

Han stod på balkongen och drog in rök, blåste ut, lät doften från cigarren blandas med de andra. En stadsjeep därnere cirklade runt på jakt efter en parkeringsplats, eller egentligen två. Winter kunde se ett blont hår i framsätet. En kvinna spanade efter plats. Hon stack ut huvudet genom den nedvevade rutan. Chryslern såg ut som en pansarvagn. Traktorhjul. Precis vad familjen behöver, tänkte han. Precis vad den här stan behöver. Stadsjeepar. Smart for one, dumb for all, som hans skotske kollega Steve MacDonald sagt en gång. Bra för en, korkat för alla.

Telefonen ringde därinne. Han la den halvrökta cigarren i askfaten på balkongbordet och gick in för att svara.

"Jag chansade på att du kommit hem", sa hon.

"Jag kom för en kvart sen."

"Stod du på balkongen och rökte när jag ringde?"

"Nej."

"Du ljuger."

"Ja."

"Lever växterna fortfarande i vår våning?"

"Jag släppte in syre till dom det första jag gjorde."

"Är det varmt?"

"Rekordvarmt."

"Då är det ingen skillnad mellan här och där."

"Det luktar höst här", sa han, "tidigt på morgonen, och sent på kvällen."

"Jag saknar det."

"Det kommer att lukta ännu mer när ni kommer hem."

"Jag gick till kliniken apropå det", sa Angela.

"Och?"

"Jodå."

"Från när?"

"Första december. Till första maj, kanske."

"Kanske?"

"Det är öppet från deras sida, Erik. Dom föreslog ett år. Men det vill vi väl inte?"

"Nej."

"Frågan är vad vi vill överhuvudtaget. Är det en så bra idé?"

"Ja."

"Är det allt du kan säga?"

"Jag har redan visat min entusiasm, Angela. Det är en bra idé. December till och med maj i ett milt klimat, det är en jävla bra idé. Det är den perioden när Göteborg är en jävla dålig idé."

"Och du som alltid varit en lokalpatriot."

"Inte när det gäller Göteborgsväder under vintern."

"Jag håller nog med."

"När du blir så gammal som jag kommer du att hålla med ännu mer, Angela. Det går rakt in i benen. Vinden, regnet. Det blir värre med åren."

"Så detta handlar bara om vädret?"

Nej. Det handlade inte bara om vädret. Det handlade också om livet. Han behövde mer än en månads semester för att lägga ett avstånd mellan sitt arbete och sitt liv. Det hade varit hårda år, långa år. Nu var hans liv också hans arbete och det var ett liv han valt, ett arbete han valt. Han offrade för mycket, han visste det. Smart for all, dumb for one. Han var allmänhetens tjänare men det var ingen tjänst han gjorde sig själv, och sin familj. Det var *han*, men det var för mycket av hans liv. Det var sådan han alltid skulle vara, också när och om han kom tillbaka efter ett halvår i ett annat land. Han skulle inte förändras trehundrasextio grader. Men det kanske skulle hjälpa honom, göra allting en grad lindrigare. Han var nyfiken, nyfiken på hur han skulle vara då. Hur han skulle tänka. Kanske skulle han tänka ännu klarare. Kanske skulle han tänka sämre, trubbigare. Nej. Kanske skulle hans fantasi vara annorlunda. Han trodde att den skulle vara djupare, och bredare. Han skulle kunna se längre.

"Det handlar om mycket mer", svarade han. "Det vet du, Angela."

"Jag vet", sa hon.

"Så vad säger du? Det är du som ska jobba."

"Jag ska jobba i vilket fall."

"Så vad säger du? Du har ju varit på kliniken."

"Kan du få ledigt då, Erik?"

"Du besvarar en fråga med en fråga. Men, visst, jag kan få ledigt. Jag har redan haft ett snack med Birgersson."

"Slängde han inte ut dig?"

"Birgersson har börjat bli mild. Det är hans sista år. Han har blivit som den far han aldrig var."

"Vad betyder det?"

"Han har börjat ta hand om oss."

"Så därför låter han dig ta ledigt ett halvår?"

"Han hade själv tänkt föreslå det, sa han."

"Och det tror du på?"

Faktiskt gjorde Winter det. Hade det varit för ett par år sedan hade prestigen ställt sig i vägen för insikten. Men den senaste tiden hade prestigen hållit sig undan. Han hade märkt hur en trötthet kommit smygande som han aldrig känt förut. Det var inte familjen, de små barnen. Jo. De var en del av det förstås, men det var *han*, hans sätt att tända eld på sig själv i sitt arbete. Nätter utan mycket sömn. De sena kvällarna över laptopen, när det var tyst och han kunde försöka tänka.

"Kan du verkligen lämna så där mitt i då, Erik? Det har du aldrig kunnat göra förut. Det har varit det som..." sa hon men avbröt sig.

"Jag vet", sa han.

"Så hur blir det den här gången? Om jag skriver på och börjar på kliniken den första december så måste du vara därnere också. Siv klarar kanske ett par dar ensam med barnen men inte en vecka."

"Mhm."

"Emfysemet blir inte bättre, om man säger så."

"Hon har väl slutat röka?"

"Gör dig inte dummare än du är, Erik. Det är det som är problemet med er rökare. Ni gör er dummare än ni är. Och ändå är ni korkade redan från början."

"Jag drar aldrig ner nån rök i lungorna."

"Som jag sa. Dummare än ni egentligen är."

Han hade slutat. Sedan hade han börjat igen. Birgersson hade slutat och så hade det förblivit. Winter beundrade Birgersson för det, han hade varit kedjerökare av filterlösa cigarretter i en mansålder och slutat innan han dog. Men han hade dragit ner rök i lungorna. Kanske gjorde det honom mildare nu.

"Du arbetar ju med mordet på kvinnan", fortsatte Angela. "Du leder väl utredningen? Då borde väl nån annan ta över redan nu?"

Han hade berättat för henne, förstås. Hon hade läst Sivs dygnsgamla GP varje dag. Den som gjorde det tillräckligt länge missade inte så mycket. Han hade själv gjort några uttalanden.

Han hade inte berättat några detaljer. Inte för läsarna. Inte för Angela.

Hon förutsatte att fallet inte skulle vara löst innan han åkte.

September. Oktober. November. Tre månader, nästan.

Han tänkte plötsligt på Ellen Börge. Han såg plötsligt hennes ansikte framför sig. Arton år. De visste inte mer nu än för arton år sedan. Tvåhundrasexton månader. Du arbetar ju med mordet på kvinnan, hade Angela sagt. Vilket mord? Vilken kvinna? Han kunde inte släppa det, släppa Ellen. Hennes ansikte kom för hans inre syn när han såg Paula. Han visste att han också arbetade med mordet på Ellen, att han kanske alltid hade gjort det, och att det hade bidragit till tyngden av arbete och engagemang. Misslyckandet. Tyngden av misslyckandet. Misstaget. Han hade gjort ett misstag då. Om han kunde förstå vad det var. Om han bara kunde förstå, och minnas. Innan han lämnade det. Innan han fick solen i ansiktet.

"Vi kommer att lösa det", svarade han efter den korta tystnaden mellan Vasastan och Nueva Andalucía.

"Är du så säker som du låter?"

"Nej. Ja."

"Herregud."

"Vi gör väl som vi har sagt?"

"Men hur *gör* vi då, Erik? Om fyra dar kommer jag och flickorna hem och då måste vi ha bestämt oss. Om två dar, faktiskt. Dom vill ha besked då."

"Vi har redan bestämt oss", svarade han.

Solen gick ner snabbare än någonsin. Han kände att han frös. Kavajen låg kvar uppe på rummet. För ett par timmar sedan hade det varit nära tjugo grader men i skymningen var det septemberhöst igen.

Han sneddade över Drottningtorget. En tidning från i dag eller i går blåste förbi, på väg mot kanalen. Han kunde se ett "B" och ett "S" från en rubrik som inte gick att läsa. Tidningen blåste vidare, som om den hade ett möte med en läsare.

Han gick in på Centralen. Det larmade från högtalarna, en röst som var omöjlig att förstå. Det måste finnas en skola nånstans för folk som ska prata i högtalare, tänkte han, en otydlighetsskola. Busschaufförer, spårvagnsförare, utropare på järnvägsstationer. Ett finslipande av uttalet tills det var omöjligt att tyda det, bakläxa om en enda jävel uppfattade nåt.

Han svängde av åt vänster och kände av utgjutningen i ankeln. Där fanns ett kraftigt blåmärke. Han haltade lätt.

Halders hade kastat sig över honom när de spelade fotboll på Heden sent i går eftermiddag. Fotboll var säsongens fysiska träning. Och Halders kunde inte glömma. Det hade gått en månad sedan Winter knappt nuddat vid Halders utanför rotelns dörr, men Halders var långsint. Han hade stämplat Winter med dobbarna och sedan sett lika oskyldig ut som en italiensk försvarsspelare. Vad hette han, benpipesplittraren i italienska landslaget... Gentile. Claudio Gentile, mannen som lämnade invalider efter sig i gräset. Oskyldig uppsyn efter hemska brott. Ett passande namn, den fine, den frikostige. Ja, han slösade med sitt kunnande, som Halders. Halders slösade med sin charm, en mycket fin man i alla lägen.

"Stukade du dig?" hade Halders frågat.

Winter hade rest sig upp men haft svårt att stödja på benet. Han såg att Ringmar skakade på huvudet.

"Är vi kvitt nu?" hade Winter frågat.

"Jag förstår inte vad du snackar om", hade Halders sagt.

Winter tänkte på Halders nollställda ansikte när han passerade förvaringsboxarna. Skulle han kunna samarbeta med honom i framtiden? Var Halders bekant med det uttrycket, samarbete?

Han fick väja för en storfamilj som travade ut från boxhallen med ryggsäckar huvudet högre än de själva. Alla bar samma kläder, samma ansikten. Högtalaren skrällde till igen och familjen började springa. Tåget skulle börja rulla, till Kiruna, Konstantinopel, Krakow.

Ellen Börge kanske var på väg. Eller så var hon inte på väg någonstans längre.

Han gick in genom dörrarna till det lilla informationsrummet, stationens minsta rum, avdelat för de tusentals som sökte information om sitt resande. Det fanns kanske en logik men Winter hade aldrig förstått den. Han hade själv stått i kö i timmar inför tågresor för att få veta något som han behövde veta för att kunna ställa sig i nästa kö och köpa själva biljetten. Det var rena Italien, korporativfascistiskt, och när han tyckte det var passande skulle han köpa sin första Mercedes och sluta köa.

Han gick fram till disken, och kön blängde när han passerade.

"Vi har en kö här", sa någon.

Så roligt för er, sa han inte. Det hade bara Halders kunnat säga.

Tjänstekvinnan bakom disken kände igen honom och nickade. Hon visade mot dörren bakom sig med en hand som höll i en stadskarta. Framför henne stod en man i svarta glasögon och skinnväst. Han mumlade något Winter inte kunde höra.

Därinne satt en annan kvinna lutad över ett skrivbord fyllt av papper. Hon tittade upp när Winter kom in. Bakom henne kunde han se mängder av lappar häftade på en anslagstavla. De satt i flera lager. Kanske fanns det en logik också där. Rummet var mycket litet, utan fönster.

Winter presenterade sig och visade legitimationen. Kvinnan kunde vara tio år äldre än han. Hon tittade på legitimationen och sedan på honom med ett uttryck som om hon inte riktigt trodde på det här. Han hade sett reaktionen förut. Han såg för ung ut. Men det problemet skulle försvinna.

"Varsågod och sitt då", sa kvinnan.

Winter försökte sätta sig på pinnstolen framför skrivbordet men det gick inte, han fick inte plats. Och foten gjorde ont. Det bultade värre när han satt.

"Tack, jag kan stå."

"Det var om en resenär?" sa hon.

Winter tog upp ett fotografi ur bröstfickan och räckte över det. Hon tittade på Ellen Börges ansikte som hon tittat på Winters ansikte nyss. Hon tittade upp på honom.

"Och det är meningen att vi skulle kunna känna igen henne

här?" Hon tittade på Ellens ansikte igen. "Hon ser ju ut som många andra."

Winter svarade inte. Han lät henne titta på fotografiet igen.

"Jag känner i alla fall inte igen henne. Är det meningen att hon ska ha varit här?"

Meningen, inte visste han vad som var meningen, med något. Det enda han ville veta var om Ellen Börge varit på stationen. Om någon sett henne. Hade hon varit här fanns det hopp, åtminstone om hennes liv. Då behövde man inte låta hoppet fara. I som här inträden. Han tänkte på en kyrka, ett kors, en grav.

"Är det meningen?" upprepade kvinnan.

Han fick lust att svara ja.

"Vi försöker bara få reda på om hon reste härifrån", sa han. "Hon är försvunnen. Vi letar efter henne."

"Jag känner i alla fall inte igen henne", upprepade kvinnan. "När försvann hon?"

Winter nämnde ungefärliga datum.

"Men hon kan ju ha varit här senare", tillade han.

"Hon har hållit sig gömd först och sen reser hon?" frågade kvinnan.

Winter ryckte på axlarna.

"Så vad kan jag göra?"

"Visa fotot för dina kolleger."

"Vi är bara tre."

"Visa det för dom. Vi har delat ut kopior till alla som arbetar på stationen."

"Det måste ha gått fort", sa hon och gjorde en grimas. "Det verkar inte finnas några andra som jobbar här. Alla kommer till oss." Hon viftade till med handen mot dörren bakom Winter. "Du såg väl köerna? Alla kommer hit."

"Kanske hon också", sa Winter och nickade mot fotografiet som kvinnan fortfarande höll i handen.

Hon tittade på Ellens ansikte igen.

"Eller så visste hon redan vart hon skulle", sa hon och tittade upp på Winter igen.

Han satt i den perfekta lägenheten igen. Ingenting hade rörts där, kanske hade aldrig någonting rörts där. Christer Börge satt mitt emot honom. Hans kläder var desamma. Balkongdörren stod öppen mot eftermiddagen. Det doftade sol och höst i rummet, och något som Winter inte kände igen. Men han kände igen Börges ansikte. Mannen hade sett besviken ut när han öppnade dörren. Han visste att Winter skulle komma men han hade sett ut som om han väntat någon annan. Winter trodde att han förstod. Börge levde på hoppet. Det kanske var det enda han levde på. Han såg mager ut, tunnare än när Winter träffat honom första gången. Det var inte längesedan. För Börge måste det ha känts som årstider, flera brittsomrar på rad.

"Nåt spår måste ni väl ha", sa Börge.

"Ska jag vara ärlig så har vi inte det", sa Winter.

"Varför skulle du inte vara ärlig?" sa Börge men Winter kunde inte se om det fanns något leende i hans ansikte, eller skuggan av ett leende. "Det är väl meningen att poliser ska vara ärliga?"

Meningen igen. Den förföljde honom i dag. Det är väl meningen. Som om allt var förutbestämt. Allt upprepas. Kanske sitter jag här igen om tjugo år. Kanske har Ellen och Christer fyra barn. Kanske har hon aldrig kommit tillbaka. Kanske har jag barn, en familj. Är det möjligt? Nej. Ja. Nej.

"Så folk kan bara försvinna?" sa Börge. "Vad är det för jävla samhälle där folk bara försvinner?" Han höjde inte rösten. Det var märkligt. Börge använde ord som krävde höjd röst men tonläget var detsamma som om han bett Winter skicka kaffegrädden, tack. "Det är ju som i... som i..." fortsatte han men verkade inte komma på vad han skulle säga.

Uruguay, tänkte Winter, Argentina. Chile.

"Det är bättre att du inte kommer hit mer", sa Börge. "Jag förstår inte varför ni inte kan ställa era frågor på telefon, om ni har några." Han tittade på Winter. "Frågor, alltså." Han log inte den här gången heller.

"Hur mådde Ellen dagarna innan hon försvann?"

"Det där har du frågat förut." Börge pekade mot anteckningsblocket som Winter höll i ena handen. Han hade inte skrivit något i det än. "Kolla där så ser du att du har frågat det förut."

Inget leende, bara som ett normalt påpekande. Börge rörde sig hela tiden på soffan, små rörelser som påminde om tics men nog var allmän oro. Jag kanske ser likadan ut, tänkte Winter.

"Ibland tänker man på samma sak mer än en gång. Vi jobbar med det här gemensamt. Vi vill ju veta vad om har hänt Ellen."

"Ja, ja, jo", sa Börge.

Han reste sig plötsligt och gick tvärs över golvet och stängde balkongdörren.

"Det börjar bli kallt", sa han med ansiktet ut mot gatan.

"Hur mådde Ellen?" frågade Winter.

Börge vände sig om. Winter såg hustaken i bakgrunden och plötsligt gled solen ur ett litet moln och Börges ansikte blev en silhuett när solen sken rakt in från det korta avståndet från andra sidan gatan. Han vände på ansiktet, som efter solen, och Winter kunde se silhuetten i profil. Han skulle komma ihåg den långt efteråt.

Börge gick tillbaka och satte sig. Winter fick solen i ansiktet och skyddade ögonen med handen.

"Ska jag dra för draperierna?" frågade Börge.

"Nej, nej. Den försvinner nu."

Solen gled in i ett moln igen och om några minuter skulle den vara borta för dagen.

"Du frågade nåt", sa Börge.

"Ellen. Var det nåt särsk..."

"Ja, ja. Hur hon mådde. Hon mådde väl bra. Dagarna innan? Tja, man mår väl inte på samma sätt hela tiden? Ena dan är det si och andra dan är det så, va? Är det inte så för alla? Är det inte så för dig? Så är det för mig."

"Var hon orolig? Rastlös?"

"Inte mer än... vanligt."

"Hur menar du?"

"Det har vi också pratat om. Det där med barn. Sånt."

"Har hon nånsin pratat om att resa iväg?" frågade Winter.

Börge svarade inte.

"Resa iväg ett tag. Ensam."

"Inte utan resväska", sa Börge, men han log inte den här gången heller.

"Och ni har aldrig varit på Hotell Revy?"

"Jag visste inte ens att stället fanns", sa Börge.

"Men Ellen visste."

"Ni har tagit fel på person."

"Nej."

"Ellen skulle aldrig ha tagit in på det där stället. Aldrig." Han tittade på Winter igen. Solen var borta för gott nu. Rummet hade plötsligt blivit mörkt. Det behövdes elektriskt ljus här. Winter kunde knappt urskilja Börges anletsdrag. Å andra sidan förändrades de inte. Hans ansikte verkade aldrig förändras.

"Folk påminner om varandra", fortsatte Börge. "Många ser ungefär likadana ut. Alla länder har sina särdrag. Här är vi blonda och blåögda. För en främling kan alla se likadana ut. I till exempel Afrika är det likadant. En afrikan på ett hotell i det svarta Afrika ser ingen skillnad på den ene eller andra europén som bokar in sig. Likadant är det i Kina."

"Hon är igenkänd från hotellet", sa Winter.

"Vad betyder det? En bakfull portier? Eller sömndrucken? Jag ger inte mycket för det där. Det borde inte du göra heller." Han lutade sig framåt. Winter kunde se hans nollställda ansikte. Där fanns ingen upphetsning. "Har du inte tänkt på att hon kanske aldrig var där?"

"Jo."

"Då så."

Börge lutade sig tillbaka.

"Vad tror du då?" frågade Winter.

"Om vad då?"

"Om var Ellen är?"

Börge svarade inte.

"Om vad som kan ha hänt henne?"

Börge svarade inte nu heller. Han vände på huvudet igen, som om någon plötsligt ropat nerifrån gatan. Himlen på andra sidan hustaken var mycket blå. Winter längtade plötsligt ut dit, ut till det blå.

"Jag älskar henne", sa Börge. Han vände sig tillbaka mot Winter igen. "Och hon älskar mig."

Hon kände en vind i nacken, som om någon andades på henne, stod helt nära och andades med en kall andedräkt.

Hon vände sig om. Det fanns ingen där. Hon kunde se vinden slita i trädkronorna på andra sidan lekplatsen, som om den ville slita av grenarna. Det kom två eller tre byar som fick träden att rista som i stark smärta. Sedan var det över, det gick att höra fågelsången igen. Kanske ett skratt från något av de två barnen som gungade nu. Barnen hade väntat medan vinden vrålat förbi, de hade stillat sig på gungorna och stuckit fram fötter och ben som för att känna av temperaturen, eller vindstyrkan. Ett av barnen hade tappat en sko, det var flickan. Pojken hade hoppat av gungan, lyft upp skon högt över huvudet, sagt något som fått flickan att skratta men skrattet hade inte gått att höra i vinden.

Hon fortsatte förbi parken. Gångvägen slutade vid bostadshusen. Därifrån gick det att se staden, rakt nedanför hyreshuset hon bodde i. Hon tyckte om utsikten, och att komma gående här med solljuset snett från sidan. Att kunna se så mycket av den stad hon bodde i. Och förstå hur kuperad den faktiskt var. Alla kullar, höjder, berg. Och hur mycket vatten det fanns runt om, inte bara västerut där havet fanns. Solen sjönk över havet nu. Det hade varit en klar dag och därför var det lite konstigt att vinden plötsligt friskat i. Kanske det skulle bli väderomslag. Hon såg upp mot den tomma himlen igen men där fanns ingenting annat än den djupa färgen av blått. Det fanns inget hot om något annat däruppe.

På väg mot porten kände hon vinden i nacken igen, vände sig om, såg trädkronorna som vajade över garagelängan. Men det var ett stilla vajande nu, nästan som en svag rytm som ingen ännu kan röra sig till. Det var så hon tänkte när hon såg träden, en rytm, något man känner innan man hör den.

Hon vände sig tillbaka mot porten, och det var då hon såg något röra sig i utkanten av synfältet. Vad var det? Hon flyttade blicken men det var borta. Det var något som hade... ryckt till därborta. Något svart, eller brunt. En rörelse av något slag. Varför brydde hon sig om den?

Eftersom hon inte hade sett den förut.

När man ser nåt första gången reagerar man, tänkte hon. Men det är inget att bry sig om.

Ändå brydde hon sig.

Där!

Något hade rört sig mellan trädet och cykelstället. Som om någon hade *rusat* däremellan med blixtens hastighet. Men det var inte möjligt. Nu får du gå in. Det börjar skymma nu. Det kanske var en skugga från nån fågel. Hon tittade upp på himlen igen. Där fanns inga fåglar. Himlen var ännu blåare nu, på väg mot svart. Hon kände doften av hösten runt omkring sig, det var verkligen en doft, något som var finare än lukt, mjukare än vanlig lukt. Den innehöll flera olika saker.

Nu kände hon lukten av tobak.

Den där rörelsen igen!

Bakom trädet!

Hon kände sig plötsligt mycket rädd. Som om nästan all luft lämnat lungorna. Det var plötsligt svårt att andas. Hon ville inte titta ditåt, åt höger. Jag vill inte springa. Jag går så fort jag kan. Det är inte bra att börja springa. Bra för vem? Är jag rädd för att göra mig löjlig? Hon hörde sina egna skor skrapa mot gruset. Porten var fem meter bort, eller sju. Gode gud, jag vill höra hur den slår igen bakom mig. Slår igen för alltid. Hon tänkte inte på om hon andades längre. Hon ville skrika. Där fanns ingen att skrika till. Huset såg tomt ut, som övergivet. Fönstren var svarta. Varför är det ingen som har tänt nån lampa? Hon grep efter portens grova handtag men det var som att rycka i sten. Trappan innanför var svart som sten. Koden, vad är koden? Jag har glömt koden! Fem... ett... nej! Fem... fem... Hon såg sig själv i det långsmala dörrglaset, ansiktet som en ljusare skugga i det svarta. Fem... sju... tr... Hon såg en skugga bakom sig! Det där vinddraget igen. Hjärtat kändes plötsligt som ett vilt djur i bröstet, rev och slet som för att komma ut. Jag vänder mig inte om. Vänd dig inte om! Hon tryckte på knapparna, tryckte, tryckte, tryckte, fem-åtta-åtta-fem!

9

VI KOMMER ATT TRÄFFAS IGEN. Winter läste orden för hundrade gången. Vi kommer att träffas igen. Han såg skakningarna i handen som skrivit orden, nu när teknikerna sagt att de fanns där.

Vi kommer att träffas igen.

Han såg handen som låg på bordet, en avgjutning av handen som skrivit de där orden från helvetet. Om man valde att se det så. Det fanns kanske inte så mycket val. Paula hade inte haft så mycket val.

"En fågel flög förbi fönstret för en liten stund sen och jag kommer snart att bli som fågeln. Tänk på mig när ni ser en fågel, det kan vara vilken som helst. Jag tänker på er, nu och för alltid."

"Det är så man vill gråta", sa Ringmar och tittade upp från brevkopian han höll i handen.

"Gör det då."

"Jag försöker. Jag försöker verkligen."

"Hennes sista ord", sa Winter.

"Skrev hon det hon själv ville?" sa Ringmar.

Winter svarade inte. Han hade just sett en fågel flyga förbi fönstret. Det kunde vara vilken som helst. Han var inte bra på fåglar.

"Erik? Vad säger du? Är det hennes egna ord?"

"Vem kan veta det? Utom hon, och mördaren?"

"Fågeln. Är det en symbol?"

"Föräldrarna kunde inte tyda den i så fall", sa Winter.

"Kan du?"

"Flykt", sa Winter. "Flykt, frihet."

"Utom räckhåll för henne", sa Ringmar. "Det som var utom räckhåll för henne."

"Kanske inte."

"Hur menar du?"

"Hon skulle bli som fågeln, skriver hon." Winter tittade upp. Han hade stirrat ner på ingenting i bordsskivan. "Det skulle bli hennes flykt. Och frihet."

"Det var inte hon som valde", sa Ringmar.

Winter svarade inte. Han såg ut genom fönstret men inga fler fåglar flög förbi. Det var en grå dag därute. Det föll ett lätt regn, hösten hade börjat, säsongen var här på allvar.

"Hon hade inte valt att sitta på det där förbannade rummet och skriva om frihet. Och kärlek. Det var inte vad hon valt."

"Det kanske blev det", sa Winter.

"Repet mot halsen? Hon hade inget val?"

"I början var det så", sa Winter. "Så småningom var hon lika övertygad."

"Lika övertygad? Lika övertygad som mördaren?"

Winter svarade inte. Det här var fruktansvärda tankar. Det var vad han höll på med. Fruktansvärda tankar.

"Han övertygade henne om att hon måste dö? Din tid är över, Paula. Skriv ett brev för att bekräfta det."

Winter svarade fortfarande inte.

"Hon blev lika övertygad som han?"

"Fortsätt", sa Winter.

"Han lyckades övertyga henne om att hon skulle må bättre som död?"

"Må bättre?" sa Winter. "Mådde hon dåligt?"

"Låt oss utgå från det. Hon var inte tillfreds med sitt liv. Hon ville iväg. Hon ville göra nåt annat. Hon ville fly. Hon ville ha nån annan frihet. Hon ville *bli* nån annan."

"Säg det där igen", sa Winter.

"Låt oss utg..."

"Nej, det sista", sa Winter.

"Hon ville bli nån annan", sa Ringmar.

"Ja. Det är vad det handlar om. Hon skulle bli nån annan. Han skulle göra henne till nån annan."

"För fan, Erik."

"Hon skulle få fly, få komma iväg. Han hjälpte henne."

"Vem blev hon då?" sa Ringmar. "Vem skulle hon bli?"

"En del av honom", sa Winter. Han upprepade det: "En del av honom."

Ringmar sa ingenting nu. Han tänkte på Winters ord. Han visste att det var en del av deras rutin, orden kunde betyda mycket, eller ingenting, och han hoppades att de där sista inte betydde någonting alls. Att Winter hade fel. Hade han rätt, i någon del, kunde det betyda att det bara hade börjat.

"Vem är han?" sa Ringmar. "En predikant? En galen predikant? Nån jävla svart ängel. Uppstigen ängel?" Han nös plötsligt till, som om han var allergisk mot blotta omnämnandet av predikanter. "Ska vi ge oss ut i församlingarna?"

"Jag vet inte."

"Vad menar du? Du har ju satt igång det här!?"

"Jag har inte tänkt så mycket på honom än", sa Winter. "Jag har tänkt på Paula."

"Men hon var ju inte religiös", sa Ringmar. "Åtminstone inte som vi vet. Inte djupt religiös." Han drog upp en näsduk och torkade sig om näsan. "Hon satt i kyrkan några gånger med kompisen, men det var ju för lugnet."

"Det finns olika sorters", sa Winter.

"Religiositet?"

"Ja. Det behöver inte hänga ihop med Gud", sa Winter.

"Finns det nåt som hänger ihop med Gud?"

"Vad ska det betyda?"

"Finns Gud?" sa Ringmar.

"Jag tror vi behöver en fika", sa Winter.

På eftermiddagen hade Winter ett möte med Birgersson. Chefen stod som vanligt vid det halvöppna fönstret. Ljuset genom fönstret gav lite ledsyn inne i hans rum. Tidigare hade Birgersson alltid stått där för att se röken singla ut, och bort mot Ullevi. När han slutat röka blev han ändå kvar vid fönstret. Det var som något slags fantomposition; i hans hand fanns en cigarrett som inte längre fanns. Han var en chef som snart inte längre fanns. Ett år, sedan skulle Winter ta över, men Winter hade redan tagit över. Ingenting skulle förändras, mer än formellt. Winter skulle antagligen inte flytta in i det här rummet. Det måste i vilket fall cyanväterökas efter Birgerssons cigarrettrök, men det skulle inte hjälpa. Giftet skulle vara kvar i väggarna, det skulle inte vara hälsosamt att sitta här. Cigarretter var inte hälsosamma, som cigarrer.

"Du får gärna röka, Erik", sa Birgersson bortifrån fönstret. "Det vet du."

"Det skulle inte kännas rätt, inte härinne", sa Winter. "Det vet du att jag tycker, Sture."

Birgersson raspade iväg ett skratt. Det var som att vräka in en skovel grus i rummet, rakt över golvet.

Winter kunde se Birgerssons silhuett i det bleka ljuset. Han hade sett den i stort sett hela sitt vuxna liv. Han hade varit härinne som polisassistent också. Han kom inte ihåg vad det gällt då. Men han hade faktiskt varit rädd. Det hängde ihop med ungdomen. Att ofta vara rädd. Ibland saknade han det. Han kunde bli rädd för att han inte blev rädd så ofta numera. Det var inte hälsosamt.

"Hur går det med vår flicka?" sa Birgersson och vände sig tillbaka mot Ernst Fontells Plats utanför. Han kunde se all trafik därnere, till och från polishuset, uniformer, målade bilar, privata bilar, privata kläder, kvinnor, män, gubbar med hatt. Det var som om han personligen var ansvarig för all trafik in och ut, hade tagit på sig att bevaka den. "Har du kollat alla dårar än?"

"Vi håller på."

"Dom blir fler och fler", sa Birgersson. Han hade vänt sig in mot Winter igen. Hans ansikte var suddigt i det grå ljuset, som om han redan börjat försvinna därifrån. "När jag började här kunde man ringa upp dom före lunch. Allihop."

"Jag vet, Sture."

"Det var inte fler. Jag hade hela gänget i filofaxen där." Birgersson nickade mot sitt skrivbord. "Det var före mobilens tid. Före internettiden. Det var en underbar tid."

"Jag tror dårarna tyckte detsamma", sa Winter.

"Ja, ja, vi har kanske bättre elektroniska möjligheter nu, men det vägs ner av att dårarna på gatorna är tiofalt fler. Eller hur?"

"Mhm."

"Så vem är vår specielle dåre i det här fallet?"

"Jag vet inte. Inte än."

"Är han en gammal bekant?"

"Jag tror... inte det."

"Du drar lite på det."

"Kommer du ihåg Ellen Börge?"

"Påminn mig."

"Hon försvann. Det var nåt lurt. Vi kom inte på det. Hon har inte kommit tillbaka."

"Börge?"

"Ja."

"Jag känner igen namnet."

"Bra."

"Jag är gammal, men jag är inte stencil än."

"Det är samma hotell, samma rum."

"Åh fan."

"Ellen, om det nu verkligen var hon, tog in där strax innan hon försvann."

"Och?"

"Tja... det är allt. Och det faktum att Ellen aldrig återfanns. Aldrig kom tillbaka... hem."

"Du drog på det där också."

"Jag tror inte hon ville hem."

"Hem till sitt eget hem? Sin lägenhet?"

"Ja. Och till mannen."

"Du kommer ihåg det där fallet väl, Erik. Eller har du friskat upp det nyss?"

"Jag kollade igenom lite. Det var ju ett av mina första."

Birgersson nickade.

"Olösta", sa Winter.

"Som du vill lösa nu", sa Birgersson.

"Nej, nej."

"Försök inte, Erik. Jag har sett det förut genom åren på roteln, hos andra. Hos dig också. Ni går med nåt ogjort som gnager, nåt ni tror ni missade. Fallet är iskallt, men ni försöker blåsa på det jävla kolet i alla fall." Birgersson tystnade, som för att begrunda sin metafor. "Och sen kommer ett färskt fall och då börjar ni leta efter likheter med det gamla."

"Jag har inte letat", sa Winter. "Jag sa bara att det *finns* några likheter."

"Det är tjugo år sen", sa Birgersson.

"Arton", sa Winter.

"Se där! Du har stenkoll. Låt det inte gå ut över Paula Ney bara."

"Förolämpa mig inte, Sture."

"Nej, nej, förlåt mig, Erik. Men du förstår vad jag menar."

"Mhm."

"En dåre från för arton år sen. Han gjorde nåt med Ellen Börge och nu igen med Paula Ney? Han väntade i nästan en generation? Det är nåt nytt i så fall. Det har vi aldrig varit med om förut."

"Nån ska vara först", sa Winter.

"Skojar du med mig, Erik?"

"Aldrig", sa Winter.

"Hitta den här jävla galningen", sa Birgersson.

"Han kanske finns där", sa Winter och nickade mot den antika filofaxen på Birgerssons skrivbord. "Du har ju alla dårar från för arton år sen där."

"Du släpper det tydligen inte", sa Birgersson.

"Kan jag låna den?" sa Winter.

Just när Winter lämnat Birgerssons kontor kom han ihåg att han glömt ta upp tjänstledigheten igen. Han vände i korridorens mitt och gick tillbaka. Dörren till Birgerssons rum stod fortfarande halvöppen, som han lämnat den. Han kunde se Birgersson borta vid fönstret, med ryggen ut mot rummet. Winter knackade på dörren och steg in. Birgersson vände sig häftigt om, som om Winter knackat hårt på hans rygg. Hans ansikte var en annans. Det fanns något där som Winter aldrig hade sett. Det var tårarna i den äldre mannens ansikte. Winter kände att han stigit in objuden i Birgerssons allra mest privata rum.

"Vad i helvete vill du den här gången?"

"Ursäkta, Sture", sa Winter, "jag kommer tillbaka."

"Kom in för helvete och stäng dörren efter dig", sa Birgersson och drog upp en näsduk ur byxfickan och snöt sig och vinkade med den andra handen mot besöksstolen vid skrivbordet. "Fan, jag har visst fått hösnuva i september", sa han och satte sig tungt mitt emot Winter. "Ögona bara rinner."

Kanske lurar han sig själv, tänkte Winter.

"Har det hänt nåt?"

"Hänt? Hänt vadå?"

"Sture. Du har rökt bort allt vad snuvor heter. Eller om det är tvärtom. I vilket fall är det ju nåt. Du behöver inte prata om det. Men jag tänker inte sitta här och låtsas som ingenting. Jag är för gammal för det. Och du är för gammal för det."

"Du är inte gammal, Erik, inte än."

Winter svarade inte.

"Jag är gammal", sa Birgersson. "Det här är sista hösten. Sen vete fan. Jag tänkte på det när jag stod vid det förbannade fönstret. När du kom in. Plötsligt bara kom det en tår. Det var inget jag planerat." Birgersson försökte le. "Det har med åldern att göra. När man blir gammal kan man inte kontrollera kroppsvätskorna. Jag kan aldrig vara alltför långt från en pissränna längre. Eller en näsduk tydligen."

"Har du prövat med kateter?" sa Winter.

"Låt mig pensioneras först", sa Birgersson.

"Har vi nånsin pratat om nåt annat än jobbet?" sa Winter.

"Varför frågar du det?"

"För att det är viktigt."

"För vem?"

"För både dig och mig, tror jag."

"Jag tror inte på sånt där", sa Birgersson och hans blick försvann bort. Den som visste kunde fortfarande se spår av tårar i hans ögon, och Winter visste. Han visste också att Birgersson var en ensam man. Han vägrade tro att chefens hela liv var *här*, här i detta slutna arbetsrum, men ibland verkade det så. Birgersson talade aldrig om det andra livet. Ingen visste hur han levde det. Han bjöd aldrig in till det. Kanske betalade han ett pris för det nu, här, vid fönstret, under den sista hösten.

"Jag känner till ett snyggt ställe med god belysning", sa Winter. "Följ med mig dit."

"Vad ska vi göra där? Gråta tillsammans? Det går inte, inte i god belysning."

"Vi ska prata lite."

"Jag tror inte på sånt där, sa jag ju."

Deras tid är över, tänkte Winter. De som inte trodde på "sånt där". De dödstysta männen.

"Gör som jag", sa han.

"Vad?"

"Ta tjänstledigt. Lämna över nån gång."

"Vad säger du? Ska jag ta tjänstledigt halvåret innan pensionen?" Birgersson skrattade faktiskt. "Och att höra nåt sånt från dig?! Kommissarie Winter predikar tjänstledighetens lov. Dessutom andra gången på kort tid." Birgersson reste sig från stolen, häftigt, som om han vore mer sårbar om han satt, sårbar för ord. "Dessutom har ingen beviljats tjänstledighet här, vad jag vet."

"Det är tre månader kvar", sa Winter.

"Vad ska dom andra säga? Det är emot alla oskrivna regler."

"Jag nöjer mig med dom skrivna, Sture."

Winter tänkte på de andra, Ringmar, Halders, Bergenhem, Aneta Djanali, Möllerström, andra kolleger över och under. Det skulle vara blandade känslor.

"Dessutom har du ett fall att ta hand om. Löser vi inte det här kanske det blir tjänstledighet för allihop."

"Vi löser det", sa Winter.

"På knappt tre månader?"

Winter svarade inte.

Birgersson pekade på filofaxen.

"Du tog själv upp det nyss. Ibland räcker det inte med arton år."

"Vi vet inte om det var ett brott", svarade Winter. "Ellens försvinnande. Du sa det själv nyss."

"Jag känner inte igen dig, Erik. Är det här med Spanien Angelas idé?"

"Nej. Det är min."

"Men varför?"

"Jag tänkte att vi skulle prata om det, på det där snygga stället."

Fredrik Halders och Aneta Djanali tittade på video. De såg den blonda kvinnan komma och gå, komma och gå.

"Svarta solglasögon är en fantastisk förklädnad", sa Halders.

"Och peruk", sa Aneta Djanali.

"Är det en peruk?"

"Ja."

"Jag kan inte avgöra det. Måste man vara kvinna för att avgöra det?"

"Ja."

"Skulle du upptäcka om jag bar peruk? Om du inte kände mig?"

"Ja."

"Skulle du fortfarande älska mig om jag började bära peruk?"

"Nej."

"Varför inte?"

"Ingen kvinna kan älska en man som bär peruk."

"Men kvinnor bär ju peruk?"

"Det är annorlunda."

"Varför bär hon peruk?" sa Halders och pekade mot skärmen. Kvinnan var på väg bort. "Är det en förklädnad?"

"För vem?"

"För oss naturligtvis. Hon vill inte bli igenkänd. Peruken och solglasögonen."

Aneta Djanali körde bandet fram och tillbaka igen.

"Jag kan inte förstå varför hon lämnade in väskan om hon... visste vad som skulle hända Paula. Eller åtminstone visste att Paula själv inte skulle hämta ut den."

"Fortsätt", sa Halders.

"Varför lämna in den alls? Om hon är medbrottsling? Varför lämna in en väska som medbrottslingen sedan hämtar ut? Och göra det mer eller mindre offentligt. Det går inte ihop för mig."

"Alternativet är att hon gjorde det för Paula. En tjänst."

"Varför har hon inte hört av sig till oss då?" sa Aneta Djanali.

"Den gamla vanliga orsaken", sa Halders. "Hon är rädd."

"Rädd för vem?"

"För allt."

"Är det nån som hotar henne?"

"Kanske."

"Mördaren?"

"Kanske."

"Men då finns det ju nån kontakt mellan henne och mördaren."

Halders svarade inte. Han studerade kvinnan igen. Det var något med hennes gång. Hon haltade inte men det var som om hon ansträngde sig för att inte göra det. Det fanns något egendomligt i hennes sätt att gå. Det verkade inte höra ihop med den digitala ryckigheten i rörelserna. Dessutom var det tydligen så att hältor och liknande förstärktes av den datoriserade upplösningen.

"Är hon mördaren?"

Halders vände sig mot Aneta Djanali.

"Vad sa du?"

"Är det hon själv som är mördaren?"

Halders vände blicken tillbaka till personen i blond peruk och svarta glasögon. Hon rörde sig som om hon trampade på steg som målats över golvet, en stig. Han räknade hennes steg.

"Nej", svarade han, "hon har inte mördat nån."

Aneta Djanali följde hans blick.

"Vad är det du tittar på, Fredrik?"

"Ser du hur hon går? Är det inte nåt konstigt med hur hon går?"

Aneta Djanali bad honom köra sekvensen en gång till. Kvinnan gick, fram och tillbaka.

"Jo", sa Aneta Djanali till slut, "hon går nog inte riktigt normalt."

"Vad är det?"

"Det är nåt med fötterna."

"Är du säker?"

Halders såg på kvinnans fötter. Hon hade mörka stövlar, sannolikt läder. De såg inte helt bekväma ut.

"För tajta stövlar?"

"Kanske", sa Aneta Djanali.

"Vad kan det annars vara?"

"Nåt problem med fötterna. Eller tårna."

"Tårna?"

"Jag tycker hon går som nån som har problem med tårna." Hon vände sig mot Halders. "Problem med tårna ger alltid problem med gången."

Halders nickade.

"Jag har hört att den som saknar stortår inte kan gå alls", sa han.

"Hon kan gå", sa Aneta Djanali och nickade mot monitorn, "men det kan vara nåt med hennes tår."

"Hur gammal tror du hon är?" frågade Halders.

"Vad tror du själv?"

Halders försökte läsa kvinnans ansikte, det han kunde se av det. Det var inte mycket. De hade inga närbilder ännu. Men det fanns något över hennes rörelser som pekade mot mognad. Det var inte bara gångstilen.

"Långt över trettio", sa han.

"Kanske över fyrtio", sa Aneta Djanali.

10

DE HITTADE ETT SNYGGT STÄLLE MED sämre belysning. Birgersson ville ha det så.

"Så det inte syns om jag får vatten i ögat igen."

Birgersson såg sig om därinne och pekade mot ett av skinnbåsen bakom baren. Över båset hängde en tavla som inte föreställde någonting, åtminstone gick det inte att se därifrån de stod. När Winter satte sig såg han att ett hav böljade mellan ramarna, eller om det var ett fält, eller en skog, eller en stor stad sedd från ett långt avstånd.

"Vad är klockan?" frågade Birgersson och tittade mot baren där bartendern putsade ett vinglas. Förutom en man på en av barstolarna var de de enda gästerna.

"Kvart över fyra", svarade Winter.

"Då tar jag en stor stark och ett glas brännvin."

"Är fyra det magiska klockslaget?" frågade Winter.

"Jag vet inte om det är magiskt, men det är ett anständigt klockslag för en sup."

"Jag brukar hålla mig till sjuslaget."

"Med whisky, ja. Den huvudvärken vill jag inte ha redan vid fyra."

"Huvudvärken kommer efteråt", sa Winter. "Men det beror på kvaliteten."

"När beror det inte på kvaliteten?"

"Ska vi beställa?"

Birgersson såg ut som om han hade huvudvärk redan nu. Han

gnuggade en punkt ovanför ena ögat och studerade brännvinet i glaset med hög fot.

Winter tog en klunk av sitt öl.

Birgersson tog ner handen och såg sig om.

"Här har jag aldrig varit", sa han. "Ett av dina stamställen?"

"Nej, nej."

"Och så här har vi aldrig suttit", fortsatte Birgersson. "Du och jag på tu man hand på en bar på stan."

"Dom säger att det finns en första gång för allt."

"Vilka säger det?"

Winter log till svar.

"Men man ska pröva allting åtminstone en gång", sa Birgersson, "utom incest och folkdans."

"Vilka säger det?" frågade Winter.

"Det är ett gammalt vist talesätt från där jag kommer ifrån."

"Varifrån kommer du, Sture? Du har aldrig berättat det."

"Det finns inte kvar. Så det är inget att berätta." Birgersson höjde glaset. "Det här brännvinet ser gott ut."

Winter höjde sitt ölglas. Han hade funderat på en whisky men det var långt till sju. Och en whisky följdes gärna av en whisky till.

Birgersson bet av supen och sa "aahhh", satte ner glaset och såg sig om i lokalen ännu en gång.

"Här kan man bli sittande."

"Så låt oss göra det", sa Winter.

"Du har väl en familj att gå hem till, om jag minns rätt?"

Winter skrattade till.

"Fick du inte ett till barn nyss?" fortsatte Birgersson.

"Bara för ett år sen", svarade Winter.

"Var det inte en flicka?"

"Jo. Hon heter Lilly."

"Lilly? Det låter som en gammal moster fast hon bara är ett år."

"Hon kanske blir en gammal moster", sa Winter.

"Fast det är ett vackert namn."

"Jag tror hon trivs med det redan."

"Påminner om Sture på nåt sätt", sa Birgersson.

Winter log.

"Allihop är kvar nere på solkusten en knapp vecka till", sa han.

"Aha."

"Har du varit där?" frågade Winter.

"Solkusten? Costa del Sol?"

Winter nickade. Birgersson var en legend på många sätt inom polishuset, och mystiken kring hans frånvaro var stor. Ingen hade en aning om var han tillbringade sina ensamma semestrar. Om de var ensamma. Birgersson hade aldrig haft någon familj, inte vad man visste i alla fall, men ensamhet såg ut på flera sätt.

"Kanske", sa Birgersson.

Det var det rätta, mystiska svaret.

"Du är välkommen ner i vinter. Eller i vår."

"Ta det lugnt nu, Erik. Det är långt till vår."

"Är det inte alltid det?"

"Det där lät deprimerat. Är du deprimerad?"

"Tror jag inte."

"Det räcker att du tror att jag är det."

"Det kommer alltid en vår", sa Winter. "Låter det bättre?"

Birgersson log.

"Du är en konstig jävel, Erik Winter."

"Är vi inte det allihop?"

"Jobbet färgar av sig", sa Birgersson.

"Kanske. Men vi var konstiga redan från början."

"Eller knäppa. Se på Halders."

"Han har lugnat ner sig", sa Winter.

"Sen du klippte till honom, menar du?"

"Du kommer ihåg det?"

"Som i går."

"Det var på hösten", sa Winter, "sensommar egentligen."

"Det var ungdomens tid", sa Birgersson. "Skål!"

Han svepte supen och satte ner glaset.

"Jag har tillstyrkt din tjänstledighet", sa han.

"Tack, Sture."

"Men vår vän Chefen Länskriminalen bestämmer. Det vet du."

"Jag har inget otalt med Leinert", sa Winter. "Och han är skyldig mig det här."

"Varför är han skyldig dig en tjänstledighet?"

"All övertid jag aldrig tagit ut. Kom igen, Sture. Du vet hur det är."

Birgersson svarade inte.

"Halders får ta över", sa Winter. "Om det fortfarande är aktuellt."

"Ska Halders leda förundersökningen? Är det så välbetänkt?"

"Åklagaren leder förundersökningen", svarade Winter. "Vet du inte det, Sture?"

Birgersson log ett tunt leende.

"När det finns en skälig misstänkt, ja", sa han. "Finns det en skälig misstänkt i det här fallet?"

"Nej."

"Så Halders leder alltihop, eller hur?"

"Jag talar om efter den förste december."

"Då är Molina inkopplad, menar du?"

"Vi kanske är avkopplade allihop", sa Winter.

"Du har löst alltihop?"

"*Vi* har löst det."

"Ja, ja."

Birgersson studerade sitt tomma glas med en bekymrad min, som om det aldrig mer skulle komma att fyllas.

"Det är dags för Fredrik nu", sa Winter. "Han är mer än mogen för det."

"Tänk att höra dig säga det", sa Birgersson.

"Folk förändras."

"Du? Eller han?"

Winter såg två yngre män komma in genom dörren, gå genom den lilla lokalen, sätta sig vid ett bord intill. De kunde vara i samma ålder som han och Halders när de lärde känna varandra.

"Ska han ersätta mig... eventuellt ersätta mig, så måste han informeras nu", sa Winter.

"Han kanske kräver att bli kommissarie då", sa Birgersson.

"Så låt honom bli det", sa Winter.

"Nej, nu behöver jag en sup", sa Birgersson och tittade bort mot baren.

"Jag har pratat med Bertil", sa Winter. "Han har ingenting emot det. Tvärtom."

"Ja, ja", sa Birgersson.

Winter följde hans blick och tecknade mot bartendern som nickade. Birgersson höll upp två fingrar och bartendern nickade igen.

"Intelligent kille, det där."

"Det är dom alla", sa Winter.

"Är du ett barlejon?"

"Det var längesen jag hörde det ordet."

"Eller kung i baren, som dom visst säger nu."

"Bara på avlöningsdan."

"Din avlöning räcker väl lagom till barnotan", sa Birgersson.

"Enligt Halders FN-minnen från Cypern räckte dom brittiska officerarnas löner lagom till mässnotan", sa Winter.

"Så klart", sa Birgersson. "Privata förmögenheter stod för allt annat. Som för dig."

"Så stor är den inte", sa Winter.

"Beror på vad man jämför med."

"Jämför gärna med dom brittiska officerarna."

"Köper du inte fortfarande handsydda dojor från London?"

"Bara när jag beställer kostymerna."

Birgersson skrattade till. Mannen vid baren rörde sig inte. Två kvinnor vid ett bord närmare utgången vände på huvudet. Stället hade börjat fyllas den senaste kvarten.

Två nya öl och nytt brännvin anlände till bordet.

"Vad är klockan nu?" frågade Birgersson.

"Kvart i fem. Hur så?"

"En kvart kvar till blå timmen", sa Birgersson.

"Mhm."

"Man missar nästan alltid den blå timmen." Birgersson höjde ölglaset och såg ut att betrakta färgen på innehållet. "Då sitter man böjd över utredningstext med en syntax som ingen gud kan hjälpa."

"Se fram mot dina blå timmar då, Sture."

Birgersson svarade inte. Hans blick verkade glida bort någonstans, genom den blå röken som började stiga i baren.

Sedan fäste han blicken på Winter.

"Säg mig ärligt, Erik: Har du tröttnat på skiten?"

"Bara när den når över halsen."

"Den är på god väg", sa Birgersson. "Märker du inte hur svårt det har blivit att röra armarna?"

Han lyfte armen i vinkel. Glaset hamnade mitt i en stråle ljus från taket och spriten fick färg.

"En gång när jag var ny sa du att det här är ett slag som vi inte kan vinna men som vi måste utkämpa", sa Winter.

Birgersson drack, satte ner glaset och gjorde en liten grimas.

"Sa jag det? Har jag sagt det?"

Winter nickade.

"Det var väl när det tyngsta knarket kom. När vi fick in heroinet."

"Nej, det var tidigare."

"Tja... ja... vad tyckte du om det?"

"Det var ju inte direkt uppmuntrande", sa Winter.

Birgersson sa ingenting, det fanns inget uppmuntrande i hans ansiktsuttryck, och det var ett uttryck som Winter kände igen.

"Och samtidigt var det det. Uppmuntrande."

"Jag kanske hade en dålig dag när jag sa det", sa Birgersson. "Kanske var det nån flickunge på tolv som just blivit ihjälslagen."

"Jag minns ingenting från den dan mer än vad du sa."

"Tydligen menade jag allvar i alla fall."

"Jag är inte van vid att du skojar om sånt, Sture."

"Måste utkämpa, eh? Ja, så är det väl."

"I det ligger att man blir trött på skiten", sa Winter. "För skit är det. Mycket av det."

"En stor hög", sa Birgersson och höjde ölglaset. "Ända upp till himlen. Skål för alla skithus som ger plats åt skiten. Tar hand om den. Alla skitgubbar."

Winter höjde glaset och skålade, utan att riktigt förstå vad Birgersson menade.

"Orsaken till att jag fortfarande står ut med en liten skitgubbe som du är att du försöker undvika att bli en cyniker", sa Birgersson.

Winter visste inte hur han skulle kommentera Birgerssons ord. Ibland hade han varit orolig för att han inte skulle kunna bli något annat än en cyniker. Att den som levde och arbetade i det här segmentet av värld och mänsklighet blev cyniker. Cyniker eller idiot. Eller både och.

"En cyniker slutar tänka", sa Birgersson, som om han läst Winters tankar. "Hjärnan blir automatisk."

"Det kan man kanske önska sig ibland", sa Winter.

"Ånej, grabben. Det är inget för dig."

"Inte för dig heller, Sture."

Birgersson skrattade sitt skratt igen, en väsning som fick de två yngre männen vid bordet bredvid att avbryta sin lågmälda konversation och snabbt kasta en blick på den fårade mannen i vit skjorta med öppen hals och upprullade ärmar.

"Nej", sa Birgersson efter en halv minut, "vem skulle komma på tanken att kalla mig cynisk?"

Vem skulle komma på tanken att kalla Fredrik Halders cynisk? Rätt många, uppriktigt sagt. Alla som han någon gång haft kontakt med, ärligt talat.

Han ansåg att han hade skäl till sin livssyn, och inte bara skälen han fått genom arbetet. Men människor genomgår själsliga förändringar i sina liv, åtminstone vissa, och Halders hade turen att vara en av dem. Han såg det som tur. Han visste vad som pågick och han ville inte förvandlas till sten redan innan hans barn vuxit upp.

Han stod i Paula Neys lägenhet igen. Vad är det jag letar efter här? Är det fortfarande fotografiet? Nej. Han lyssnade efter något. Det var inte vinden utanför fönstret, eller smattret mot rutan av regn, och inte bilarna i rondellen därnere utanför Doktor Fries Torg. Inte naturens och stadens alla ljud. Han behövde inte lyssna efter dem, de fanns inloggade i hans hjärna efter alla dessa år på gatorna, i bilar, i hus, i parker, överallt där det gick att sätta sin fot. Han såg ner på sin fot, den ena stod framför den andra, som om han var på väg att kasta sig ut genom fönstret. Skyarna var grå därute, man var tvungen att flyga högt för att nå den blå himlen. Hade hon flugit dit upp? Och ner igen? Halders såg sig om efter ett svar. Svepningen var kvar i lägenheten. Tystnaden var kvar. Han lyssnade igen men han hörde ingenting. Han visste att det fanns svar därinne, kanske flera. Nödvändiga svar, tragiska svar. I svaren han samlade fanns ingenting som gjorde världen till en lyckligare plats, mer kärleksfull. Det var bara en strid.

Morgonen var ljusare, som om den nakna himlen hade fått ett sista behov av att visa allt. Winter sköt in cykeln i stället, låste den och gick mot entrén. En rovfågel cirklade högt över polishuset. Fågeln var skarpt avtecknad mot det blå. Plötsligt dök den och försvann bakom byggnaden.

Winter tog hissen förbi sitt eget våningsplan.

Torsten Öberg väntade i sitt rum. Winter hade hört fotoblixtar flasha när han passerade ett par av rummen på den tekniska roteln. Han hade känt lukten av någonting skarpt. En kvinna hade passerat honom med en stor plastpåse. Den hade sett tung ut.

"Det tar några dar till med SKL-svaret", sa Öberg innan Winter hunnit sätta sig.

Winter nickade. Han såg repet för sin inre syn. Knuten. Blodfläcken som kunde komma var som helst ifrån. Om det var blod.

"Du ville ju inte ha nån gräddfil."

"Vi hade inte fått åka i den ändå", sa Winter.

Han kunde se staden genom fönstret bakom Öberg. Det var högre upp, det gick att se långt. Han kunde ana havet borta i soldiset, bakom Älvsborgsbron som härifrån såg ut som ett skelett från ett förhistoriskt djur. Jag borde byta rum, tänkte han, byta upp mig en våning. Fågeln var tillbaka, kanske en hök. Perspektivet gjorde att den såg ut att cirkla rakt över bron, en jättelik varelse på förhistoriska vingar.

"Vi har ett spår", sa Öberg. "En sko."

Winter lutade sig framåt. Han kände någonting över skalpen, som en plötslig vind utifrån.

"Nån hade spillt läskeblask framför den där förvaringsboxen", fortsatte Öberg. "Dom hade städat där men inte tillräckligt bra. Vilket var bra för oss. Läskeblask är bra för en kriminaltekniker. Det är mycket som fastnar i Pommac."

"Var det Pommac?" frågade Winter.

Öberg log.

"Vi har inte analyserat färdigt det ännu."

"Ett skoavtryck", sa Winter.

"För vad det är värt", sa Öberg.

"Det är mycket som talar för att vår man har gjort det", sa Winter. "Beror på hur gammalt det är."

"Det är färskt."

"Hur färskt?"

"En dag, två."

"Det är vår man." Winter tänkte på vad han sagt. "Om det är en man. Är det en man? En manssko?"

"Ja... det här är det enda avtryck vi har." Öberg öppnade mappen som låg på bordet mellan dem. "Vad jag förstår är det mest män som bär såna här skor. Eller bar, kanske." Han tog fram några fotografier och höll upp ett av dem framför Winter. "Känner du igen det här mönstret?"

Winter tog fotografiet i handen. Bilden såg först ut som en ojämn yta, kanske ett öde landskap. Efter några sekunder såg han någon form av mönster. Han såg ränder. I ytterkanten fanns något som kunde vara en del av en bokstav.

Han tittade upp.

"Känner du igen det?" upprepade Öberg.

"Det ser bekant ut. Jag vet inte riktigt vad det är."

"Inte ditt märke?"

"Nej."

"Men en gång på varje mans fot", sa Öberg. "Utom din då."

"Vad är det?"

"Ecco."

"Ecco?"

"Ecco. Är det bekant?"

"Naturligtvis."

"Ecco Free. Extremt vanligt skomärke. Åtminstone för tjugo år sen eller så. Men nu har det visst fått nåt slags revival."

Winter skakade på huvudet.

"Inte vad vi hoppades på, eller hur?" sa Öberg.

Winter såg ner på fotot igen utan att svara. Landskapet såg mindre öde ut nu. Bilden var mer som en karta som kanske skulle gå att tyda.

"Men sulan är inte ny", sa Öberg. "Hittar vi skon kan vi jämföra."

"En tjugo år gammal sula?"

"Nej. Så länge håller inte ens Ecco." Öberg nickade mot fotografiet i Winters hand. "Jag brukade ha dom själv."

"Bär folk verkligen såna här skor fortfarande?" sa Winter, men mest för sig själv. "Jag har inte sett några på länge."

"Kanske är det en fördel för dig då", sa Öberg. "Det kanske ändå bara är några få som köper Ecco fortfarande i stans skobutiker."

"Mhm."

"Men det fanns väl en del kopior av det där märket, vad jag kommer ihåg. Vet inte om dom finns kvar." Han tittade upp. "Det får ni väl ta reda på."

"Du hittade inget mer framför boxen?" frågade Winter och la ner bilden.

"Det här kanske ändå räcker en bit."

"Man vet aldrig", sa Winter och reste sig.

"Den där gipshanden blir jag inte klok på", sa Öberg.

"Du är inte ensam", sa Winter.

"Arbetet är egentligen rätt klumpigt gjort."

Winter nickade.

"Nån gjutform har använts", sa Öberg. "Jag vet inte var man får tag på såna."

"Det kan knappast vara vanligt."

"Men gips... normalt är det väl nån sorts plastmassa man gjuter i såna där former. Som till skyltdockor och så."

"Skyltdockor", upprepade Winter.

Han blundade och såg ett tomt ansikte framför sig, och nakna lemmar i en färg som inte fanns hos människor. Det fanns ingenting mänskligt hos skyltdockor.

"Det fanns inga spår av gips på hennes hand", sa Öberg. "Bara målarfärg."

Winter öppnade ögonen.

"Och inget nytt om den, förstår jag."

"Nej, världens vanligaste halvblanka lackfärg." Öberg lutade sig bakåt på stolen. "Kan köpas också i dom mest osorterade färgbutiker." Soldiset bortom bron hade lättat. Winter kunde se öppningen mot havet. "Klibbfri efter fem timmar." Öberg tittade på Winter. "Men det gick snabbare på hennes kropp."

"Ring mig så fort SKL hör av sig", sa Winter och reste sig. "Ring dit upp och fråga vänligt om dom kan ge oss ett lite snabbare svar."

"Jag är alltid vänlig", sa Öberg.

11

WINTER HÖRDE ORD MEN DET VAR ALLT. Han uppfattade inte vad som sas. Det var som ett ljud bland andra.

"Erik? Lyssnar du?"

Det var Ringmars röst.

Winter lösgjorde sig ur dagdrömmen. Han hade varit någonstans för ett par sekunder men nu kunde han inte minnas var.

"Jag lyssnar."

"Vad sa jag just nu?"

"Repetera", svarade Winter.

"Det där kommer man bara undan med i det militära", sa Halders.

"Är inte detta det militära?" sa Aneta Djanali.

"Där bär man uniform", sa Bergenhem.

"Finns det inte civilklädda militärer?" frågade Aneta Djanali.

"Jo, då tillhör man CIA", sa Halders.

"Eller KGB", sa Bergenhem.

"KGB existerar inte längre", sa Halders.

"Vad heter det nu då?"

"Riksmordskommissionen."

"Precis som här hos oss i Sverige?"

"Ja. Samma benämning, annan innebörd. Där begår kommissionen mord på riksplanet, här försöker våran lösa dom."

"Om vi skulle försöka lösa vårt eget mord", sa Ringmar.

"Har vi begått ett eget mord?" sa Halders.

Ingen svarade. Det lät som om Bergenhem suckade, eller om det bara var en utandning.

"Det finns nåt i hennes lägenhet som vi inte har sett", sa Halders.

"Hur menar du då?" frågade Ringmar.

"Menar och menar", svarade Halders, "det är mest en tanke, eller en föraning, eller vad det heter."

"I ditt fall är det nog en föraning", sa Bergenhem.

"Vad?"

"Är det ett vykort du tänker på, Fredrik?"

Det var Winter. Han trodde han förstod vad Halders menade. Det var samma tanke, eller föraning, som han själv haft när det gällde Ellen Börge. Något han inte hade sett.

"Inte direkt vykort", svarade Halders. "Det är bara nåt jag anar när jag står i den där förbannade ensliga lägenheten." Han såg sig om. "Ni borde ställa er där också."

"Inte alla på en gång bara", sa Bergenhem.

"Snart börjar jag tröttna på dig, Lars", sa Halders.

"Jag har stått där", sa Winter. "Jag förstår vad Fredrik säger."

"Äntligen", sa Halders.

"Ska vi vända upp och ner på stället en gång till?" sa Aneta Djanali.

"Det handlar inte om det", sa Halders.

"Är det nåt som finns där och samtidigt inte finns där?" sa Aneta Djanali.

Ingen svarade.

"Jag tror vi kommer att se det", sa Halders efter en liten stund. "Och då kommer vi att förstå."

Ringmar följde med Winter in på hans rum. Winter hade allt svårare att befinna sig på sitt tjänsterum. Det började bli svårt att tänka där, ge fantasin en chans. Han hade varit där för många timmar, väggarna var som uppe på häktet. De släppte inte ut någonting, gav inget lugn. Han tänkte på Öbergs rum. Däruppe fanns en rymd. Det gick att se havet.

Ringmar ställde sig vid fönstret. Han började bli som Birgersson.

"Jag ringde Paulas föräldrar", sa Ringmar. "Mamman svarade. Elisabeth."

Winter nickade.

"Frågan är om hon kommer ur chocken."

Winter kommenterade det inte. Skadade och chockskadade hörde ihop, ofta kom de från samma familj. Våldet rörde sig ofta inom familjerna. I vilket fall påverkades de för all framtid. Det fanns inget undantag. Ett enkelt inbrott påverkade för lång tid. Allt påverkade.

"Varför ringde du?" frågade Winter nu.

"Jag vill träffa dom igen", sa Ringmar. "Snart."

Winter nickade igen.

"Det är som det som Fredrik pratade om", sa Ringmar. "Det finns nåt hos dom som vi inte ser. När vi ser det förstår vi. Nåt dom håller inne med."

"Det behöver inte vara nåt vi har nytta av", sa Winter.

"Vad har vi nytta av då?" sa Ringmar.

"Allt", sa Winter och log.

Ringmar såg ut genom fönstret. Winter såg regndropparna på glaset. Det var ett lätt regn, det hördes inte. Det skulle vara tyngre i oktober, dunk-dunk-dunk-dunk mot hans glasruta.

"Det var nåt andfått över henne när hon svarade", sa Ringmar och fortsatte att se ut, visa sin profil mot Winter. Den lystes upp av det grå ljuset. Winter kunde se Ringmars mjuka haka, eller om det var början till en dubbelhaka. Han hade inte lagt märke till den förut. Den syntes inte framifrån. Ringmars ansikte började falla samman, men bara som en skugga, och bara i ett visst ljus.

Det är värre med Birgersson. Och sen är det min tur.

"Och det var inte som om hon sprungit uppför källartrappan eller så", sa Ringmar.

"Hon väntade sig inte att det var du", sa Winter.

"Precis. Hon trodde inte att vi skulle höra av oss igen så snart." Ringmar vände sig mot Winter och hakan blev stram, smal nästan. "Hon väntade sig nån helt annan."

"Var hennes man hemma?" frågade Winter.

"Jag bad att få byta ett ord med honom, jag hittade på nåt. Och, ja, han var där."

"Dom har släktingar, vänner. Kunde vara vem som helst som stod på tur att ringa."

"Jag vet inte", sa Ringmar. "Jag vet inte."

Winter reste sig från stolen. Han ville inte sitta där, ville aldrig sitta där mer. Han blundade plötsligt för att slippa se dörren, väggarna, skrivbordet. Han kände pulsen. Han mådde inte riktigt bra. Är det en livskris? tänkte han. Jag hade ingen 40-årskris vad jag märkte. Jag är 45 nu, det är mitt i, jag får 40- och 50-årskriserna på samma gång.

"Vi åker hem till dom", sa han.

"Nu?"

"Ja."

Solen lyste genom molnen när de körde i Allén, ett gult sken genom löv som började ömsa färg. Winter kände fortfarande ett obehag, som en föraning om illamående. Ringmar körde. Winter tryckte ner rutan, lät luften komma in. Det kändes skönt i ansiktet. Det doftade höst, en våt lukt. Han kände en solstråle i ögat, men det var inte obehagligt. Han slöt ögonen igen.

När hade han och Ringmar varit ute på sitt första jobb tillsammans? Winter kunde inte minnas.

Han mindes det andra jobbet de var ute på tillsammans.

Hon hade själv ringt. Winter hade tagit emot samtalet i bilen. Det hade slussats från LKC, de hade varit i närheten av hennes hem. Hon hade haft en andfådd röst. Mycket rädd. De hade hört skrik därinne när de stod utanför. Familjens ljud. Skriket från en kvinna. Det var inte flickan. Det var modern, det förstod de sedan. Flickan ville inte göra som pappan sa. Hon hade varit ute sent ett par kvällar. Nu ville hon gå ut igen. Hennes pappa tillrättavisade henne med ett köksredskap. Winter såg hennes ansikte när han blundade sig genom Allén. Varför i helvete började jag tänka på henne? Mariana? Vad hette hon? Maria? Bertil vet, han är bra på namn, bättre än jag. Men jag ska inte fråga honom. Vi trodde att vi klarade henne. Hon levde i ambulansen. Dom kom så snabbt, jag blev förvånad. Pappan var borta, i en annan värld nu. Kniven hade hamnat på gården.

Fönstret stod öppet, det var andra våningen. Allt hade hänt i köket. Jag la märke till färgen på vaxduken, jag skulle fortfarande kunna rita mönstret. Kvällsmaten stod kvar på bordet, dom hade knappt börjat. Det var han som hade frågat. Vart ska du ta vägen? Vart ska du ta vägen nu? Om han inte hade frågat, hade mamman sagt efteråt. Om han bara hade låtit bli att fråga igen. Chock, hon var i chock och varför skulle hon komma ur den. Hon skulle naturligtvis aldrig komma ur den. Inte Elisabeth Ney heller.

"Det drar", sa Ringmar.

"Det drar mest på mig", sa Winter.

"Rensar du tankarna?"

"Minnena. Jag rensar minnen."

"Bra", sa Ringmar. "Det är nyttigt."

"Har du klart för dig vad vi ska fråga paret Ney om när vi kommer dit?"

"Ser du dom som ett par?"

"Det är frågan", svarade Winter.

"Och vad är svaret?"

Winter betraktade stranden på andra sidan älven. Den var bebyggd med bostadsrätter, skulle bli mer bebyggd ända tills balkongerna tippade i det grumliga vattnet. Bara balkongen var värd mer än en hel livslön för varvsarbetarna som byggt fartyg på samma plats för några årtionden sedan. Winter hade varit pojke och hört slamret därifrån när han åkte med färjan över älven. Han hade sett fartygen, obyggda, halvbyggda, färdiga. Han hade stått på bryggan vid Nya Varvet och sett när skeppen gled iväg, ut mot Vinga, bort över haven, mot ekvatorn, ännu längre bort, Söderhavet, Australien. De gled iväg som om de ägde hela världen.

Den som passerade ekvatorn på ett fartyg genomgick rituellt dop. Han hade tänkt på det som pojke, tänkt mycket på det, men han hade aldrig gjort det, han hade levt på jorden i snart ett halvt sekel men ännu inte passerat jordklotets medellinje på ett fartyg.

"Man ska aldrig se ett par som ett par", svarade han till slut. "Då gör man sig skyldig till generalisering."

"En del växer ihop", sa Ringmar.

"Förlåt?"

Winter vände blicken mot Ringmar.

"En del par blir som ett", fortsatte Ringmar. "Dom växer liksom ihop."

"Det låter otäckt. Du menar att dom blir siamesiska tvillingar med åren?"

"Ja."

"Den ene kan inte ens gå på muggen utan den andre?"

"Så är det", sa Ringmar. "Det kommer smygande. Och en dag är det ett faktum. Inte ett steg utan den andre."

"Jag hoppas du inte talar av egen erfarenhet, Bertil?"

"Jag sitter här för mig själv, eller hur?"

"Skönt."

"Men det är värt att tänka på."

De körde genom Kungsten för att undvika rusningstrafiken ute på lederna. De höll på att krossas av en buss, de såg den komma men det fanns inget utrymme för möte. Ringmar vräkte upp bilen på ett stycke trottoar som plötsligt fanns där. Där fanns ingen fotgängare. I backspegeln såg Winter bussen vingla vidare mot rondellen. Ringmar rullade ner på gatan igen.

"Hade vi haft en målad bil hade den skenhelige jäveln kört som en människa", sa han.

"Jag tog numret."

"Glöm det. Vi har inte tid."

Ringmar svängde in på Långedragsvägen. De passerade Hagenskolan. Ringmar svängde vänster i korsningen efter fotbollsplanen och körde över Torgny Segerstedtsgatan. Mario och Elisabeth Neys lägenhet låg i ett av hyreshusen i Tynnered. De röda tegelbyggnaderna stod som murar mot havet långt nere i Fiskebäck. Vinden var stark över slätterna, den blåste alltid här. Winter såg husen när de var uppe på leden.

Ringmar svängde in till OK-macken för att tanka.

Winter gick in i butiken och kom tillbaka med GT. Han bläddrade fram några sidor och höll uppslaget framför Ringmars näsa när denne drog kvittot ur kontoautomaten.

"Är det inte din sämre profil?" sa Ringmar.

"Jag tänkte närmast på rubriken", sa Winter.

"POLISEN UTAN SPÅR I HOTELLMORDET", läste Ringmar över bilden på Winter när han vände sig om, sannolikt efter en kort intervju. "Är det korrekt svenska?"

"Är det en korrekt slutledning?" sa Winter.

"I princip ja", sa Ringmar, "om vi bortser från videofilmerna."

"Och handen", sa Winter. "Och repet. Och skoavtrycket."

"Egentligen borde dom ha haft allt det där redan", sa Ringmar. "Vad heter han, din kompis på GT. Bry... Bru..."

"Bülow", svarade Winter, "men han är inte min kompis."

"I vilket fall brukar han nosa upp det mesta. Men inte det här."

"Vår polismästare hade väl tätat luckorna", sa Winter.

"Du menar genom att sluta?" sa Ringmar. "Det är väl Sållet du pratar om?"

Winter nickade. Einar Sållet Berkander, före detta polismästare, hade haft ihop det med en frånskild reporter på GP under mästartiden. Det kom fram, som det mesta Sållet berättat i damens armar. Sållet var numera också skild.

"Man får inte glömma att vi ofta tar hjälp av pressen", sa Ringmar.

"Utnyttjar den, menar du?"

"Vi behöver den", sa Ringmar och studerade uppslaget igen.

"Står där nåt som vi kan ha nytta av?"

"Jag vet inte", sa Winter, vek ihop tidningen och slängde den i baksätet.

De körde ut från macken och in bland husen. Ringmar parkerade. Winter kontrollerade adressen.

I trappan luktade det av mat, någon obestämd rätt, nästan inga kryddor. Det var den gamla trapphuslukten. Den nya var betydligt kryddigare, kryddor från hela världen, människor från hela världen.

Ringmar ringde på dörren. Ingen öppnade. Han ringde igen. De tyckte att de hörde steg. De förstod att de betraktades genom titthålet.

Dörren öppnades två decimeter. De såg Elisabeth Neys ansikte.

"Ja?"

"Får vi komma in en liten stund, fru Ney?"

Det var Ringmar. De behövde ingen legitimation vid det här laget.

"Ja... vad är det?"

De svarade inte. De hade redan bett om att få komma in. En liten stund, tänkte Winter. Det är också ett uttryck. En liten stund kunde betyda dygn.

"Min man är inte hemma", sa hon.

Så de är separerade just nu, tänkte Winter. Vi har tur.

"Det går bra ändå", sa Ringmar.

Hur beter man sig när man ska försöka fråga en mamma om hur kontakten egentligen var med hennes mördade dotter? Hur beter man sig i ett sådant samtal som egentligen är ett förhör?

Winter kunde se gården genom fönstret i köket. En ung mamma gungade sin lilla dotter. Flickan skrattade när farten blev högre. Han var inte obekant med det där. Han hade gungat Elsa i åratal, och nu var det dags för Lilly.

Elisabeth Ney kunde inte vara obekant med det där.

Det kunde inte vara bra att hon stod här och såg ut genom det här fönstret.

Fönstret i vardagsrummet var bättre, med sin utsikt över bensinstationen, motorvägen, industriområdet på andra sidan motorvägen.

Ringmar hade frågat om Paulas långa resa för snart tio år sedan.

"Jag förstår inte att det kan vara så intressant", sa Elisabeth Ney. "Det var ju så längesen."

"Kanske betydde den resan mer än vi förstår", sa Ringmar.

Elisabeth Ney svarade inte. Hon satt vid köksbordet i en stel pose, som om hon inte visste vad hon gjorde där. Som om hon hade kunnat vara var som helst. Det spelade ingen roll.

Winter hostade till, diskret.

"Din man vill inte tala om sitt förflutna", sa han.

Hon såg på honom.

"Det kan väl inte ha med... med det här att göra?"

"Vi vet inte", sa Winter. "Tänk på det. Vi vet inte. Det är därför vi frågar."

Vi har ramlat rakt in i den här familjens liv. För en vecka sen visste jag inte ens om att det fanns nån som hette Ney i den här stan. Nu vill jag veta allt.

"Men jag har ju inga svar", sa Elisabeth Ney.

"Var Paula ledsen över nåt?" frågade Ringmar.

"Det där har ni ju frågat om."

"Nåt som hänt nyligen?"

"Jag har försökt svara på det. Nej. Jag vet inte. Herregud, jag VET inte."

Winter såg tårarna i hennes ögon.

Winter satte sig på stolen framför henne. Han hade fram till dess stått kvar vid fönstret.

"Varför ville inte Paula att du eller din man skulle träffa hennes pojkvän?"

"Förlåt?"

"Enligt en väninna hade hon en pojkvän. Men Paula presenterade honom aldrig för er."

"Vi visste ingenting", sa Elisabeth Ney. "Det där vet jag ingenting om."

"Nej", sa Ringmar mjukt. "Men varför gjorde ni inte det?"

"Vem är det?" frågade hon och såg på honom. "Vem är han?"

Ringmar tittade på Winter.

"Vi vet inte", sa Winter.

Elisabeth Ney flyttade blicken.

"Vet inte? Hur menar du?"

"Vi vet inte vem det är."

"Hur kan ni då vara säkra på att Paula verkligen hade en pojkvän."

"Hennes väninna trodde det."

"Och ni tror på henne?"

"Hon verkar ganska säker på det. Men vi kan inte veta."

"Var är han då? Varför har han inte hört av sig?" Hennes blick flyttades mellan Winter och Ringmar. "Vad är det för en pojkvän som inte hört av sig?"

De svarade inte.

Plötsligt förstod hon.

Hennes hand for upp till munnen, som om hon skulle bita tag i den. Winter kunde se alla de hemska känslorna avspeglas i hennes ögon. Han hörde ett skratt nerifrån gården. Det var flickan. Skrattet borde inte höras hit in. Fönstret borde vara tillräckligt tjockt.

"Jag tänkte att du... kanske... att hon sagt nåt om honom", sa han, "eller att du anade nånting."

"Paula bodde ju inte här. Mer än nu, den sista veckan. Om ho..."

Där avbröt hon sig. Hon satte handen för munnen igen.

"Herregud, jag sa den sista veckan. Jag menade den senaste. Man säger fel ibland. Jag brukar anmärka på folk som säger sista när dom menar senaste."

Winter nickade. Elisabeth Ney tittade på honom med en blick som plötsligt såg blind ut.

"Jag är lärare. Jag har undervisat i svenska och historia på högstadiet. Jag har alltid sagt till mina elever att det är viktigt att vårda sitt språk. Utan ett språk kommer man ingenstans."

"Elisabeth..."

"Och så sitter jag här själv och säger sista." Hon tittade från Winter till Ringmar och tillbaka. Blicken hade fortfarande varit blind, men nu sprack den. "Sista! Och jag hade rätt! Det var den sista veckan!"

"Fru Ney... Elisabeth..."

"Det är ju nästan komiskt!" Hon hade fått en glans i ögonen igen. Den blänkte till på ett egendomligt sätt. "Jag ha..."

"Elisabeth!"

Hon hoppade till på stolen, verkligen hoppade till, som om en vind, snarare än Winters ord, hade lyft upp henne, trotsat tyngdlagen.

"Elisabeth? Vill du att vi hjälper dig nånstans? Vill du träffa nån? Elisabeth?"

Hon svarade inte. Hennes blick var utan skärpa när hon plötsligt reste sig och gick som en blind genom köket med armarna framför sig.

Hon ställde sig framför fönstret. Winter och Ringmar hade rest sig upp. Winter kunde se varenda linje i Ringmars ansikte. Det såg ut som ett svartvitt fotografi. Det måste vara skymningen.

"Jag hör inte den lilla flickan längre", sa Elisabeth Ney. "Var det inte hon som skrattade förut?"

12

DÖRREN ÖPPNADES UTE I HALLEN. Winter hörde en hostning. Dörren stängdes. Winter kunde höra ekot från trapphuset. Elisabeth Ney verkade inte höra någonting. De satt i vardagsrummet nu, Winter och Ringmar satt. Elisabeth Ney stod vid fönstret, med ryggen mot dem.

Det kom ingen röst från hallen, inget "jag är hemma igen" eller "hej" eller något sådant. Bara steg.

Mario Ney kom in i rummet och ryckte till.

"Vad i helvete?!"

Elisabeth Ney sa ingenting. Hon vände inte på huvudet. Kanske lyssnade hon fortfarande efter den lilla flickan.

"God kväll, Mario."

Det var Ringmar. Han hade rest sig upp. Från där Winter satt såg Ringmar mest ut som en skugga. Skymningen hade börjat falla medan de satt där och ingen hade tänt någon lampa. Det fanns ett gammalt uttryck för det där: kura skymning. Winter hade hört det av sin farmor. Det var ett uttryck förknippat med trivsel och ro. Ett inväntande av mörkret i ett tillstånd av lugn.

"Vad gör ni här?!"

Winter kunde inte riktigt se Neys ansikte.

"Elisabeth? Vad gör dom här?"

Hon svarade inte. Hennes blick var fortfarande någon annanstans, kanske ute på gården, kanske ingenstans.

"Elisabeth!"

Hon vände sig sakta om. Winter tänkte resa sig och tända en lampa därinne men blev sittande. Han kunde se Elisabeth Neys ansikte tydligt när hon vände sig om, det belystes av det sista dagsljuset innan solen sjönk bakom huset på andra sidan gården.

Det är som en mask, tänkte han. Som något som hängts på henne för att täppa till något som annars skulle vara ett hål. Nej. Ett annat ansikte?

Sedan var det som om hennes blick blev seende igen.

Hon såg sin man. Hon ryckte till, som han gjort nyss när han kom in i rummet.

Winter såg en plötslig rädsla i hennes ansikte.

Han såg på Mario Ney. Mannen stod kvar en meter innanför tröskeln. Det tunga ansiktet var tydligare nu. Det hade samma kraft som första gången Winter sett det. När han kom med bud om dotterns död. Kraften hade stannat kvar i ansiktet, under sorgen.

"Vad gör dom här, Elisabeth?" Ney viftade till mot Winter. "Jag visste inte att dom skulle komma tillbaka."

"Det visste inte din fru heller", sa Winter och reste sig upp. "Vi har bara gjort ett snabbt besök."

"Varför det?"

"Skulle du inte kunna sätta dig en liten stund?"

"Varför har ni inte tänt härinne?" frågade Ney.

"Vi glömde bort det", sa Ringmar.

"Skymningen faller snabbt", sa Winter.

"Skymn... vad är det här för skitsnack?" Han tog ett par snabba steg in i rummet. "Elisabeth? Vad har ni pratat om här?"

Winter såg hur hon ryggade till igen. Under den sekund det skedde försökte han förstå om det berodde på hennes chock, förtvivlan, rädsla för allt. Eller om det berodde på mannen.

Det var svårt att avgöra. Men hon är rädd. Bertil ser det också, men knappt. Vi får nog tända härinne innan vi krockar med varandra.

"Ni har ingen rätt att tränga er in här!"

"Din fru samtyckte", sa Winter.

"Vad betyder det?"

"Att hon samtyckte."

"Det där ska jag jävlar kolla upp."

"Vi har också möjlighet att kalla till förhör", sa Winter. "Besluta om hämtning. Rättegångsbalken tjugotre, paragraf sju."

"Vi vet vad vi gör", sa Ringmar. "Vi bryter oss inte in."

Mario Ney sa ingenting nu.

"Skulle du kunna tända en lampa, Mario?" frågade Winter så mjukt han kunde.

Mario Ney vände blicken åt Winters håll. Ögonen såg hårda ut.

"Tänker ni stanna länge? Ska jag börja med middan?" Han skrattade till. "Ska vi börja bädda? Tog ni med er lakan?"

"Dom är här för Paulas skull", sa Elisabeth Ney.

Det var som en främmande röst därinne. Plötsligt lät hon stark, klar.

Hon hade lämnat fönstret, tagit ett par steg framåt. Skymningen hade blivit röd. Just nu behövde ingen tända lampor i rummet. Ljuset fanns överallt.

Mario Ney förblev stående. Han verkade plötsligt svarslös.

"Dom försöker ta reda på vad som hände Paula, Mario. Dom gör sitt jobb." Hon tittade på Winter och tillbaka på sin man igen. "Om det här hjälper... att komma hit... så får dom göra det när som helst."

"Ja, ja." Han verkade sjunka ihop, bli några centimeter kortare. "När som helst. Mitt i natten."

"Dom ville veta om Paulas pojkvän", sa Elisabeth Ney.

"Vad? Vad?"

Han hade ryckt till igen. Winter kunde inte avgöra om det var av överraskning. Det röda ljuset var borta igen, lika snabbt som det kommit. Nu var det verkligen mörkt därinne.

"Hon hade tydligen en pojkvän", sa Elisabeth Ney.

Winter gick snabbt runt soffan och tände en golvlampa med en stor skärm. Rummet lystes upp som en scen. Några gånger hade han tänkt så, att han befann sig på en scen, när han stått i ett rum och ställt frågor till främlingar och samtidigt försökt studera deras ansikten som om han skulle kunna lära sig allt om dem på några sekunder. Som om någon betraktade dem alla, en publik. Som om han snart skulle säga en replik.

"Vi vet inte", sa han. "Det är därför vi frågar."

"Men ni måste väl ha fått det nånstans ifrån?" frågade Mario Ney.

Han ansikte var skarpt och mörkt av det elektriska ljuset.

"Ska vi sätta oss?" sa Winter.

Mario Ney tittade på möblerna som om han såg dem för första gången, och som om han för första gången skulle lära sig att sitta.

Han gick ett steg och sjönk djupt ner i en fåtölj och satte sig genast upp igen.

"Vad är detta... med att Paula skulle haft sällskap? När då, i så fall?"

"Hade hon sällskap den sista tiden?" frågade Ringmar.

Herregud. Winter tittade på Elisabeth Ney, men hon verkade inte reagera på vad Ringmar just sagt. Styrkan hade lämnat henne igen. Hon satt längst ut på soffan, som om hon skulle resa sig när som helst.

"Nej", sa Mario Ney.

"När var senaste gången Paula hade en pojkvän?" frågade Winter.

Mario Ney svarade inte. Hans fru hörde inte. Winter hörde sirener utanför, en ambulans på väg från eller till. För en stund sedan hade han funderat på att ringa efter en själv, när Elisabeth Ney verkade försvinna långt bort i sig själv, från sig själv. Han tittade på henne. Hon verkade vara på väg dit igen. Hennes man tittade på henne. Han svarade inte på Winters fråga.

Winter upprepade den.

"Jag vet inte."

"Försök tänka efter."

"Det är ingen idé."

"Varför inte?"

"Hon hade inte sällskap."

"Förlåt?"

Mario Ney tittade på sin fru. Hon hörde inte, såg inte.

"Jag har inte träffat nån pojkvän", sa Mario Ney. Han verkade ha svårt att uttala ordet. "Aldrig."

"Aldrig?"

"Hör du inte vad jag säger?" Han tittade rakt på Winter. "Ska jag upprepa det tusen gånger?"

"Har Paula aldrig presenterat nån pojkvän för er?" frågade Winter.

Mario Ney skakade på huvudet.

"Mario?"

"Hur många gånger ska jag säga det?"

Winter tittade på Ringmar som höjde ena ögonbrynet. Elisabeth Ney rörde sig inte på sin soffkant. Sirenen kom tillbaka därute i det tätnande mörkret, ett tjut från andra hållet nu. Winter upplevde åter att han satt på en scen. Men han hade inget manuskript. Ingen hade skrivit ner vad han skulle säga. Och det han sa var viktigt, kanske avgörande. Det han frågade. På det sättet skrev han sina egna manus, baserade på erfarenhet och känsla. Kanske var det medkänsla.

"Pratade ni om det?" frågade Winter.

"Nu förstår jag inte alls", sa Mario Ney. "Vad menas med det där?"

Winter tittade på Elisabeth Ney. Han menade om föräldrarna hade pratat om det sinsemellan. Han ville inte säga det. Han ville att de skulle säga det.

"Ville Paula prata om det?"

"Nej", sa Mario Ney.

"Ville ni prata om det? Du och din fru?"

"Med vem? Med henne?"

"Ja."

"Nej... det gjorde vi inte."

"Varför inte?"

Mario Ney tittade på sin fru. Hon verkade inte lyssna. Hon kunde inte hjälpa honom.

"Hon ville inte det."

"Varför inte?"

"Varför, varför, varför... det var en jävla massa varför."

"Paula var 29 år", sa Winter. "Enligt dig hade hon aldrig haft sällskap. Hon ville aldrig prata om det. Du frågade henne aldrig om det. Ni pratade aldrig om det. Är det så?"

Mario Ney nickade.

"Men du och Elisabeth måste ha pratat om det?"

"Ja... det hände väl."

"Trodde ni på Paula? Trodde du på henne?"

"Varför skulle hon ljuga om det?"

Winter sa ingenting.

"Det är väl ingenting man ljuger om? Snarare är det väl tvärtom?"

"Hur menar du då?" frågade Winter.

"Det fattar du väl? Varför skulle hon hålla hemligt om hon hade en pojkvän?" Mario Ney tittade på sin fru. "Vi skulle väl inte protestera? Vad säger du, Elisabeth? Vi skulle väl inte ha nånting mot det?"

Elisabeth Ney brast i gråt. Winter kunde inte avgöra om det berodde på vad hennes man sa, eller om det var något som varit på väg ändå. Däremot kunde han avgöra att hon behövde hjälp nu, professionell hjälp. Han tog fram mobiltelefonen ur kavajens innerficka och ringde.

En siren tjöt nerifrån Vasaplatsen, en polisbil. Winter hade kommit in, hängt av sig rocken, satt sig i mörkret och hunnit kura skymning i en minut före sirenen, och sedan telefonsignalen.

Han såg inte displayen i mörkret. Det kunde vara vem som helst.

"Ja?"

"Hej du."

"Hej, Angela."

Ljudet från sirenen blev högre, steg uppför husen, kom in i rummet.

"Vad är det för oljud i bakgrunden. Brinner det?"

"Ambulansen", svarade han.

"Vad gör du?"

"Just nu? Jag kom precis. Jag hängde av mig och grep nästan whiskybuteljen."

"Du måste äta först", sa Angela.

"Jag köpte ett litet lammrack i Saluhallen."

"Vad har du gjort i dag?"

"Sänt iväg en kvinna till sjukhus", svarade han och berättade. Sirenen försvann uppför Aschebergsgatan, på väg mot Sahlgrenska universitetssjukhuset.

"Flickan, Paula, måste ha varit mycket ensam", sa Angela.

"Om det är sant", sa Winter. "Det behöver inte vara så. Hennes väninna trodde inte att det var så."

"Och du tror att det finns en hemlig pojkvän?"

"Om det finns det så vill vi gärna träffa honom."

"Hur ska ni hitta honom?"

"Så småningom gör vi det", sa Winter. "Om han existerar."

"Det kan ta tid."

"Ja. Det kan ta mycket tid. Det och det andra. Mycket jobb."

"Jag har tre dagar kvar härnere innan vi åker hem", sa Angela. "Jag hinner meddela kliniken."

"Vad? Om vad då?"

"Att jag inte kan ta jobbet, förstås. Att du inte hinner vara barnledig. Fast det sista behöver jag ju inte säga till dom."

"Angela..."

"Jag hinner säga upp lägenheten också. Det går smidigt eftersom jag inte skrivit på kontraktet än. Det var först i morgon."

"Jag visste inte om lägenheten. Det har du inte sagt."

"Jag skulle göra det nu. Och det har jag gjort."

"Var ligger den."

"Marbella."

"Balkong? Terrass?"

"Spelar det nån roll?"

"Vi har en plan", sa Winter. "Vi håller oss till den."

"Det kanske inte dom andra gör", sa hon. "Jag behöver inte säga vilka."

Nej, han visste. De andra var offer och gärningsmän och föräldrar och pojkvänner och försvunna. Kanske var ett vinterhalvår på solkusten en dröm. Eller kanske var det framtida god arbetsmetod att lämna över ett fall mitt i förundersökningen. Kanske var lösningen nära, förlösningen, upplösningen. Han visste fast han inte visste, det var som han själv hade tänkt, och Halders – där fanns något de inte sett, inte förstått. När de sett och förstått kunde han flyga genom de vänliga skyarna rakt till solen.

Han hörde sirenen igen i natten, efter en dröm. I drömmen hade han träffat någon som sagt att han hade valt fel väg i korsningen bakom honom. Han kunde inte se något ansikte. Hjälp mig, hade han sagt. Du får hjälpa dig själv, hade rösten sagt. Det är bara du som kan hjälpa dig själv. Den kom som från en silhuett. Jag måste tända en lampa, hade han tänkt. Då ser jag hur han ser ut. Den där rösten verkar bekant. Den är nån jag känner. Ser jag ansiktet kan jag lösa fallet. Jag hinner lösa fallet innan jag måste gå tillbaka till korsningen och ta den andra vägen.

När han vaknade fanns fortfarande minnet av drömmen. Sirenen tjöt därnere.

Han låg vaken med slutna ögon. Vad var det för fall han hade arbetat med när han mötte silhuetten? Det fanns inte plats för den informationen i drömmen. Eller vem främlingen var. Fast det var ingen främling.

Winter satte sig upp i sängen. Han var ännu inte riktigt vaken. Det här var inte en ovanlig situation för honom. Hjärnan arbetade medan han sov, medan han drömde. Men kunde drömmar visa honom riktningen i vägkorsningar? Han visste inte, fortfarande visste han inte.

Han hade aldrig sett ansiktet han letade efter i sina drömmar.

Ljuden av sirenen dog bort i natten. Winter lutade sig åt sidan och lyfte armbandsuret han lagt på nattygsbordet. Kvart över tre, natten var på väg in i vargtimmen.

Han visste att han inte skulle kunna somna om utan att gå upp och dricka ett glas vatten och kanske ställa sig på balkongen och röka. Det skulle inte vara första gången. Och han skulle inte vara riktigt ensam därute. På en balkong på andra sidan Vasaplatsen hade han sett glöden från ett rökverk några gånger. Det var alltid i vargtimmen.

Trägolvet var mjukt och varmt mot fotsulorna. Han hade själv slipat om alla golven i hela våningen under en semestervecka för många år sedan och lackat dem i tre lager veckan efter och sedan hade han stuckit direkt till solen, fortfarande berusad av trädamm och livsfarliga ångor. I solen hade han bytt ut det där mot annan berusning, mild men ständig berusning.

Han hade badat i vargtimmen, men den såg annorlunda ut på en strand vid Medelhavet. Månen var större.

Angela hade inte sett annorlunda ut på stranden. Hon var vacker i vilket ljus som helst, under vilka timmar som helst under dygnet.

Då hade de ännu inte flyttat ihop. Men det var dags. Golven var en del av det. Det fanns så mycket annat. Han ville inte vara ensam längre. Ensamheten var ingen evig och trogen vän längre. Han hade tänkt så när han körde slipmaskinen över sina ensamma golv.

Nu gick han över dem. Det låg några leksaker här och där.

I köket hällde han upp ett glas vatten från en tillbringare med citronskivor i. Han hörde en siren igen. Det senaste dygnet måste innebära något slags rekord. Han hade inte hört om någon större olycka. En plötslig epidemi. Han satt vid köksbordet. Han försökte för ett ögonblick tänka på ingenting men misslyckades. Han tänkte på Mario Ney. Vad skulle hända honom när chocken släppte? Vad som hände hans fru blev synligt i går kväll.

Vem skulle Mario bli då? Vem var han nu? Det fanns något hos honom som inte hade med chock att göra. Han vägrade alla former av samtal med alla former av terapeuter. De enda samtal han var tvingad till var de med Winter, och även där var luckorna för stora mellan orden. Som falluckor. Det fanns något hos familjen Ney som var en stor svart hemlighet. Kanske fanns det det hos många. Men de leder sällan till mord. Hade familjen Neys hemlighet lett till mord? Direkt eller indirekt? Han tänkte på Paula. Det gick att se hennes ansikte. Ett ensamt ansikte, om det fanns ett sådant uttryck. Alla var ensamma, ansikten, kroppar, liv. Man fick släpa runt sitt eget liv så gott det gick. Winter hade mött tillräckligt många som inte klarade av det för att övertygas för livet. Livet var en börda. Bara en idiot trodde något annat. Folk stod inte ut. Det visade sig på många sätt. Nej, jag har inte blivit cynisk. Jag tror fortfarande. Ibland tror jag till och med på Gud, går till och med i kyrkan nån gång. Vilken bekännande cyniker gör det?

Winter trodde inte på Satan. Han trodde på människor. Det kunde vara samma sak. Det var det hemska med hans arbete. Ansikten, kroppar, liv, som han, som Angela, som barnen, som vännerna, poliserna. Och ändå. Satan. Handlingarna fanns där. Ett ansikte utan liv i ett jävla hotellrum i en liten storstad i världens utkant. Herregud, den vita handen. Där fanns ett meddelande han inte kunde läsa. Inget av fingrarna pekade åt något särskilt håll.

Ändå visste han att han skulle få veta. Till slut skulle det finnas ett svar, eller del av ett svar, del av en lösning på gåtan. Så var det. Han bävade för den stunden. Han fruktade redan för vad han skulle få veta då. Där fanns något han inte ville veta i sitt liv, aldrig någonsin. Varför tänker jag så? Hur kan jag tänka så? Vad är det jag anar? Jag vill inte veta, tänkte han och såg upp på vägguret i köket. Det hade blivit vargtimme igen.

Ett gäng spelade morgonfotboll när han cyklade över Heden. Septembersolen var mild och ljuset gjorde stadens konturer rundare, nästan som bollen, den flög i luften åt hans håll och tog mark och studsade rakt mot hans framhjul.

"Hit med bollen, Winter!"

Han tittade upp från bollen och hjulet.

Målvakten viftade. Winter kände igen honom nu, och ett par av de andra spelarna i sina blå overaller. Piketen tog en paus från kamikazeverksamheten. Men paus var relativt för det här gänget. Det var alltid på allvar för dem. Flera skulle bli skadade på plan under den kommande halvtimmen; knän i veka livet, armbågar över mjälten, dobbar på vristen.

"Bättre för hälsan att jag behåller den här!" ropade Winter och tog upp bollen.

"Se upp så inte slipsen fastnar i ekrarna, grabben!" ropade en av utespelarna.

Ett par andra flinade.

Winter bar inte slips i dag, inte ens kavaj, eller rock. Men han hade ett rykte.

Han slängde tillbaka bollen mot planen utan att säga något.

"Hälsa Halders att vi är redo när han är redo", ropade kollegan.

Ett par andra flinade igen.

Winter visste vad han menade. Spaningsroteln hade haft ett lag i korpen, men allt hade tagit slut efter tio minuter. Halders hade protesterat mot ett domslut genom att sparka domaren i röven. Laget blev uteslutet och Halders blev avstängd på fyra år.

"Han är spelbar om två år", ropade Winter.

"Han vet var vi finns!"

"Han längtar efter er, grabbar", ropade Winter.

"Du kan få vara med oss om du vill, Winter!"

"Jag ska tänka på det."

Han hörde några skratt igen. Piketen var en gladlynt samling.

När han ställde cykeln utanför polishuset mötte han Ringmar på väg från parkeringsplatsen.

"Det där borde man göra själv", sa Ringmar.

"Gör det då."

"Är det så enkelt?"

De flyttade sig för en målad bil. Kollegan vid ratten lyfte handen till hälsning. Vi är som en enda stor familj, tänkte Winter. Och vi har inga hemligheter för varandra.

Han log.

"Vad flinar du åt?"

"Ingenting, Bertil."

"Det är inte bra när man ler åt ingenting."

"Jag tänkte bara på att vi är som en stor lycklig familj inom den här kåren."

"Ja, det är underbart."

"Hur är det med vår familj från Tynnered? Åkte du förbi Sahlgrenska?"

"Hon sov. Pillren verkade än."

"Hur hade natten varit?"

"Den har varit lugn. Hon har inte sagt ett ord."

"Kommer hon att göra det?"

"Säga ett ord? Jag vet inte, Erik."

Ringmar flyttade sig för en polisbil till. Föraren vinkade, passageraren bredvid vinkade, Winter och Ringmar vinkade.

"Kanske hon har nåt att säga oss", sa Ringmar och följde bilen med blicken när den svängde ut på Skånegatan.

"Det här är hennes sätt att göra det", sa Winter.

"Mhm. Och inte göra det."

Känslan av att vara förföljd. Känslan-av-att-vara-förföljd. Var kom den ifrån? Den måste väl utgå från någonting verkligt?

Känslan av vinden i nacken, som en rå andedräkt.

När hon vände sig om fanns det ingen vind. Det fanns ingenting där, bara vardagen, och allt som hörde till vardagen. Det verkliga. Men det var en annan verklighet, någonting som hon kunde känna igen.

Det här kunde hon inte känna igen.

Där? Eller där? Fanns det någon där? Stod det någon där och såg på henne när hon passerade?

Stod någon utanför hennes hus? Hennes dörr?

I går kväll hade hon stått vid fönstret och sett ut. Alla lampor var släckta i lägenheten. Belysningen var svag därute, mest en gul dimma, eller en hinna över hösten. En bil kom uppför berget. Hon kunde se strålkastarna innan de såg henne. Bilen körde in i garagelängan och någon kom ut och drog ner den tunga garagedörren och gick åt andra hållet, mot husen som alltid verkade vara på väg nerför kullen. Ibland såg man dem som halva hus och ibland såg man dem inte alls. Ett par gånger hade hon tänkt att de där kåkarna vill vara nere i centrum i stället för häruppe. Det var en rolig tanke.

Det var inte roligt nu, att stå här i mörkret och glo ut. Är jag hysterisk, har jag blivit hysterisk? Har det... där gjort mig rädd för allt? Jag kanske börjar bli rädd för allting. Mig själv också. Jag kanske inte ska bo kvar här. Kanske ska jag lämna stan. Det finns andra städer. Det finns andra länder med, för den delen.

Där!

Det var ett ansikte.

Herregud, det där är inget ansikte.

Vad är det då?

Nu är det ingenting.

När du stirrar på det där trädet så kan det bli vad som helst. Det kan börja gå. Det kan bli ett... ansikte. Din fantasi kan göra det till vad som helst.

Telefonen ringde. Hennes telefon! Hon ryckte till. Höll på att dra ner gardinen som hon tydligen hållit hårt i utan att ha märkt det! Hon såg strålkastarna från en bil bakom kullen kasta ljus som av två ficklampor, och sedan var de borta. Men hon hörde sirenen. Det måste vara en ambulans. Den kanske var på väg bort mot Sahlgrenska.

Hon gick snabbt över golvet och lyfte telefonen.

"Hallå? Hallå?"

Ingen sa något i den andra änden. Men linjen var öppen. Det brusade som av vind.

"Hallå? Vem är det? Hallå?"

Hon hörde sirenen igen därute, på väg bort.

Men hon hörde den också därinne.

Sirenen tjöt i bakgrunden i andra änden av linjen.

Ett meddelande väntade Winter på hans bord.

Han hörde en hostning innanför dörren innan han knackade.

Birgersson satt bakom sitt skrivbord. Det var ovanligt.

"Sätt dig, Erik."

"Jag tror jag ställer mig vid fönstret som omväxling."

Birgersson log inte.

"Jag fick ett samtal från Mario Ney för en halvtimme sen."

"Ja?"

"Han säger att du och Bertil frammanade ett nervöst samman-brott hos hans fru."

"Var det hans uttryck? Frammanade?"

"Vad hände?" frågade Birgersson.

"Vi gjorde ett misstag. Men inte i går. Vi skulle ha sett till att hon, Elisabeth, fick vård direkt."

"Han säger att han ska anmäla oss. Dig."

"Ja, vad ska jag säga om det?"

"Du kan säga något om hur vi ska kommentera det när pressen börjar skriva om det."

"Vi? Det blir väl jag, som vanligt."

"Varför åkte ni dit igen, Erik? Utan att avtala tid innan?"

"Ska du fråga mig det?"

Winter gick stegen från fönstret och lutade sig över skrivbordet.

"Jag har för mig att det här är en av dina metoder. Ring inte innan. Ring bara på dörren."

"Beror på", sa Birgersson.

"Här berodde det verkligen på", sa Winter. "Det finns nåt hos familjen Ney som vi måste komma åt. Snart, kanske genast. Bertil och jag åkte inte dit och klädde upp honom. Hans fru släppte in oss. Vi ställde några frågor. Hon samtyckte. Han kom hem från gudvetvar och såg på oss som om vi var inbrottstjuvar."

"Var hade han varit?"

"Vi frågade inte."

"Hur är det med hans fru nu?"

"Hon sover. Vi ska försöka prata med henne igen. Det måste vi, Sture."

"Hmh."

"Jag tror inte han gör nån anmälan. Det tror inte du heller."

"Han har gjort en. Till mig."

"Låt den stanna hos dig."

Birgersson nickade.

Winter rätade på ryggen. Han gjorde sig beredd att gå därifrån.

"Erik?"

"Ja?"

"Eh... det där vi snackade om häromdan. Vi glömmer det, va?"

"Vilket då?"

"Just det."

"Jaså, det", sa Winter i dörren. "Det var ju bara lite tjöt om livet."

13

MORGONMÖTET HANDLADE OM PAULAS ENSAMHET. Listan på hennes bekanta var kort. Det behövde inte betyda att hon varit en ensam människa, men ingen de träffat verkade ha stått henne riktigt nära.

"Ska vara Nina Lorrinder i så fall", sa Halders.

"Verkar inte så", sa Ringmar.

"Jag tänkte prata med henne i eftermiddag", sa Halders.

"Om vad?"

Det var Bergenhem.

"Hennes bästa pastarecept", svarade Halders.

"Jag är allvarlig", sa Bergenhem.

"Tro inte alltid alla om ont, Fredrik."

Det var Aneta Djanali.

"Jag tror hon vet mer än hon säger", sa Halders. "Både om Paula och hennes pojkvän. Eller pojkvänner."

"Eller flickvän", sa Aneta Djanali. "Det kanske var så. Det kanske var därför hon var så förtegen."

"I det tjugoförsta århundradet?" Halders såg sig om i gruppen. "Skulle nån skämmas för det så här sent i världen? Fan, bögarna och flatorna står ju i kö för att komma ut! Det är en jävla trängsel i garderobsdörren!"

"Paula kanske var annorlunda", sa Aneta Djanali. "Hon kanske inte ville trängas."

"Vi har ju snackat med hennes arbetskamrater", sa Halders. "Ingen antydan där."

Aneta Djanali ryckte på axlarna.

"Vi har konstaterat att hon verkade ganska ensam", sa hon.

"Det är det jag ska klämma Nina Lorrinder på", sa Halders.

"Kläm inte för hårt", sa Bergenhem.

"Är du allvarlig nu också, Lars?"

Bergenhem nickade.

"När ska du komma ut, förresten?"

Bergenhem ryckte till. Han öppnade munnen.

"Lägg av nu, Fredrik!" sa Winter.

"Jag bara skojade", sa Halders.

Winter och Ringmar smet från polishuset direkt efter mötet. Winter föreslog en plats där de kunde prata, kanske tänka.

Ringmar körde till Gullbergsvass och parkerade nedanför gasklockan. Lukten av snus var stark från tobaksfabriken.

De gick över vägen och fortsatte utefter kajen. De rostiga farkosterna törnade fram och tillbaka i vattnet. En del var bebodda av samhällets avhoppare. Ringmar nickade mot en husbåt som en gång måste ha seglat. Nu var den röd av rost och inte längre bostad. Fönsterrutorna var tomma och svarta. En mås lyfte från däck och flög med ett hest skri mot andra sidan älven. I bakgrunden passerade en pråm. Ett lätt regn började falla. Winter fällde upp rockkragen. Han tittade uppåt och såg himlen öppna sig mot norr när regnmolnet drog söderut. Regnet upphörde. Winter tände en Corps. Röken flöt iväg över vägen, efter regnet.

"Där bodde strippan som Bergenhem föll för", sa Ringmar när de passerade den halvsjunkna husbåten.

Winter nickade. Bergenhem hade fallit, hårt, och flera gånger, i båten, på golvet i en bar, på ett fält. Han hade nästan dött. Det var ett fall som återkom i Winters tankar, allt oftare under senare tid. Det var ett ohyggligt fall. Han hade gått vidare, de hade alla gått vidare. Ibland förstod han inte varför. Det var som att vara mitt i ett krig och överleva och sedan ge sig ut igen och överleva och sedan ge sig ut igen.

"Du kanske skulle vara lite mer bestämd under mötena", sa Ringmar och vände sig mot Winter. "Alltså när det gäller mötesdisciplinen."

Winter tog cigarren ur munnen.

"Tänker du på Halders?"

"Ja... och Bergenhem."

"Halders tänker bättre när han låter munnen gå." Winter log. "Se på dig och mig."

"Det blir för personligt", sa Ringmar. "Bergenhem tog illa upp."

"Mhm."

"Halders gick över gränsen."

"Är Bergenhem bög?"

"Inte vet jag."

"Det är ju hans sak", sa Winter.

"Just det. Det är till exempel inte Halders sak."

"Lars är en sökande ung man men jag tror inte han är bög", sa Winter och log igen. "Och är han det så skiter jag i det."

"Han kanske inte gör det själv", sa Ringmar. "Skiter i det, alltså."

"Behöver han prata om det, tror du?" frågade Winter.

Ringmar ryckte på axlarna.

"Hanne är tillbaka efter jul."

"Jaså?"

Hanne Östergaard hade under flera år varit polisernas präst och själavårdare. Winter hade under vissa perioder arbetat nära henne. Det hade varit komplicerade fall. Hon hade varit till hjälp, för honom och för andra. De två senaste åren hade hon varit sjömanspräst i Sydney. När hon fått jobbet hade hon berättat det för Winter. Han hade frågat henne om det gick att komma längre bort från Göteborgs undre värld och hon hade svarat nej. De hade inte fått någon vikarie för henne. Det var så det fungerade inom polisadministrationen. Kollegerna fick vänta med sitt inre lidande. Kanske gick det över av sig självt.

Ett nät av svarta fåglar vecklade ut sig över barackerna på andra sidan. Det såg ut som ett nytt regn. Winter hörde tjutet från en bogserbåt. Älven hade sina egna sirener.

"Jag vill inte vara bestämd", sa han och drog in rök och blåste ut. Röken flöt över vattnet nu, vinden hade vänt. "Det leder nästan alltid fel."

Ringmar sparkade till en liten sten. Den flög i vattnet och gjorde tre smörgåsar.

"Har du tränat på det där länge?" frågade Winter.

"Då ska du se vad jag kan göra med vänsterhanden."

Winter såg fågelsvärmen vika av mot söder och flyga rakt mot honom. Han kunde fortfarande inte se om det var kråkor, skator, kajor. Det gick att höra ljudet av vingarna, som en andra vind.

"Hon skrev att hon skulle bli som fågeln", sa han och följde fåglarna när de passerade ovanför och fortsatte söderut, blev mindre, började försvinna i himlens grå. "Hon skulle bli som fågeln som flög förbi utanför."

Ringmar svarade inte. Winter tog blicken från himlen och tittade på Ringmar som såg ut att ha bleknat. Det kunde vara ljuset. Det gjorde allt blekt.

"Vi har analyserat det där brevet på innehåll och yta men vi har inte kommit så mycket längre", sa Winter.

"Vi har aldrig stött på nåt liknande", sa Ringmar.

"Det kanske kan hjälpa oss."

"Hur skulle det hjälpa oss, Erik?"

"Vi har inget att utgå ifrån. Ibland är det bra."

Ringmar sparkade till en sten igen. Den nådde inte kajen. De mötte en man på flakmoped. Han hälsade inte. Winter vände sig om och såg honom stanna vid en av båtarna, en liten trålare som nyligen målats om. Den såg sjöduglig ut. Mannen bar röd toppluva. Han försvann under däck. Den där skutan kan passera ekvatorn, tänkte Winter. Den håller för det.

"Finns det andra brev?" sa Ringmar och måttade mot en sten till men avbröt sig.

"Hur menar du?"

"Jag vet inte... antingen att Paula skrivit nåt sånt här förut... där det inte handlat om mord naturligtvis, eller kidnappning... men att hon meddelat sig så här förut."

"Till vem?"

"Föräldrarna."

"Dom borde väl ändå ha sagt *det*?" sa Winter.

Ringmar svarade inte. Winter hörde mopeden starta. Han vände sig om och såg mannen i toppluvan svänga runt och passera dem. Det låg en fylld sopsäck på flaket. Den studsade till med ett elakt ljud när mopeden passerade dem.

"Dom kan väl inte tiga om allt?" fortsatte Winter.

"Varifrån kom pengarna till Paulas lägenhet?" sa Ringmar.

Mario Ney hade skrivit under köpekontraktet till bostadsrätten i Guldheden. Han ägde den till nio tiondelar.

"Spelar det nån roll?" sa Winter.

"Det var mycket pengar", sa Ringmar.

"Ett arv från Sicilien?" sa Winter.

Ringmar log.

"Har du varit där nån gång, Erik?"

"Ja. Tio år sen ungefär. Taormina. Men det är väl inte Sicilien."

"Vad är det då?"

"Drömmen om Sicilien. Så ser det inte ut i verkligheten."

"Jag undrar hur Marios verklighet såg ut."

"Han vill inte säga nåt om det."

"Nej, just det."

"Har han gjort det förut?" sa Ringmar och stannade. Kajen var våt och glänsande och såg ut som en landsväg byggd av sten.

"Mördaren? Har han mördat förut? Är det det du menar?"

"Ja. Och tvingat offret, eller offren, att skriva avskedsbrev."

"Var är dom breven då?"

"Kanske aldrig avsända", sa Ringmar.

Winter tänkte. Det föll ett regn igen, men så svagt att det inte syntes när det nådde marken.

"Menar du att det finns familjer därute som sitter med avskedsbrev från sina kära som dom inte har berättat om?"

"Jag vet inte om jag tänkte så långt."

"Säg att nån försvunnit från familjen, gett sig iväg, kanske rymt, och sen kommer det ett brev som handlar om kärlek och förlåtelse."

"Men den där personen kommer aldrig tillbaka?"

"Familjen tror att han eller hon har försvunnit av fri vilja", sa Winter. "Han eller hon lever, men vill göra det i fred."

"Det är ju inte ovanligt", sa Ringmar. "Och en sista hälsning är kanske inte helt ovanlig heller."

"Finns det några såna?" sa Winter. "Som liknar Paulas hälsning."

"Jag vågar knappt tänka på det", sa Ringmar.

"Frågan är hur vi tar reda på det", sa Winter.

"Inte pressen", sa Ringmar.

"Nej, det vore för magstarkt. Folk skulle bli lite för skräckslagna. Finns det graderingar? Mer eller mindre skräckslagen?"

Winter svarade inte. De var nästan framme vid brofundamenten. Det som sett litet ut på avstånd var mycket stort nu. Trafiken slamrade däruppe med ett ohyggligt ljud.

"Det är som med handen", sa Ringmar. "Det är sånt vi bara inte kan berätta för offentligheten."

Den vita handen. Winter hade tittat på den i går igen. Det var ett av de märkligaste ting han sett i en utredning.

Handen var vit som nyfallen snö. Den var ren, den såg orörd ut. Han hade fått ordet oskuldsfull i huvudet. Det var inget bra ord.

"Jag drömde om den i natt", sa Ringmar. "Den vinkade till mig."

De stod under bron nu. Slamret ovanifrån var som kättingar mot järn. Det tunna regnet svepte över älven som dimma. Winter kunde se silhuetter av måsar genom regndiset, på glidflykt mellan älvstränderna. En fartygssiren tjöt igen. Det lät som rop från en val.

Paula hade låtit fotografera sig två dagar innan hon blev mördad. Hon hade suttit i en automat på Centralstationen. Det var snabbast, enklast, billigast.

Winter satt med de fyra snabba bilderna framför sig. Paulas sista ansikte. Han tänkte på hennes mor, och sedan på henne igen.

Vad skulle hon med de här fotona till? En resa? Foton är alltid bra att ha med sig på en resa. Om man kommer iväg.

Han studerade hennes ansikte. Det var detsamma, i fyra versioner. Kanske sänkte hon ögonlocket på en av bilderna. Hon log inte. Hon tittade bara, rakt på honom. Hon såg inte ut att vara på väg någonstans.

Aneta Djanali vevade video, fram och tillbaka. Hon fick ont i ögonen av det gröna ljuset på bilderna, det värdelösa ljuset på Centralen.

Hon följde kvinnans alla rörelser från det att hon blev synlig tills hon försvann.

Hon följde mannens rörelser.

Det var inte kallt i rummet men hon frös. När hon tryckte på fjärrkontrollens knappar kändes fingrarna som is.

Kvinnans ansikte var som en mask bakom solglasögonen, under peruken. Aldrig i helvete att det där är hennes hår. Nu börjar jag tänka med Fredriks ord. Aldrig i helvete. Aldrig räcker. Man behöver inte svära så förbannat.

Den falska blondinen ställde in väskan mellan klockan 18.29 och 18.31. Hon var inte ensam i lokalen, men det var inte överfullt heller.

Aneta Djanali började granska de andra personerna därinne. Det var främmande ansikten, rakt framifrån, i profil. Främmande ryggar.

Hon såg en skymt av en rock.

Ett par skor.

I bildens utkant.

Rocken. En detalj, men synlig.

Skorna.

På andra sidan raden av skåp. Någon stod där, rörde sig inte. Rummet gjorde en skarp inbuktning där. Det blev ett nytt rum.

Aneta Djanali tog ut filmen på kvinnan och stoppade in filmen på mannen. Knappt sex timmar senare hade han kommit dit och tagit ut väskan. Lagt in handen. Aneta Djanali såg på rocken, på skorna. Det kunde vara samma rock. Skorna var svarta, breda. Stora. 44:or, 45:or. Hon bytte till den andra filmen. Skorna. Svarta, breda. Öberg hade gissat på storlek 44. De var stilla. Kameran nådde inte över mannens ben. Underdelen av rocken vajade plötsligt till, som av ett vinddrag, men skorna rörde sig inte. Vad var det för märke? Hon var ingen expert på herrskor. Men hon var duktig på iakttagelser.

Hon lyfte telefonluren.

"Står han och försöker gömma sig?" sa Halders.

"Eller iakttar", sa Ringmar.

"Det är väl inte normalt att bara stå stilla på det där stället?" sa Aneta Djanali.

"Han kanske värmer sig därinne", sa Bergenhem.

"Det var värmebölja ute just då", sa Aneta Djanali.

"Kör det en gång till", sa Winter.

De körde det en gång till. Rocken fladdrade till, skorna var orörliga. Winter såg att det kunde vara samma rock, samma skor.

"Vad gör han där första gången?" sa Bergenhem.

"Kontrollerar förstås", sa Halders.

"Att väskan verkligen hamnar i boxen?"

"Svar ja."

"Varför hämtar han inte ut den direkt?"

"Svar vet ej."

"Varför gå omvägen om boxarna överhuvudtaget?" sa Aneta Djanali.

"Just det", sa Ringmar.

"Kvinnan lämnar in vad vi tror är Paulas väska. Den här mannen ser att hon gör det. Kontrollerar det, kanske. Sen väntar han sex timmar med att hämta ut den. Varför?"

"Och varför ta en dubbel risk att bli upptäckt?" sa Ringmar.

"Det var meningen", sa Winter.

Alla i rummet vände sig mot honom.

"Det här är en film som är inspelad för publik", fortsatte Winter. "Det är vi som är publiken."

"Dom regisserade det?"

Det var Bergenhem.

Winter nickade.

"Det är den enda förklaring jag har. Vi skulle se det. Dom visste att vi skulle sitta och se det här och fundera över vad det handlar om."

"Och vad handlar det om då?" frågade Aneta Djanali.

"Nåt djävulskt spel", sa Halders. "Dom leker med oss."

"Men varför?" sa Bergenhem.

"Det är alltid en mycket bra fråga", sa Halders.

"Vi får titta närmare på dom där skorna", sa Ringmar.

"Ser ut som Ecco Free", sa Halders.

"Finns såna verkligen kvar i dag?" frågade Bergenhem.

"Varje välsorterad skobutik i stan säljer ungefär tjugo par Ecco Free om året", sa Ringmar.

"Det låter inte som så mycket", sa Bergenhem. "Då har dom väl sina stamkunder?"

"Kanske tjugo år tillbaka", sa Aneta Djanali.

"Varför just tjugo år?" frågade Winter.

"Vad?"

"Varför tänkte du just tjugo år tillbaka i tiden?"

"Det... vet jag inte, Erik. Jag kunde sagt trettio."

Halders sa ingenting. Han betraktade skorna på skärmen. De väntade på förstoringar. Skorna såg rena ut, nästan oanvända. Sulan var grov.

"Jag har sett såna där", sa Halders, "och det rätt nyligen." Han lyfte blicken från skärmen. "Var såg jag dom?"

Winter reste sig från stolen. Det luktade starkt av kaffe i det lilla rummet eftersom han just vällt omkull platsmuggen på bordet framför sig. Halders hade hoppat undan i sista stund för att inte få det heta kaffet på låret.

"Se upp för helvete!"

Winter gick iväg efter pappershanddukar.

"Jag ber om ursäkt", sa han när han var tillbaka.

"Hur klumpig kan man bli?!" sa Halders.

"Det var en olyckshändelse", sa Ringmar.

"Killen är en vandrande olycka", sa Halders.

"Jag bad ju om ursäkt", sa Winter och började torka av bordet.

"Tänk om det legat avgörande bevisföring på det här bordet", sa Halders. "Fingeravtryck, blodspår, anteckningar, underskrifter. Skoavtryck."

Winter svarade inte. Efter några månader på roteln började han vänja sig vid Halders. Och kaffet hade varit en olyckshändelse. Han misstänkte att Halders misstänkte något annat, men sådan var Halders natur.

Dörren öppnades och Birgersson steg in rummet.

"Vad händer här?" sa han.

"Ingenting", sa Ringmar.

"Har du tid en minut, Erik?" sa Birgersson och viftade med tummen mot dörren.

Winter följde honom genom korridoren till rummet. Vägen kändes lång, som om en reprimand väntade när marschen var över.

"Sätt dig", sa Birgersson och ställde sig vid fönstret. Det var sen oktober därute. Från där Winter satt såg det ut som om en mur rests utanför fönstret under natten hela vägen från jorden till himlen. Den kvävde ljuden därute. Det enda som hördes var Birgerssons inandning när han drog ner rök i lungorna. Hans rum luktade av tobak, gammal och ny. Det stod en urdrucken kaffekopp på skrivbordet, bredvid ett överfullt askfat.

"Ta dig ett bloss om du vill", sa Birgersson.

Det räcker att andas härinne, tänkte Winter.

"Jag försöker vänta tills efter tolv", svarade han.

"Som Hemingway", sa Birgersson. "Författaren."

"Jag vet vem det är."

"Fast då handlade det om sprit", fortsatte Birgersson. "Han drack ingenting före tolv men då drack han desto mer. " Birgersson log. "Men i slutet av karriären satt han nånstans på jorden och började tuta redan klockan tio och nån påpekade att klockan inte var tolv än och då sa han: Fan, den är tolv i Miami!"

"Okej", sa Winter och tog fram Corpspaketet.

"Varför röker du den där skiten?"

"Det har blivit en vana."

Birgersson skrattade till och drog ett bloss igen och blåste ut röken. Fönstret stod öppet en decimeter och röken gled ut och försvann bland alla de andra grå nyanserna.

"Jag hörde att du hade ett snack med den försvunna tjejens man igen", sa Birgersson.

"Jag håller på och skriver ut förhöret just nu", sa Winter.

"Nej, just nu sitter du här. Men berätta."

"Tja... jag kom inte längre, precis. Om det går att komma längre med honom. Han säger att dom småbråkade ibland men att det inte var nåt allvarligt."

"Mhm."

"Att hon ville ha barn men att han ville vänta."

"Tror du han döljer nåt?"

"Jag vet faktiskt inte. Vad skulle det vara?"

"Att han är skyldig, förstås."

Winter såg Christer Börge framför sig. Skulle han ha kunnat mörda sin hustru och gömma liket och låtsas som ingenting? Spela rollen av orolig man efter hustruns försvinnande?

"Det är inte helt ovanligt, vet du", sa Birgersson.

"Jag vet", sa Winter.

"Har du pressat honom lite?"

"Så gott jag kunnat."

"Vill du ha hjälp?"

"Du tror att han har gjort nåt?" frågade Winter. "Du tror verkligen det?"

"Jag tror ingenting som du vet. Det här är ingen kyrka. Jag frågar bara om vi ska klämma lite på den här Börge för att se om det kommer ut nåt mer."

"Inte mig emot", sa Winter.

"Ta in honom", sa Birgersson.

Det hade börjat blåsa när Winter steg ut från polishuset. Han hade behövt en halsduk. Han hade dessutom fått ont i halsen under den senaste timmen. Det kändes inte lockande att cykla hem.

Han hörde en signal från en bil och vände på huvudet. Halders vinkade bakom ratten.

Winter gick dit.

"Behöver du skjuts?"

"Okej."

Winter steg in i bilen och Halders gjorde en rivstart.

Han körde genom Allén. Träden skulle vara helt nakna inom några få veckor. Röda löv singlade i luften.

Winter hostade till.

"Förkyld?"

"Jag vet inte."

"Det är nåt som går nu. Aneta kände sig krasslig i morse."

"Vi har inte tid att vara sjuka, eller hur Fredrik?"

"Nej, chefen."

"Det var längesen du kallade mig chefen."

"Har jag nånsin gjort det?"

"Skulle vara det första året då."

Halders skrattade till.

"Ja, just det. Det var då vi blev vänner för livet."

Winter log.

"Ett tag trodde jag du spillde ut kaffe med vett och vilja", fortsatte Halders. "Det skedde alltid när jag satt bredvid."

"Så det var därför du flyttade till andra änden?"

"Naturligtvis."

"Jag var bara klumpig", sa Winter. "Och osäker."

"Så vad är nytt?" sa Halders.

"Vi är äldre", sa Winter och nickade mot gatan. "Du kan stanna här."

Halders svängde av.

"Jag ska träffa väninnan nu", sa han. "Nina Lorrinder."

"Lycka till."

"Hon har fler historier att berätta."

14

NINA LORRINDER HADE ETT HÅRBAND som lyste av en röd nyans som Halders inte visste om han hade sett förut.

Han frågade.

"Karmosin", sa hon och gav honom en lång blick.

"Bara nyfiken", sa han.

"Är du intresserad av färger?"

"Farsan ville att jag skulle bli målarmästare."

Nina Lorrinder tittade bort mot trevåningshuset i andra änden av torget. Den understa våningen var av sten, de två översta av trä. Det kallades landshövdingehus och hustypen fanns bara i den här staden. Två målare stod på ställningar och strök fasaden i en gul nyans som Halders hade sett förut.

"Som dom där", sa Halders.

Hon vände tillbaka blicken mot honom igen.

"Men det är inte nyttigt i det långa loppet", fortsatte Halders. "Åtminstone var det inte så förr. Färgen sätter sig i lungorna. Och på hjärnan."

Hon kastade en blick på målarna igen.

"Man kan bli lite dum", sa Halders. "Inte för att jag tror att dom där gossarna är det, eller kan bli det, men det är bättre att inte ta några risker."

Hon hade fortfarande inte sagt något. Halders undrade när hon skulle avbryta honom.

"Så jag blev polis i stället", sa han.

"Är du ironisk?" sa hon.

"Bara lite."

Hon såg sig om igen, som om hon accepterade Halders ord om

vad som helst och inte förväntade sig något annat än att sitta på bänken och lyssna på vad som än komma skulle. Det var inte kallt. Halders kände till och med den svaga solen i nacken. Han kunde se några åldringar på en bänk på andra sidan fontänen. Solen såg stark ut i deras vaxansikten. Ansiktena hade ungefär samma gulbleka nyans som den som målarna höll på att stryka uppifrån och ner över husväggen. Halders hörde musik därifrån, rockmusik ur en bergsprängare som balanserade på ställningens andra våning, men han kunde inte avgöra vad det var för låt. Avståndet var för långt. Gamlingarna kunde inte avgöra det heller. De tillhörde generationen före rock'n'roll, generationen före honom.

När han själv skulle sitta så där med stela leder och gult ansikte skulle han försiktigt kunna röra skallen till rock'n'roll om några hantverkare var i närheten med sina eviga bergsprängare. Men de skulle inte spela rock'n'roll då. Gud vet vad de skulle spela. Kanske det inte fanns något kvar att spela.

"Du hade visst några frågor", sa Nina Lorrinder.

"Hur länge har du känt Paula?"

"Du låter som om hon fortfarande levde. Som om jag fortfarande kände henne."

Halders sa ingenting. Nina Lorrinder såg bort mot målarna. De var på väg ner från ställningen nu. Musiken var avstängd.

"Men det gör jag väl", fortsatte hon utan att se på Halders. "Så kan man ju se det. Man kan känna så." Hon såg på Halders. "Förstår du hur jag menar?"

"Ja."

"Hur kan du förstå?"

"Min fru blev ihjälkörd av ett rattfyllo. Vi har två barn."

"Jag är ledsen."

"Det var jag med. Förbannat ledsen, och förbannat arg. Så jag kan förstå dig."

"Jag har också varit arg", sa hon.

"Varför?"

"För att det var så... hemskt. Så hemskt. Och så meningslöst."

Halders nickade.

"Vem kan göra nånting sånt?"

"Det är det vi försöker ta reda på."

"Och varför?"

"Vi försöker ta reda på det också."

"Men hur ska ni kunna det?"

"Genom att göra det jag gör nu, bland annat."

"Det går ju så långsamt", sa hon. "Ställa frågor. Och sen ska ni gå igenom svaren. Blir man inte galen av att det går så långsamt?"

"Inte som en målare", sa Halders.

Målarna hade gått för dagen. Halva väggen hade en gul nyans men solen sken på den omålade delen av huset och väggen där såg ännu gladare ut.

De gamla på bänken mitt emot hade också gått för dagen.

"Men det går ju så långsamt", upprepade Nina Lorrinder.

"Det är enda sättet", sa Halders.

"Jag vill veta nu", sa Nina Lorrinder. "Vem. Och varför."

"Så hur länge har du känt Paula?" frågade Halders.

Mobiltelefonen ringde när han gick över Kungstorget. Han såg sin mors nummer på displayen. Eller displayan, om man ville vara vitsig. Siv hade kallat den så. Winter hade blivit förvånad. Elsa hade tagit in det nya ordet i sitt ordförråd.

"Pappa!"

"Hej gumman!"

"Vad gör du pappa?"

"Jag ska gå och handla mat i Saluhallen."

"Vad ska du handla?"

"Nån fisk, tror jag."

"Vi åt fisk i går."

"Vad bra."

"Jag stekte den!"

"Vad duktig du är, Elsa."

"Lilly fick en liten bit. Hon spottade ut den."

"Det var väl synd."

"Det sa jag till henne också!"

"Vad sa hon då?"

"Bläauäää!"

"Vad betyder det?"

"Att hon vill ha mjölk av mamma i stället!"

"Ha ha!"

"Men mamma säger att hon inte får det."

"Jag vet, gumman."

"Jag tycker det är dumt av mamma."

"Lilly måste börja äta lite fisk nu. Hon börjar bli stor nu."

"Hon är inte alls stor!"

"Nej, inte som du Elsa."

"Är du hemma när vi kommer hem, pappa?"

"Det är klart jag är."

"Vi kommer i morgon!"

"Det är visst i övermorgon, tror jag."

"Jaha."

"Jag har köpt en present till dig. Och en till Lilly."

"Jag har köpt en present till dig, pappa!"

"Det ska bli spännande."

"Här kommer mamma. Kram och puss!"

"Kram och puss, gumman."

Han hörde ett skrammel i bakgrunden, och ett skrik från ett litet barn. Han hörde sin mammas röst. Siv hade fullt upp.

"Sådär ja", sa Angela. "Kvällsmålet är avklarat."

"Inte mitt."

"Jag förstod att du stod utanför Saluhallen."

"Framgick det?"

"Slutledningskonst. Känner du igen det?"

"Nej."

Lilly gastade till i bakgrunden igen.

"Nu är allt klart härnere", sa Angela. "Det blir dyrt om vi inte kommer tillbaka i höst."

"Allt är klart", sa han.

"Är det clearat med alla inblandade?"

"Ja", ljög han.

"Du ljuger."

"Nej."

"Det gör du visst. Vad tycker farbror Birgersson om det här?"

"Jag vet inte vad han tycker, om jag ska vara ärlig, men han har beviljat tjänstledigheten. Och han har sin egen pensioneringskris att tänka på."

"Men du ska väl inte pensioneras, Erik?"

"Naturligtvis inte."

"Jag vill inte att det här blir slutet på din karriär. Det är inte mening..."

"Vitling", avbröt Winter. Han läste på anslaget utanför fiskaffären i hallens västra ände. "Det får bli vitlingfiléer."

"Du avbröt mig."

"Lätt doppade i mjöl, snabbstekta i olivolja med vitlök och citron och lite persilja. Potatispuré. Rieslingen från Hunawihr."

"Låter som om du klarar dig bra utan oss."

"Jag klarar mig tills i övermorgon och inte en dag längre."

"Bra."

"Jag längtar efter er."

"Drick inte upp alla flaskorna som tröst."

"Det är bara 2002:an som är slut. Eller tar slut i kväll."

"Vi får nog sluta här nu. Lilly mår lite illa på farmor."

"Vad är det?"

"Det är ingenting."

"För läkare är det aldrig nånting", sa Winter. "Man kan fråga sig om läkaryrket behövs."

"Ska du avskaffa mig precis som du håller på att avskaffa dig själv?"

"Ta hand om Lilly nu", sa han och de sa farväl och tryckte av.

Han gick in i butiken och köpte fisken och gick sedan hem genom Kungsparken. Träden skiftade i rött och gult i topparna, som ett färgat hår som börjar återta sin ursprungliga färg. Och snart skulle håret falla till marken. Och sedan skulle det växa ut igen. Det var en underlig värld.

Vasaplatsen låg öde. Den låg nästan alltid öde runt obelisken.

Ibland satt det någon på bänkarna i den södra änden, men inte alltid. Vasaplatsen var inte en plats för vila, det var inte ens en park fastän den var grön. Men det här kvarteret var en plats för vila för Erik Winter. Det var hit han alltid återvände, till stadens centralpunkt. Det var lugnt i kärnan. I stormkärnan.

Han låste upp porten och tog den gamla hissen upp till våningen. Hissen var hundra år och smyckad som för en kväll i Riddarhuset. Så länge Winter bott här hade den motvilligt klättrat upp med honom till det tredje våningsplanet. Den hade aldrig gått sönder såvitt han visste, men den lät alltid som om det skulle ske när som helst.

I köket la han paketet med de små filéerna på bänken och tog fram olivolja, vitlök och potatis ur skafferiet. Han skalade potatisen och skar den i mindre bitar. Han öppnade alsacevinet och drack ett första glas. Det var svalt och lugnande, som om någon man litade på lagt sin hand över ens panna. Som om allt skulle ordna sig till slut.

Det luktade gott i köket när han halstrade fisken med skivad vitlök i olivoljan. Han la i en liten näve skuren persilja och kramade i en halv citron. Han åt fisken med purén, som smakade av smör och grovt salt, och några färska brytbönor. Han drack två glas vin till maten och tog med sig flaskan in i vardagsrummet när han dukat av.

Det fanns fortfarande ingen nere på Vasaplatsens gräs. Han rökte på balkongen men såg ingen göra detsamma på balkongen på andra sidan. Skymningen föll snabbt. Många väntade på spårvagnarna därnere under hans fönster. Spåren löpte samman under honom. Hela staden hade sin korsningspunkt därnere, sin brytpunkt. Alla i hela staden passerade någon gång i sitt liv under hans fönster. Tittade de upp skulle de se honom.

Han gick in och satte sig i fåtöljen. Han hällde upp ett glas vin och knäppte på sin laptop. Han letade sig fram i filerna. Ljuset från skärmen var det enda ljuset därinne.

Telefonen ringde.

*

"Två år är det väl", sa Nina Lorrinder.

"Ni har känt varandra i två år?" frågade Halders.

Hon nickade.

"Men det där har jag ju berättat för den andre polisen."

"Jag vet."

"Och ändå frågar du?"

"Var brukade ni träffas? Bortsett från i kyrkan?"

"Ja... på nåt kafé. Bio ibland. Puben nån gång."

Halders nickade.

"Ibland på Friskis & Svettis."

"Vilket av dom?"

"Det på Västra Hamngatan."

"Hinner man egentligen träffas då?" frågade Halders.

"Vad menar du med det?"

"Det är ju så mycket stånkande och stönande."

Nina Lorrinder skrattade nästan till.

"Det finns ett litet kafé också", sa hon.

"Och där träffades ni?"

Hon nickade.

"Hur gick det till?"

"Nu förstår jag inte."

"Var ni ensamma?"

"Ja."

"Varje gång?"

"Ja."

"Var hon vältränad?"

"Spelar det verkligen nån roll?"

Halders visste inte. Gjorde det det? Ingen annan visste heller.

"Jag försöker bara lära mig så mycket som möjligt om Paula", sa han.

"Jag vet inte om jag... gjorde det", sa hon. "Kände henne så bra alltså."

"Varför inte?"

"Hon... ville väl inte släppa nån så nära."

"Varför ville hon inte det, tror du?"

"Hon... var väl bara sån."

"Hur är man då?"

"Ja... tillbakadragen, kanske. Eller lite reserverad." Nina Lorrinder tittade rakt över bordet på Halders. "Alla är inte likadana."

"Nej, sannerligen inte."

"Hon ville väl mest vara för sig själv."

"Men hon gick på Friskis & Svettis", sa Halders.

"Man får väl egentligen mest vara för sig själv där också, som du själv sa förut."

"Stånkandet och stönandet."

"Just det."

"Alla kämpar för sig själva."

Nina Lorrinder verkade inte höra det sista. Hon såg helt plötsligt ut som någon i djupa tankar.

"Hur ofta tränade ni?" frågade Halders.

"Eh... vad sa du?"

Halders upprepade frågan. Nina Lorrinder verkade plötsligt borta i sina tankar. Hennes blick var inte kvar.

"Hur är det?" frågade Halders.

"Jag kom att tänka på nåt..."

Halders väntade.

"När du frågade om vi satt i kaféet ensamma."

"Ja?"

"Jag tror hon träffade nån på träningen."

Halders sa ingenting. Han nickade bara.

"En... man."

Nina Lorrinder såg ut att stirra in i det förflutna så hårt att det skulle hjälpa henne att minnas. Hon blundade, som för att göra blicken klarare. Hon öppnade ögonen. De var klarare nu.

"Jag har kanske fel."

"Fortsätt bara."

"Hon pratade med nån ett par gånger."

"Var?"

"När vi... på träningen. I salen."

"Är det så ovanligt?"

"För Paula var det det."

"På vilket sätt?"

"Hon tog helt enkelt inte kontakt. Inte på det sättet."

"Det kanske inte var hon som gjorde det. Han kanske trampade henne på tårna och bad om ursäkt. Det kanske hände flera gånger."

"Jag vet inte..."

"Det kanske är ett av sätten att ragga på Friskis & Svettis."

"Jaså?"

"Är det inte ett av stans stora raggställen?"

"Jag vet faktiskt inte. Jag har inte tänkt på det."

"Men du märkte att Paula pratade med nån."

"Ja."

"Tillräckligt mycket för att du skulle tänka på det", sa Halders. "Minnas det."

"Det kanske inte betyder nåt."

"Vad minns du mer? Om Paulas möte."

Nina Lorrinder blundade igen. Hon försökte verkligen. Halders kunde nästan se tankarna röra sig innanför pannan. En nerv började bulta. Hon strök tillbaka håret över ena örat. Tinningen fortsatte att bulta.

Hon öppnade ögonen igen.

"Det var som om hon kände honom."

Winter lyfte telefonluren samtidigt som han tittade på klockan.

Det var Torsten Öberg.

"Det är kanske sent", sa han, "men jag trodde du ville veta. En tjej på SKL jobbade över och hon trodde jag ville veta också."

"Vad har vi fått veta, då?"

"Det är blod och det är hennes", sa Öberg.

"Vad?"

"Något av en besvikelse, eller hur?"

"Men fläcken var väl gammal?"

"Ja. Dom kan inte säga exakt hur gammal, men mer än en månad."

"Så hon hade med sig repet själv", sa Winter.

"Det vet jag däremot inte", sa Öberg. "Det är ditt jobb."

"Och inga andra spår? På repet?"

"Inga andra spår."

"Vi vet inte om hon själv knutit öglan", sa Winter.

"Nej. Fläcken kan ha hamnat där när som helst."

"Förbannat. Jag hade hoppats på det här."

"Du är inte den ende."

Winter hörde spårvagnen utanför. Senare var det inte. Det var ett klumpigt ljud, hemtamt, lugnande. När spårvagnarna slutade gå för natten blev staden en oroligare plats.

"Kan vi ha missat nånting i det där rummet?"

"Är det där en förolämpning, Erik?"

"Jag pratade för mig själv."

"Inte tillräckligt lågt."

"Kom igen, Torsten. Prata lite själv för dig själv."

"Kan vi ha missat nånting i det där rummet?" sa Öberg.

"Kan vi?"

"Missat vad, Erik? Spår? Märken? Fläckar? Tror jag inte. Jag skulle vilja säga att jag med största sannolikhet tror att vi inte gjort det. Men jag kan inte veta."

"Mhm."

"Det var ett prydligt rum. Ett rent rum. Det blir värre då."

15

"SÅ DEN JÄVELN KANSKE HOPPADE groda bredvid henne!"

"Hoppade groda?" frågade Ringmar.

"Eller vad fan dom har för övningar på Friskis & Svettis", fortsatte Halders.

Han hade ringt Winter direkt efter att han talat med Nina Lorrinder.

"Det är väl dags då att du får se själv", sa Winter.

"Ska bli intressant."

"Hur tydligt är signalementet?" frågade Bergenhem.

"Svävande", svarade Halders.

"Hon kan inte ha tagit fel?" sa Ringmar.

"Tagit fel, tagit fel, alla kan ta fel." Halders sträckte armarna bakåt, som om han redan var i träningslokalen. "Men hon såg Paula prata med nån, tydligen flera gånger. Hon fick för sig att dom hade setts förut, nån annanstans. Och Nina Lorrinder verkar inte vara nån tossa." Halders tog ner armarna. "Allt det här fick jag dra ur henne med tång."

"Såna vittnen tycker vi om", sa Ringmar.

"När dom väl börjar snacka, ja", sa Halders.

Ringmar ändrade ställning på stolen, och ändrade ställning igen. Halders armrörelser smittade av sig. Snart skulle de alla börja gymnastisera inne i grupprummet.

"Kan vara vem som helst", sa Ringmar.

"Det är det vi ska utesluta, eller hur?" Halders sträckte ut armarna bakom sig igen. Det knakade i lederna som torrt virke som knäcks. "Eller tvärtom."

"Du behöver sannerligen gymnastik", sa Bergenhem.

"Gymnastik med lek och idrott", sa Halders. "Jag var alltid bäst."

"På vilket?"

"Du är för ung för att förstå det, grabben."

"Nu förstår jag inte."

Dörren öppnades. Aneta Djanali kom in i rummet och stängde efter sig.

"Redan tillbaka?" sa Halders.

Hon satte sig bredvid honom utan att svara och tog fram sitt anteckningsblock och tittade upp.

"Jag visade bilderna för personalen på Leonardsen och Talassi och alla är överens om att det är Ecco."

"Har ni bara varit i två butiker?" frågade Halders.

"Nej, men jag ville ge en bild av hur det ser ut."

"Hur ser det ut då?"

"Hur många har dom sålt?" fyllde Winter i.

"När vi talar om 44–45:or..." läste Aneta Djanali i sitt block, " sju par på Leonardsen och tio på Talassi. Det är alltså i år."

"Förra året då?" frågade Bergenhem.

"Skon fanns inte till försäljning där förra året."

"Varför inte?"

"Dom hade visst trott att ingen ville ha den mer. Att dom skulle kunna erbjuda andra märken."

"Att Ecco Free-eran var över", sa Halders.

"Hur många använde betalkort?" frågade Winter.

"Alla utom två."

"Det är dom två vi är ute efter", sa Halders.

"Jag är inte helt säker på det", sa Ringmar.

"Ska vi slå vad?" sa Halders.

"Skorna vi såg på videon kanske inte har nåt med fallet att göra", sa Ringmar.

"Ska vi slå vad om det med?" sa Halders.

"Vi går på vad vi har just nu", sa Winter. "Sätt igång."

Telefonen hade ringt två gånger. Den andra gången lyfte hon inte luren.

Hon väntade tills morgonen blev ljus och då gick hon ut, gick genom staden, parkerna. Det var inte många andra ute. Hon vände sig om. Herregud, jag får sluta med det här. Kan inte hålla på och gå baklänges.

Hon kände ett svagt illamående som inte ville släppa.

Vart ska jag ta vägen?

Christer Börge såg inte rädd ut när han satt i förhörsrummet. Han ser ut som om han varit här förut, tänkte Winter. Men det har han inte.

Förhörsrummet hade ett litet fönster som släppte in septemberljuset. Det stod en mikrofon på det filtklädda bordet. Den var som en mikrofon i en studio. Och rummet fungerade som en studio.

"Varför ska vi sitta här?" frågade Börge. Det hade han inte frågat förut. Han hade inte sagt mycket när Winter hade ringt och bjudit in honom.

"Det är lugnt och tyst", sa Winter.

Han hade först inte velat hålla förhöret. Han var ingen förhörsledare ännu. Det krävdes erfarenhet. Men Börge var ingen misstänkt. Och Winter hade träffat honom mer än någon annan. Det kunde vara en fördel. Det var åtminstone vad Birgersson hade sagt till honom innan han hade gått in i förhörsrummet.

Börge vände sig efter ljuset från fönstret. Plötsligt såg det ut som om han började frysa. Han rullade ner skjortärmarna och la sedan händerna på bordet. I det svaga ljuset inne i rummet lyste händerna mycket vita mot den gröna filtytan. Winter tänkte att det såg ut som om de aldrig utsatts för solljus. De såg ut som vit plast, eller gips.

Efter formaliteterna gjorde han sig redo för frågorna. Börge tittade mot fönstret. Det fanns bara himmel utanför. Inga träd nådde dit upp. Winter harklade sig en gång.

"Tror du att Ellen kommer tillbaka?"

Börge vände ansiktet mot honom.

"Vad är det för fråga?"

"Försök svara på den."

"Spelar det nån roll vad jag *tror*?"

Tro kan försätta berg, tänkte Winter. Men så får inte en polis tänka. En präst får tänka så.

"Ibland spelar det roll för hur man klarar av chocken."

"Vad vet du om det?"

"Vad var det sista hon sa innan hon gick hemifrån den där eftermiddan?" frågade Winter.

"Det kommer jag inte ihåg."

"Försök."

"Skulle du komma ihåg vad din fru sagt när hon gick iväg för att köpa en tidning?"

"Tänk efter."

"På vad?"

"På det jag just frågade. Vad Ellen sa när hon gick."

"Hon sa antagligen ingenting."

"Brukade det vara så?"

"Jag förstår inte vad du är ute efter?"

Winter svarade inte.

"Är du ute efter att hon sa nåt till avsked eller nåt?"

"Jag försöker bara hjälpa dig", sa Winter.

"Hjälpa *mig*?"

"Att komma ihåg."

"Men om det inte finns nåt att komma ihåg?"

Det finns alltid nåt, tänkte Winter. Om man vill minnas. Du vill inte. Och jag vill veta varför.

"Du har tidigare sagt att ni hade ett gräl innan hon gick."

Börge sa ingenting.

"Att det var därför hon gick ut."

"Det har jag väl aldrig sagt."

"Att det inte var första gången."

"Vänta här nu", sa Börge. "Ta det lugnt nu."

Winter tog det lugnt. Börge hade tagit det lugnt fram till nu. Hans svar hade kunnat verka aggressiva när man läste det utskrivna förhöret, men hans attityd var inte aggressiv. På det sättet var en utskrift av ett förhör otillräcklig. Orden var bara en del. Ibland hade orden minst betydelse. Allt borde finnas på film, tänkte Winter. På 90-talet kommer vi att filma allt.

"Hotade Ellen nånsin att lämna dig?"

Börge ryckte till. Hans blick hade sökt sig ut mot fönstret igen men bara nått halvvägs.

Nu var den tillbaka på Winter.

"Nej. Varför skulle hon det?"

"Hon ville ha barn. Du ville inte ha barn. Är inte det en orsak?"

"Nej."

"Du tycker inte att det är en orsak till skilsmässa?"

"Du förstår inte", sa Börge. "Har du själv skilt dig?"

"Nej", svarade Winter. Han hade föresatt sig att inte svara på några frågor eftersom det var han som skulle ställa dem. När förhörspersonen började ställa frågorna hade förhöret fått en felaktig riktning. Ett förhör var en envägskommunikation maskerad till ett samtal. En förhörsledare fick aldrig ge någonting. Aldrig släppa någonting ifrån sig. Aldrig säga någonting som avslöjade honom. Det var ett tagande, aldrig ett givande. Ett lyssnande. Och samtidigt handlade det om att skapa förtroende. Lyssna på berättelsen, hade Birgersson sagt: Alla har en berättelse dom vill berätta, den vill ur dom och till slut kan dom inte stoppa den.

"Är du gift?" frågade Börge.

"Hur ofta talade Ellen om att hon ville ha barn?" frågade Winter.

"Så du är inte gift", sa Börge. "Se till att bli det. Du kanske lär dig nåt."

"Vad lär jag mig?" frågade Winter.

"Tja... hur kvinnor är, till exempel." Börges blick sökte sig iväg nu och nådde fram till fönstret. "Sånt lär man sig."

"Hur är dom då?"

"Det får du ta reda på själv." Winter tyckte att Börge log. "Nåt får du väl ta reda på själv."

"Menar du att alla kvinnor är likadana?" frågade Winter.

Börge svarade inte. Han verkade studera det som fanns utanför fönstret men där fanns ingenting.

Winter upprepade frågan.

"Inte vet jag", sa Börge.

Han verkade inte märka motsägelsen i sina ord.

"Hur var Ellen jämfört med andra kvinnor?" frågade Winter.

"Hon älskade mig", sa Börge och tittade rakt på Winter igen. "Det är det enda som betyder nåt här, eller hur?"

Lobbyn var öde, som om hotellet redan slagit igen. Den unge portier som hittat Paula Ney stod bakom receptionsdisken. Bergström, han hette Bergström. Det lät norrländskt och han bröt på norrländska. Alla däruppe hette någonting på ström i kombination med annat i naturen. Det var vilt däruppe, det var vackert. Någon gång skulle Winter åka norrut. Förbi Stockholm. Han ville visa sina barn vad snö var i verkligheten. Elsa hade sett snö under sammanlagt två veckor i sitt femåriga liv. Lilly hade aldrig sett snö. Det skulle inte bli av den här vintern heller. Men det skulle komma fler.

"Vi slår igen om två veckor", sa Bergström.

"Det gick fort."

Bergström ryckte på axlarna.

"Hotellet ser igenslaget ut redan nu", sa Winter.

Bergström ryckte på axlarna igen. En gång till och det skulle vara något slags spasmer.

"Hur är det?" frågade Winter.

Portiern var på väg att rycka på axlarna men hejdade sig.

"Inget vidare", svarade han, "jag skulle egentligen inte vara här."

"Varför inte?"

"Sjukskriven. Men säg inget till försäkringskassan. Salko har influensa och det finns ingen annan kvar."

"Finns det några gäster då?"

"Ett par försäljartyper. Men dom är ute och säljer."

Winter såg ett svagt leende hos mannen. Det försvann lika snabbt som det kommit.

"Ni kan ha kvar avspärrningen tills stället slår igen", sa Bergström.

"Det var snällt", sa Winter.

"Det var inte så jag menade."

"Jag går upp", sa Winter och lämnade receptionen och gick upp-för trapporna.

Han klev över avspärrningsbanden och öppnade dörren.

Han stod mitt på golvet och lyssnade till ljuden utifrån. De var svaga men tydliga genom tvåglasfönstren.

Hade hon tagit med sig repet själv?

Hade mördaren tagit med sig repet?

Kände de varandra?

Han såg sig om. Rum nummer tio. Allt var bekant därinne, som i en cell. En plats man känner väl, men inte vill tillbringa en se-kund av sitt liv på. Han såg uppåt, mot bjälken som repet slagits runt. Hon hade inte gjort det själv.

Winter hade inte sett henne hänga, Bergström hade sett till att han inte behövde se. Men han hade velat göra det. Vilken jävla önskan. Jag önskar att jag stod här då och såg henne svänga i re-pet.

Hade jag lärt mig nåt? Förstått nåt?

Han kände den välbekanta ilningen i nacken och över skalpen. Han blundade och såg synen han ville se och inte ville se. Samti-digt kände han draget från fönstret, som om någon öppnade det medan han stod där. Som om någon betraktade honom.

Han öppnade ögonen. Fönstret var stängt. Rummet var stängt. Men han visste att han skulle komma tillbaka hit.

Han mindes hennes ord, allihop: Jag älskar er och jag kommer alltid att älska er vad som än händer med mig och ni kommer all-tid att finnas med mig vart jag än går och om jag gjort er arga på mig så vill jag be om förlåtelse och jag vet att ni förlåter mig vad som än händer med mig och vad som än händer med er och jag vet att vi kommer att träffas igen.

Elisabeth Neys ansikte var blekt och slutet. Hon hade öppnat sina ögon för en liten stund sedan men hon såg ändå... tillstängd ut. Avstängd. Instängd. Winter visste inte. Han satt på stolen bredvid sängen. Det stod en vas med röda blommor på sängbordet. Han kunde inte se något kort.

”Jaså, det är du”, sa hon.

”Jag dyker upp överallt”, sa han. ”Jag ber om ursäkt för det.”

Hon blundade en gång, som om hon accepterade ursäkten.

”Hur mår du?” frågade han.

Hon blundade igen. Det måste betyda ja. Två gånger var nej.

”Jag vet inte vad jag gör här”, sa hon efter en liten stund. ”Hur jag hamnade här.”

”Du behövde vila”, sa Winter.

”Är jag sjuk?”

”Har du inte pratat med nån läkare?”

”Dom säger att jag behöver vila.”

Winter nickade.

”Men dom släppte in dig.”

Hon sa det i samma släpande ton som det andra. Det fanns ingen anklagelse i tonen.

”Jag ville se hur du mådde”, sa han. ”Och jag erkänner att jag ville ställa ett par frågor också.”

”Jag förstår det. Och jag vill verkligen hjälpa till. Men jag vet inte vad jag ska säga.” Hon rörde huvudet på kudden. ”Eller vad jag ska minnas.”

Hennes bruna hår såg svart ut mot kudden. Ljuset föll in genom persiennerna och gav henne ringar både över och under ögonen. Hakan såg ut att vara i två delar. Det fanns ett särskilt drag över ögonen som Winter tyckte att han hade sett förut, hos någon annan. Det var en ganska normal iakttagelse. Det fanns människor överallt som inte var släkt på något sätt men ändå påminde om varandra. Så var det med Elisabeth Ney. De ögonen hade han sett hos någon annan. Han visste inte vem, eller var, eller när. Någon han mött eller sett på gatan, i affären, i en bar, i en park. Var som helst och när som helst.

Det fanns grönt i hennes ögon.

”Det är möjligt att Paula träffade en man på träningen”, sa Winter.

”Träning? Vilken träning?”

"Friskis & Svettis. Visste du inte det?"

"Eh... jo. Jovisst."

Hon såg inte säker ut. Men det behövde inte betyda något. Den här gången var det kanske själva orden som var sanningen.

"Sa Paula aldrig nåt om det?"

"Att hon tränade?"

"Om hon träffade nån där."

"Hon sa ju inte ens att hon träffade nån alls. Överhuvudtaget. Det har jag sagt förut."

Winter nickade.

"Hon hade sagt det till mig om det var så."

"Finns det nån anledning till att hon inte skulle vilja säga nåt?" frågade Winter.

"Nu förstår jag inte."

"Hon kanske ville säga till dig att hon hade sällskap. Men hon kunde inte göra det."

"Varför skulle hon inte kunna göra det?"

"Hon kanske inte vågade."

"Varför skulle hon inte våga det?"

"Jag vet inte."

"Menar du att hon skulle vara tillsammans med någon som tvingade henne till tystnad?"

"Jag vet inte det heller. Det är bara en... frågeställning."

Elisabeth Ney hade rest huvudet från kudden. Winter kunde se fördjupningen i kudden efter henne. Den var som en skugga.

"Hon skulle ha berättat för mig. Vad det än var."

Winter nickade.

"Tror du att hon följde med till det där hotellet frivilligt?" frågade hon.

"Vad är frivilligt?"

"Menar du att hon var drogad?"

"Just nu menar jag nog ingenting", sa Winter.

Men Paula hade inte varit drogad. Det hade obduktionen visat. Kanske hon varit paralyserad. Skrämd till orörlighet. Obduktionen kunde inte visa sådant.

"Men om nån släpade in henne i hotellet... i det där rummet... så måste väl nån annan ha sett det?" Elisabeth Ney satt upp nu. Hon var nästan på väg ner från sängen med fötterna mot golvet. Winter förstod att en del av chocken började släppa till slut. Frågorna började komma. "Det måste väl nån ha gjort?"

"Det är vad vi hoppas på också", sa Winter. "Vi söker vittnen. Vi jobbar med det hela tiden."

"Det finns ju folk som arbetar på hotellet? Vad säger dom?"

"Ingen har sett henne", sa Winter.

"Städerskorna då? Ser dom inte allt? Dom går ju in i rummen?"

"Inte i... det rummet", sa Winter. Det kändes som ett personligt misslyckande att säga det. "Dom städade inte där sista dygnet."

"Herregud."

Winter sa ingenting.

"Hade dom gjort det hade kanske Paula varit vid liv!"

Winter försökte försvinna därifrån, bli en del av luften, låta ansiktet bli outgrundligt. Elisabeth Ney hade plötsligt fått färg. Hon såg yngre ut. Winter fick åter den vaga känslan av igenkännande.

"Och hur kan nån skriva in sig på ett hotell utan att bli sedd?" sa hon och ställde sig vid sidan av sängen. Winter sträckte fram en hand för att stötta henne men hon viftade undan den.

"Hon skrev inte in sig", svarade han.

"Varför skulle hon inte göra det? Varför gjorde hon inte det?" Elisabeth Neys ansikte var nära honom. Huvudet började falla framåt. Hon försökte böja det bakåt igen med en ryckig rörelse. Winter tänkte på de videofilmade sekvenserna från Centralen. "Varför såg ingen henne i lobbyn? Varför?"

"Det försöker vi också att förstå. Men vi vet alltså inte hur det gick till."

"Vet ni hur nånting gick till?"

"Inte mycket."

"Herregud."

Hon vacklade till och Winter sträckte fram en arm och stödde henne nu. Hon satte sig på sängkanten igen. Nattlinnet var stort, som ett tält. Hon kunde ha haft vilken kropp som helst under natt-linnet. Hennes händer var smala och seniga, de såg ut att vara av ett ömtåligt träslag som utsatts för vind och regn.

"Hennes hand!" utbrast Elisabeth Ney. "Varför hennes hand?!"

I hallen mötte Winter Mario Ney.

Ney nickade när de passerade varandra men gjorde ingen ansats att stanna.

Winter stannade.

"Vad är det?" sa Ney i steget.

"Hon är på väg ur chocken", sa Winter.

Ney mumlade något som Winter inte kunde höra.

"Förlåt?"

"Har den blivit mindre här, sa jag."

"Hör nu, hon var tvungen att komma hit. Ett tag."

"Är du läkare?"

Winter såg kaféet i andra änden av hallen. Det var bara några få bord och en stor växt mitt i. Ingen satt där nu.

"Kan vi sätta oss en liten stund?"

"Jag är på väg upp till Elisabeth."

"Bara ett par minuter."

"Har jag nåt val?"

"Ja."

Ney såg förvånad ut. Han följde med nästan automatiskt när Winter började gå mot kaféet.

"Hon väntar på mig", sa Ney när han satte sig.

"Vad kan jag bjuda på?" sa Winter.

"Ett glas rödvin", sa Ney.

"Jag vet inte om dom har det här", sa Winter och såg bort mot disken.

"Naturligtvis inte", sa Ney. "Vad trodde du?"

"Vi kan åka till en bar", sa Winter.

"Jag ska träffa Elisabeth."

"Jag menar efteråt."

"Okej", sa Ney och reste sig.

"Jag väntar här", sa Winter.

Ney nickade och gick därifrån.

Winters mobiltelefon ringde.

"Ja?"

"Portiern på hotellet har sökt dig. Hotell Revy."

Det var Möllerström.

"Vem av dom?" frågade Winter.

"Richard Salko."

"Vad ville han?"

"Det ville han inte säga."

"Gav du honom mitt mobilnummer?"

"Nej. Inte än. Jag bad honom ringa igen om tre minuter. Det har gått två nu."

"Ge honom numret."

Winter tryckte av och väntade.

Telefonen pulserade till i hans hand. Han hade slagit av ljudsignalen.

"Winter."

"Hej. Det är Richard Salko."

"Ja?"

"Det stod en tjomme utanför hotellet i dag. Han stod där en stund."

"En tjomme?"

"En man. En typ. Jag såg honom genom fönstret. Han tittade uppåt och åt sidorna och uppåt igen."

"Ung? Gammal?"

"Rätt ung. 30. Kanske ung 40-åring. Jag vet inte. Han hade nån mössa. Jag såg inte håret."

"Har du sett honom förut? Kände du igen honom på nåt sätt."

"Tror jag inte. Men... han stod där ett tag. Som om han bara ville stå där. Förstår du? Som om stället betydde nåt för honom, eller hur man ska säga. Som om han hade varit här förut."

"Gick han in?"

"Nej. Inte vad jag såg."

"Han kunde ha gjort det?"

"Tja… bara kort, i så fall." Jag hade ett ärende i ett annat rum men var bara borta nån minut."

"Det kanske var en av era stamkunder", sa Winter.

"Kanske det. Men ingen på mitt pass. Jag kände alltså inte igen honom."

"En turist?" sa Winter.

"Han såg inte ut som en turist", sa Salko.

"Hur ser dom ut?"

"Korkade."

"Hur går det med listan?" frågade Winter.

"Listan?"

"Jag väntar fortfarande på listan över alla anställda genom alla tider."

"Det gör jag med", sa Salko.

"Vad är det för jävla kommentar?"

"Förlåt, förlåt. Men det tar tid. Det är en lång tid vi talar om. Och stor omsättning."

"Hade vi haft tillräckligt med folk hade vi gjort hela jobbet själva", sa Winter.

"Jag vet hur det är", sa Salko.

"Jaså?"

"Jag ska göra mitt bästa. Fortsätta att göra det. Jag ringde ju nu, eller hur?"

16

TURISTER. STADEN VAR FULL AV TURISTER, också långt in i september fanns de kvar; pekande, frågande, spejande, ätande, drickande, skrattande, gråtande. Winter hade ingenting emot turister. Han visade gärna vägen. Kanske staden skulle gå under utan turister, det var snart den enda industrin som var kvar. Turism – och brottslighet. Organiserad, oorganiserad. Heroinet hade slutligen nått Göteborg. Det hade bara varit en tidsfråga, och nu, i det sena 80-talet, var skiten här.

"Kommer med våra vänner från de fjärran länderna", sa Halders.

De satt i en bil på väg utefter älven. Vart man än var på väg hamnade man utefter älven. I höstsolen såg den fet och svart ut. En färja gled ut mot Vinga, på väg mot det fjärran landet Jylland. Risken var stor att den skulle komma tillbaka med skiten runt magen. Eller chansen om man så ville. Det fanns enorma förtjänster för entreprenörerna. Ett skepp kommer lastat.

De hade pratat om knarket och det tyngre våld som knarket drog med sig. Stora pengar. Stort våld.

Halders körde utefter Allén. Scenen runt dem var fortfarande den gammaldags trygga. Spridda gäng på gräsmattorna rökte på, och röken spreds över kanalen tillsammans med gaserna från allt annat som gled runt i luften. Men den söta och kryddiga lukten av hasch flöt ovanpå alla de andra lukterna och Winter kunde känna den när han gick över kanalbroarna under sena eftermiddagar.

"En septembereftermiddag lägger man sig i Allén, och man tänder en liten braja, gottar sig i solens sken", sjöng Halders och slog rytmen på ratten.

"Den var mycket bra", sa Winter. "Har du skrivit det själv?"

Halders vände på huvudet.

"Har du aldrig hört talas om Nationalteatern?"

"Jaså dom."

"Du har hört talas om dom?"

"Naturligtvis."

Halders log ett elakt leende men sa ingenting. Han stannade för rött. Två killar i antika kaftaner tittade upp från sitt pyssel ute på gräsmattan och såg bort mot polisbilen. Halders höjde handen och vinkade.

"Kom ihåg, skvallerbytta bingbång, sitter som på nålar, ett, tu tre är bängen där och trålar", sjöng han.

Han vände sig mot Winter.

"Trålning är våran grej här i Göteborg."

"Tråla på", sa Winter.

"Det där småfnaset skiter jag i", sa Halders och nickade mot kaftanerna som fått eld i pipan. De började försvinna in i dimman.

"Mhm."

"Men det andra. Det är en annan sak."

Han stannade för nästa rödljus.

En man passerade på övergångsstället. Han hade mörkt hår, skarpa drag, ett utseende från Balkan, kanske Grekland, Italien, någonstans söder om Jylland.

"Kanske en kurir", sa Halders och nickade mot mannen.

Winter sa ingenting.

"Dom kommer att ta över", sa Halders. "Om tio-femton-tjugo år är stan full av kurirer, och kriminella gäng från fjärran land." Han vände sig mot Winter. "Och vet du vad? Många kommer att vara födda här i stan!"

"Du kan din framtid, Fredrik."

"Det är nödvändigt, grabben. Man måste kunna se in i framtiden. Det kallas fantasi. Det är det enda som skiljer oss från psykopaterna."

"Sitter du och jag så här då, Fredrik?" sa Winter. "In en statlig bil på väg genom Allén? Om tjugo år?"

"Tjugo år? Det blir alltså... tvåtusensju. Tja, varför inte? Om vi inte är döda, förstås. Stupade i eldstrid med knarklangare från dom norra förorterna."

"Du sa fjärran land förut."

"Det är samma sak."

Om tjugo år. Winter kunde kanske tänka tjugo år framåt, men han ville inte. 2000-talet var mer än ett fjärran land och en fjärran tid. Det var som en planet som ingen ännu upptäckt. Skulle han nå ända dit skulle det ha hänt mycket på vägen, det skulle ha runnit mycket vatten under Götaälvbron.

Halders stannade för det tredje rödljuset.

En man passerade på övergångsstället. Den här såg ursvensk ut. Han rörde sig stelt och stirrade rakt fram, som om han gick i en dröm.

"Den där du", sa Halders. "Han behöver köpa sig en väckarklocka."

"Det är ju Börge", sa Winter.

"Börje? Börje vem?"

"Börge, Christer Börge. Hans fru försvann för nån månad sen. Ellen Börge. Jag hade ett förhör med honom uppe på huset i förrgår."

"Varför det?"

Ljuset var fortfarande rött. Börge hade passerat och var på väg ner mot Rosenlundsplatsen. Winter tittade efter honom. Börge vände fortfarande inte på huvudet åt något håll. Han gick snabbt, men utan bestämd riktning. Det var en känsla Winter fick. Börge hade just då ingen riktning.

"Varför det?" upprepade Halders.

"Det är nåt jag inte kommer åt med det där fallet", sa Winter och vände sig mot Halders när Börges rock försvann bakom det gula grenverket.

"Fallet? Det är väl inget fall?"

"Jag tror det. Jag tror det ligger ett brott bakom."

"Du tror hon är död?"

Winter slog ut med händerna.

Ljuset slog om och Halders accelererade.

"Nåt måste väl du väl ha att gå på? Vad får dig att tro det?"

Winter försökte upptäcka Börge igen, men han var försvunnen nu.

"Han", sa han och nickade mot det tomma grenverket.

"Tror du han gjorde det? Tog livet av sin fru?"

"Jag vet inte. Det finns nåt jag kan förstå här men som jag inte förstår."

Halders skrattade till.

"Det kanske inte har med honom att göra", sa han. "Det kanske beror på dig, grabben."

"Jag önskar att jag var som du, Fredrik."

"Det förstår jag verkligen. Det är det många som önskar."

"Glad och obekymrad och okunnig."

"Fantasi är bättre än kunskap", sa Halders.

"Det där är Einstein", sa Winter. "Du citerade Einstein."

"Det visste jag inte", sa Halders och log. "Men där ser du."

"Jag önskar att jag var som du", upprepade Winter.

"Smicker biter inte på mig."

"Du är en lycklig människa, Fredrik."

Halders stannade för det fjärde ljuset.

"Du tog alltså in Börge på förhör, Einstein? Vad sa Birgersson om det?"

"Det var han som föreslog det."

"Vad fan säger du?"

"Men jag hade själv pratat om det, innan."

"Du har sannerligen fjäskat in dig hos chefen."

"Har du aldrig fått hålla nåt förhör, Fredrik?"

"Så Birgersson är så intresserad", mumlade Halders utan att svara på Winters fråga.

"Han anar väl nåt han också", sa Winter.

Halders sa ingenting. Han körde på Första Långgatan nu. En spårvagn visslade förbi på väg västerut. Halders vevade ner fönstret. Winter kände en sval vind. Ljudnivån ökade. Det skrapade från kommunikationsradion, mumlade, talade, men ingenting var riktat till dem.

"Fick du fram nåt då?" frågade Halders när han svängde höger ner mot älven och stannade för det femte ljuset. Långtradare från Västtysklandsfärjan vrålade förbi på Oscarsleden. "Tändes det nåt ljus under förhöret med långrocken?"

"Bara att han älskade sin fru."

Det blev grönt och Halders gjorde en rivstart och körde väster-ut. Winter såg färjan passera under Älvsborgsbron. Perspektiven förvred synen. Det såg ut som om skorstenarna skulle törna rakt in i brospannen.

"Sa han det? Under förhöret?" Halders vände på huvudet. "Att han älskade henne?"

"Ja."

"Då är han den skyldige."

"Det var andra gången han sa så", sa Winter.

"Då är han dubbelt skyldig."

Det var stilla i kafeterian, något slags ödmjuk känsla. En man hade hasat ner i sjukhuspyjamas, omgiven av familjen. De samtalade med låga röster och Winter kunde inte höra några ord. Några ung-domar kom in från gatan och satte sig utan att beställa något. De såg sig om med stora ögon, som om de någonstans tagit fel på dörr.

Mario Ney var tillbaka efter trettio minuter. Winter hade arbe-tat med anteckningar under tiden. De hade nu förhört alla gäs-ter som befann sig på Hotell Revy vid tidpunkten för Paulas död. Det var inte så många, och de kunde alla avföras från utredningen. Några skulle hamna i andra utredningar. Hotellet skulle slå igen och ingen visste ännu vad som skulle komma i stället. För Winters del fick de gärna riva hela skiten. Men inte ännu.

Ney satte sig framför honom, men bara tillfälligt, på stolskan-ten. Winter hade kunnat bestämma om ett annat möte och en an-nan tidpunkt med Ney, men det hade funnits något hos mannen som fått Winter att bestämma sig för nu. Det var ett uttryck i Neys ansikte. Winter kände igen det, men på ett annat sätt än med Eli-sabeth. Det var en rastlöshet hos någon som lider av en kunskap. Som vill lämna ifrån sig den.

"Vart ska vi?" frågade Ney.

"Vill du fortfarande ha ett glas vin?"

"Ja. Men om du..." sa Ney men fullföljde inte meningen.

"Jag vill alltid ha ett glas vin", sa Winter. "Jag ska bara göra mig av med bilen."

Baren låg i närheten av Winters våning. Bilen hade han ställt i parkeringshuset efter att han släppt av Ney i kvarteret intill.

De beställde var sitt glas vin av bra kvalitet. En flicka i 20-årsåldern serverade. Hon ställde fram var sitt glas vatten utan att fråga. Winter kände inte igen henne.

"Jag står för det här", sa Winter när kvinnan lämnat bordet.

"Du menar polismyndigheten?"

"Går inte igenom, tyvärr."

"Jobbar du ofta på det här sättet?" frågade Ney. "Då blir du alkoholist."

"Jag jobbar på det", sa Winter.

"Se upp. Det kan gå snabbare än man tror."

Winter nickade.

"Jag har sett folk i min omgivning", sa Ney.

"Vilken omgivning är det?"

"Ingen särskild", svarade Ney och lät sin blick flyta ut över omgivningen.

Det var fridfullt inne i barlokalen. Det var en ny blå timme. Winter kände inte igen bartendern. Mannen hade ett blått öga, och han bar det inte bara för att det var skymningstimma. Han hade definitivt fått stryk, men knappast här inne. Det var inte ett sådant ställe.

"Jag får be om ursäkt om jag var brysk förut", sa Ney. "Jag menar hemma hos oss." Han tittade på Winter. "Och jag säger det inte för att du bjuder på ett glas."

"Jag kan bjuda på två."

"Förstår du vad jag menar?" sa Ney.

"Jag förstår om du reagerade. Det är normalt."

"Är det?"

"När något sånt här har inträffat är allting normalt", sa Winter. "Och ingenting. Ingenting är normalt längre."

Han såg sig om i lokalen igen. Det hade börjat skymma i hörnen de senaste fem minuterna. Konturerna började lösas upp, som om han redan druckit några glas. Allt blev mattare och skulle fortsätta att bli det tills någon fick den dåliga idén att börja tända lampor. De kunde kura skymning fram tills dess. Vinglasen stod kvar på bordet. Det är som om ingen vill lyfta glaset, tänkte Winter. Det var inte därför vi gick hit.

"Men varför?" sa Ney. "Det går ju inte att förstå. Varför?"

"Det där brevet..." sa Winter.

"Prata inte om det förbannade brevet", sa Ney.

"Det måste vi ju göra."

"Jag vill inte. Elisabeth vill inte. Ingen vill."

Winter lyfte glaset och drack utan att bry sig om att känna några dofter av vinet. Det gjorde att vinet förlorade sin smak. Ney drack. Han verkade heller inte känna någon doft. De skulle ha kunnat dricka rödtjut från kartong. Winter hade aldrig gjort det. Vin hörde ihop med glasbuteljer. Den som drack från kartong kunde i konsekvensens namn också dricka vinet i pappmugg.

Ney ställde ner glaset.

"Jag förstår inte vad det är för en skuld hon känner", sa han utan att möta Winters blick. "Det verkar ju vara nåt sånt. Som att hon vill be om förlåtelse. Hon *ber* ju om förlåtelse. Hon hade ingenting att be om förlåtelse för. Ingenting."

"Ingenting som hände er någon gång? I familjen?"

"Vad skulle det vara?" frågade Ney.

"Nåt hon tänkte på", sa Winter. "Som hon inte kunde släppa. Nåt som du kanske själv inte minns."

"Jag klarar inte det här", sa Ney och såg rakt på Winter nu. "Jag kan inte minnas nåt sånt. Det finns inte. Vad skulle finnas som... skulle få Paula att skriva ett sånt brev? I ett sånt... läge. Herregud."

"Hon reste iväg", sa Winter. "En lång resa."

"Det var längesen."

"Varför reste hon?"

"Hon var ung. Yngre. Herregud. Hon var ju fortfarande så ung."

Ney såg plötsligt rädd ut för sina egna ord. Det var som om de hade anfallit honom. Han hade ryggat till, som för ett slag. Det var som om någon stod där som Winter inte kunde se. Det drog plötsligt kallt från dörren, kanske från fönstren. Neys ögon vändes inåt. Hans ansikte stängdes som en tung dörr.

"Under lång tid visste ni inte var Paula var", sa Winter.

"Vi visste var hon var", sa Ney.

"Jaså?"

"Vi visste att hon reste i Europa."

"Italien? Reste hon till dina hemtrakter?"

Ney svarade inte. Det var svar nog.

"Sicilien?"

"Det finns ingenting kvar där", sa Ney. "Ingenting för henne att se."

"Men reste hon dit?"

"Det finns inte", sa Ney. "Det fanns ingenting hon kunde hitta där."

"Hitta? Vad sökte hon?"

"Sökte..."

Ney såg ut att själv söka efter ord. Han såg ut som om hans egen bakgrund var så långt borta att han inte kunde minnas den eller klä den i ord. Jag får vara försiktig här, tänkte Winter. Om Paula reste till Sicilien kanske det inte har något att göra med hennes död. Varför tänker jag ens att det har det? Är det på grund av hennes fars tystnad? Och hennes mors? Hon är också tyst, på sitt sätt.

"Paula kunde inte ens italienska", sa Ney nu, som om det var ett avgörande skäl till att inte resa till Italien.

"Men Elisabeth sa att Paula pratade italienska?"

"Bara några ord", svarade Ney.

Resan, tänkte Winter igen. Vad hände under den resan? Vad hände efteråt? Tio år efteråt?

Vad hände i den här lägenheten? Winter gick från rum till rum. Paula hade bott i sin lägenhet under de senaste sju åren och det var en mycket lång tid. Vilka hade kommit hit? Inte många. Paula och en-samheten. Hon hade haft sina föräldrar. Familjen. Sitt arbete. Ett par vänner. Var det ett ensamt liv? I så fall var Winter också ensam. Det var vad han hade. Det räckte för honom. Det var inte ensamhet.

Han gick bort till fönstret. Guldheden fanns utanför, de höga husen, backarna och kullarna, torgen som var moderna men ändå tillhörde en annan tid. Torg som byggdes på 50-talet kommer all-tid att vara moderna, hade Ringmar sagt nån gång. 50- och 60-talet. Vi får aldrig en modernare tid. Winter hade fyllt 20 år på vå-ren 1980. För honom hade 70-talet varit modernt, för att inte tala om vad han väntade sig av 80-talet. Han skulle bli jurist. Han blev snut. När han blivit det hade han stått som nu, just nu, och sett ut över Guldheden från en annan vinkel, en annan punkt, men det hade varit samma hus och kullar.

Hans egen lägenhet hade varit glest möblerad, naken, ofärdig, och det var något naturligt. Han var inte färdig med någonting ännu. Men det här... Paulas bostad var fortfarande täckt, draperad, och därunder fanns inte mycket som berättade om ett liv. Hen-nes bostad var glest möblerad och naken som Winters hade va-rit, när hon dog var hon bara två år äldre än Winter varit då, och han kände en plötslig förtvivlan. Ja. Känslan kom och gick mycket snabbt. Inget modernt 2010-tal för Paula, inget återstående 2000-tal. Ingenting skulle bli färdigt i den här lägenheten, eller någon annanstans.

Han såg en liten skåpbil kryssa sig fram därnere bland de hög-vuxna tegelhusen. Den stannade framför en brevlåda och en kvin-na steg ur. Paula hade inte haft någon skuld, hon hade inte burit någon skuld. En penna hade stuckits i hennes hand. Den jäveln. Hennes hand fanns inte. Den var dold bakom allt det vita.

Postkvinnan tömde brevlådan, la säcken i den gula bilen, satte sig bakom ratten, körde in i rondellen och försvann norrut. Win-ter hade sett hennes vita händer snurra på ratten när hon körde i rondellen. Han stod kvar vid fönstret. Löven var vackra. Det var mest gult, men ett annat gult.

Staden därute kändes plötsligt större än någonsin. Man kunde gömma sig därute. Begå en handling och sedan gömma sig. Men jag ska ta dig, din jävel.

Han visste att det skulle bli farligt.

Planet gled ner i den vanliga långsamma landningen och det stora ljudet. Winter stod på den östra parkeringen och såg planet ta mark som en jättelik flyttfågel på nordlig kurs. Fel kurs. Men senare i kväll skulle den vända tillbaka. Om mindre än två månader skulle han sitta ombord. Skulle *de* sitta ombord.

Han gick in och väntade utanför Ankommande. Det stod folk i en halvcirkel utanför dörrarna. Han tyckte att han kände igen några ansikten, och det var inte märkligt. Han var en av många med anhöriga på solkusten. Málaga var inte långt borta.

Lilly sov i sin sittvagn och Elsa sköt den försiktigt framför sig.

"Pappa! Pappa!"

Elsa släppte sittvagnen och Winter fångade den med en arm och Elsa med den andra. Hon kunde hoppa högt, högre än för bara några veckor sedan.

Hon gav honom flera pussar, han hade inte en chans.

Han grep tag om Angelas midja med den andra handen och gav henne en kyss på munnen.

"Välkommen hem."

"Hej, Erik."

"Gick resan bra?"

"Lilly fick lite ont i öronen, men det släppte."

"Hon skrek jättemycket", sa Elsa.

"Tillräckligt för att sova tills i morgon", sa Angela.

Winter böjde sig ner och gav sin yngsta dotter en kyss. Hon vaknade inte. Hon luktade gott, han hade nästan glömt den doften.

Elsa och Lilly sov när han korkade upp en flaska till och bar in den i vardagsrummet. Angela satt i fåtöljen invid balkongen. Dörren stod på glänt och de kunde höra trafiken därnere, som ett avlägset brus. Gardinen rörde sig för en vind.

"Det är mildare än jag trodde", sa Angela. "Och stan ser större ut. Det är lustigt."

"Man glömmer lätt", sa Winter.

"Hur milt Göteborg är?"

"Ja. Milt och ömt."

"Som dina fall."

Han drack vinet. Det var svalt, smakade av mineralerna i alsacejorden.

"Vet ni nåt mer om mordet på kvinnan?"

"Paula."

"Ja. Vet ni nåt mer?"

"Jag vet inte om jag vet", svarade han och berättade om de senaste dagarna.

"Tjänstledigheten gick igenom", sa han sedan. "Chefen Länskrim hade inga invändningar."

17

DE LÅG I SÄNGEN OCH LYSSNADE TILL nattens ljud. Det var inte många. Inga sirener, knappt några motorljud. Winter tittade på klockan, snart vargtimme. Vinden hade ökat utanför, temperaturen sjunkit. Det drog från det halvöppna fönstret. Han gick ur sängen och över golvet och stängde fönstret. Vinden ryckte i grenverken på träden runt Vasaplatsen. Även i mörkret kunde han se löven falla. Han försökte se om någon stod på balkongen mitt emot parken och rökte men där fanns ingen glöd. Han gick tillbaka till sängen och kände värmen från trägolvet. Det var en av anledningarna till att stanna kvar i våningen. Barnen kunde leka på det där golvet utan att riskera att bli förkylda. Golvvärme i ett nytt golv var inte samma sak, och den här kvaliteten på trägolv fanns inte längre.

"Snart ljusnar det", sa Angela.

"Det är timmar kvar."

"Jag kan nog inte somna."

"Varför inte det?"

"Det snurrar i huvudet."

"Vill du ha ett glas vatten?"

"Ja tack."

Han gick ur sängen igen, passerade hallen, tog ett glas från hyllan i köket. Det kom bekanta ljud nerifrån gården. Det var tidningsbudet. Inom tre minuter skulle tidningen dimpa ner i hallen. Angela skulle kanske ta den och börja läsa direkt, lokala nyheter utan ytterligare ett dygns försening.

Winter gissade att mordet på Paula knappt var notisvärdigt

längre. Det hände för lite. Åtminstone för journalisterna. Samtidigt förstod några av dem att ju mindre de fick ut av spaningsledningen desto mer fanns det att få ut. Tystnaden var på så sätt talande. Men tystnaden talade på ett annat sätt i det här fallet. Tystnaden kring Paula. Det var en tystnad han inte kom åt. Det fanns något återhållet där som han aldrig riktigt träffat på tidigare. Som en tystnad som bara är som en kuliss. Där man vet att någonting oerhört döljer sig bakom. Man kan se tystnaden, ta på den, men den är inte verklig. Den ser ut att hänga ihop med allt det andra, och alla detaljer verkar var för sig vara verkliga, men tillsammans hänger det inte ihop. Det är som att läsa anvisningarna till en dröm. De finns inte. De kan aldrig finnas.

Han gick tillbaka med vattenglaset.

"Tack."

"Varför är alla så tysta?" sa han och satte sig på sängkanten.

"Hur menar du? Här?"

"Paula. Alla kring Paula. Det är så tyst."

"Du hade ju ett samtal med hennes far. Öppnade han sig inte lite?"

"Jag vet faktiskt inte. Jag vet inte vad han ville."

"Du blir skadad av ditt arbete, Erik. Du tror att alla har en dold agenda bakom det dom säger."

"Tja..."

"Att alla ljuger. Eller försöker dölja sanningen."

"Är inte det samma sak?"

"Du förstår vad jag menar. Och sen, när nån bara försöker säga som det är, eller bara vill... tja, avlasta sig lite, kanske, så tror du inte på det heller."

"Kriminalkommissarien som psykoterapeut."

"Nu börjar du förstå", sa hon, och han såg ett leende blänka till i sovrummets dunkel.

"Det har jag förstått länge. Jag bjuder till och med in till det."

"Jo, jag vet, Erik. Men försök *se* det så nån gång mer. Alla ljuger inte."

"Man ljuger ända tills motsatsen är bevisad", sa han.

"Är det inte tvärtom?"

"Det brukade vara så."

"Du lovade mig en gång att inte bli cynisk."

"Det löftet har jag hållit."

De hörde ett nytt ljud i vargtimmen.

"Lilly", sa Angela. "Hon har börjat vakna tidigt."

"Jag går."

Han gick ut i hallen igen och in till flickornas rum. De hade frågat Elsa om hon ville ha eget rum men hon ville dela med Lilly. Hon tyckte att det skulle vara "kul". Lilly flyttade in. Hon hade redan kravlat sig upp i halvstående när Winter lyfte upp henne och viskade i hennes öra.

Han tog vägen om Ringmars rum före morgonmötet. Ringmar läste från en tjock hög dokument framför sig.

"Du ser pigg ut", sa Ringmar när Winter satte sig.

"Familjen kom i går."

"Aha. Slut på ungkarlslivet."

"Det var längesen", sa Winter.

"Allt var längesen", sa Ringmar och tittade ner på dokumentet igen.

"Vad läser du?"

Telefonen på Ringmars skrivbord ringde innan han hann svara.

"Ja?"

Winter hörde bara en röst, inga ord. Ringmar nickade två gånger. Han tittade på Winter och skakade på huvudet. Winter lutade sig framåt.

"Var är han nu?" sa Ringmar in i luren och lyssnade. "Vi får hoppas att han stannar där."

Winter såg en rynka djupna mellan Ringmars ögon.

"Elisabeth Ney har skrivit ut sig från sjukhuset men inte kommit hem", sa Ringmar medan han la på luren.

"Jag lyssnar", sa Winter och kände huden strama till på en punkt över högra tinningen.

"Det var Möllerström. Mario Ney ringde hit och när Möllerström skulle koppla samtalet till dig försvann han."

"Till mig? Ville han prata med mig?"

"Ja."

"Var var han?"

"Möllerström frågade direkt, som den gode polis han är. Ney är hemma. Han hade ringt sjukhuset och fått besked att Elisabeth checkat ut på egen begäran och att hon inte begärt att någon skulle möta henne."

"Ingen frågade väl", sa Winter. "Eller dom trodde att hon skulle bli mött."

"I vilket fall har hon inte kommit hem. Det har gått tre timmar sen hon lämnade sjukhuset. Hon har ingen mobiltelefon."

"När ringde Ney sjukhuset?"

"Nyss, enligt Möllerström. Och sen direkt hit. Möllerström försökte få tag på honom igen när han försvann i etern men ingen svarade hemma."

"Hon kan promenera på stan", sa Winter. "Sitta på ett kafé. Handla i butiker. Åka runt på spårvagnen."

Ringmar nickade.

"Allt för att inte behöva åka hem igen", sa han.

"Eller hon kan vara förvirrad."

"Hon kan vara försvunnen", sa Ringmar.

"Det ordet kan betyda olika saker, Bertil."

"Nu åker vi ut till Tynnered", sa Ringmar.

"Finns det igen kontroll?" sa Mario Ney redan ute i trapphuset. Han hade väntat med öppen dörr, han måste ha stått vid köksfönstret och sett dem parkera nedanför. Det ekade nerför trapporna när han talade. Han hade svett i pannan. "Hur kan hon bara skrivas ut så där?"

"Kan vi gå in, Mario?" sa Winter.

"Vad? Ja..."

De gick in i hallen. Mario stängde dörren med en smäll. Winter kunde höra ekot genom trapphuset. Det lät som om det vände nere i porten och kom tillbaka upp igen som en osalig ande.

"Kan vi sätta oss inne i rummet, Mario?"

"Sät... sätta oss? Vi har väl inte tid att sätta oss?!"

"Vi har folk som är ute på stan och letar efter Elisabeth", sa Ringmar.

"På stan? Men om hon inte är på stan då?"

"Var skulle hon annars vara?" sa Winter.

Ney svarade inte. De gick in i vardagsrummet. Ney sjönk ner i en fåtölj. Han tittade på Winter.

"Hon har varit borta mer än tre timmar", sa han efter tio sekunder.

"När pratade du senast med Elisabeth, Mario?"

"Det vet du. Det var innan du och jag gick och drack vin."

Ringmar kastade en blick på Winter.

"Varför ringde du till sjukhuset?" frågade Winter.

"Ring... jag ringer varje dag. Vad är det för konstigt med det?"

"Ingenting. Men du brukar ju besöka henne. Varje dag."

"Ringa och sedan besöka, ja."

"Vad sa hon till personalen när hon gick?" frågade Ringmar.

"Vet ni inte ens det?"

"Vi har folk som har åkt dit", sa Winter. "Men Bertil och jag ville åka ut hit direkt."

"Hon måste fortfarande vara förvirrad", sa Ney. "Annars skulle hon aldrig göra så här. Aldrig."

Förut var det fel att hon las in, tänkte Winter. Nu är det fel att hon skrivs ut. Antingen har han lärt sig, eller så är det nåt annat.

"Har du talat med Elisabeth tidigare i dag?" frågade Winter.

"Nej."

Winter tittade på Ringmar.

"Är det nån annan som gjort det?" frågade Ney.

Winter svarade inte.

Ney upprepade sin fråga.

"Det vet vi inte än."

En timme senare skulle de veta. Någon, en mansröst, hade ringt Elisabeth Ney och en undersköterska hade förmedlat samtalet genom att gå in i sjukrummet och hämta henne till en telefon diskret placerad intill uppehållsrummet.

En halvtimme senare hade hon gett sig av därifrån. Ingen nere i receptionen kom ihåg att hon gått ut genom de glänsande dörrarna. Det var som på hotell, tänkte Winter. Främlingar kom och gick.

"Var ringde han ifrån?"

Halders hade kommit in i rummet ett par minuter efter de andra.

"Gothia", svarade Winter. "Hotellet."

"Åh fan. Vi håller oss kvar vid hotelltemat."

"Samtalet kom från en telefon i lobbyn", sa Ringmar.

"Men ingen av dom anställda har ringt förstås?" sa Halders.

"Inte än vad vi vet", sa Ringmar.

"Smart jävel", sa Halders, "bara gå in och se ut som om det regnar och låna en telefon och ringa."

"Om han inte bor där", sa Bergenhem.

"Knappast", sa Halders.

"Kan man göra det? Bara ringa från en hotelltelefon sådär?" sa Aneta Djanali. "Är det möjligt?"

"Vi har just sett beviset", sa Halders.

"Och ingen har sett Elisabeth Ney på hotellet?" frågade Bergenhem.

Winter skakade på huvudet. De hade skickat dit folk när de fått fram telefonsamtalet. Ingen ur personalen kände igen Elisabeth Ney.

Nu skulle de gå igenom gästlistan. Och försöka kolla upp de anställda. Det här kunde svälla hur mycket som helst, han hade varit med om det så många gånger. Fallen vidgades utåt men krympte samtidigt inåt. Det blev svårare att se vad som var viktigt och vad som bara var luft, vind.

"Vad ska vi göra?" frågade Halders. "Ska vi be åklagare Molina om husrannsakan så vi kan öppna alla hotellrummen?"

Molina hoppades väcka åtal mot någon men han var inte optimistisk. Han var aldrig optimistisk. Winter hade sällan anledning att muntra upp honom.

"Det blir som med förvaringsboxarna, för helvete", sa Halders. "Hur många rum är det på Gothia?"

"Vi kommer inte in", sa Winter. "Molina går aldrig med på det. Och vi har ändå inte resurserna."

"Enda chansen att få till en husrannsakan på ett storhotell är om Usama bin Ladin misstänks gömma sig i nån tvättskrubb", sa Halders.

"Ett visst rum kan vara okej", sa Winter. "Men inte alla."

"Minns att vi fick vrida beslutet ur Molina när det gällde dom få rummen på Hotell Revy", sa Ringmar.

"Skulle Elisabeth Ney verkligen befinna sig i ett rum på Gothia Towers?" sa Aneta Djanali. "Är det inte den sista platsen att leta på just för att han ringde därifrån?"

"Han är smart", sa Halders. "Han kör med straffsparksmetoden."

"Vad är det?" frågade Bergenhem.

"Straffskytten vet att målvakten vet att han brukar skjuta i höger hörn så därför skjuter han i höger hörn eftersom han räknar med att målvakten tror att han skjuter i vänster hörn i stället för i höger."

"Men om målvakten tänker ett led till?" sa Bergenhem.

"Då kanske straffskytten redan har tänkt ytterligare ett led", svarade Halders och log.

"Var hamnar bollen då?" frågade Bergenhem.

"Ingen vet", sa Winter. "Det är därför vi fortsätter att söka efter Elisabeth Ney. Även på Gothia Towers."

"Var i helvete är hon?"

Ringmar gick fram och tillbaka i nedre delen av lobbyn. Genom de breda fönstren till korridoren innanför kunde Winter se stora människomassor röra sig, fram och tillbaka. Många bar stora plastkassar som borde innehålla böcker eftersom det pågick en bokmässa.

"Hon är inte här i alla fall", sa han som svar på Ringmars fråga.

De trodde inte längre att hon var på Gothia.

"Kanske är hon bara förvirrad", sa Ringmar. Han stannade upp och såg på massorna innanför glaset. "Hon kanske är därinne."

Winter skakade på huvudet.

"Som att leta efter en nål", sa Ringmar och vände sig mot Winter. "Förvirrad nål. Hon kan irra runt över hela stan."

"Vad är alternativet?" sa Winter.

"Det vill vi inte veta."

"Finns det ett alternativ?"

"I så fall hänger det här ihop mer än vi tror."

"Hjälper det oss i så fall?"

"Inte nödvändigtvis", sa Ringmar.

"Det är hög tid att efterlysa henne", sa Winter.

"Vi önskar oss lycka till", sa Ringmar.

"Var det där en cynisk kommentar?"

Ringmar studerade människorna på andra sidan glaset utan att svara. Korridoren var full därinne, alla tvingades röra sig långsamt. Hundratals ansikten passerade som en flod. En del av dem såg inåt, tittade på Ringmar och Winter.

"Som en nål", upprepade Ringmar medan han betraktade höstacken på andra sidan. "Birgitta och jag tänkte gå dit på lördag." Han nickade mot människomassan bakom glaset. "Men nu har jag tappat lusten."

Utanför rådde kaos. Mässan höll på att stänga och alla skulle lämna allt samtidigt. Trängseln hade varit stor också inne i hotellobbyn. Winter hade förstått hur enkelt det var att ringa ett anonymt samtal från en anonym telefon.

"Vi kan lika väl gå tillbaka", sa Ringmar.

De hade skjutsats dit i en patrullbil.

De följde Skånegatan rakt norrut, förbi Scandinavium, Burgårdens gymnasium, Katrinelundsgymnasiet, kunskapstempel för de som skulle föra staden in i den ljuva framtiden. Pelarna över Ullevi såg smalare ut i det här perspektivet. Winter hade stirrat på dem från ett annat håll i snart tjugo år.

"Mario kan ha befunnit sig var som helst", sa Ringmar.

"Kan han ha kidnappat sin egen fru, menar du?"

"Inte vet jag. Det är du som testar vin tillsammans med honom."

"Vad får dig att tro det, Bertil? Att Mario Ney skulle ligga bakom det här?"

"Ibland känns det som om han skulle kunna ligga bakom rätt mycket", sa Ringmar.

"Jag tror inte han är en så god skådespelare", sa Winter.

"Skådespelare? Han kan vara en spritt språngande psykopat. Då behövs det ingen skådespelartalang."

"Nej."

"Han kan härstamma från en degenererad maffiafamilj på Sicilien."

"Han kan härstamma från Mars", sa Winter. "Vi vet inte mycket om hans bakgrund."

"Just det."

"Men vi talar om hans egen fru här. Och hans egen dotter." Winter skakade på huvudet. "Nej, Bertil."

"Uteslut aldrig familjen", sa Ringmar. "Har du lämnat regel 1A?"

"Det är nån annan", sa Winter. "Det är inte han."

18

DET BLEV SEN EFTERMIDDAG, DET BLEV KVÄLL. Var fanns Elisabeth Ney? När mörkret kom kunde ingen se löven falla, men de föll. Trädkronorna blev allt glesare. Snart skulle det gå att se igenom dem, över till nästa gata, bort till nästa torg, fram till nästa byggnad. Fanns hon där?

De gjorde vad de kunde, det man alltid gjorde i sådana här situationer, och lite till. En kvinna var försvunnen. Hennes dotter hade nyligen blivit mördad. Hon var djupt chockad, förvirrad, förtvivlad, ingen visste hur hon mådde just nu. Hennes försvinnande hängde ihop med mordet på det sättet. Hängde det ihop på något annat sätt?

"Säger du att jag har nåt med det här att göra?!"

Mario Ney hade börjat resa sig. Han satte sig igen. Varken Winter eller Ringmar behövde göra någonting. Och Ney såg inte ut som om han skulle slå. Möjligtvis gå.

"Har jag påstått det?" sa Winter.

De satt i Winters rum. Formellt sett var det inte ett förhör, men det var naturligtvis ett förhör.

"Mer eller mindre", sa Ney.

"Jag är uppriktig mot dig", sa Winter. "När människor försvinner vill vi veta vad anhöriga gjort vid tiden för försvinnandet. Var de varit."

"Kan ni inte komma på nåt bättre?"

"Det är ofta det bästa", sa Winter.

"Jag tror inte på det", sa Ney. "Det tror jag inte alls på."

Winter sa ingenting. Ringmar var tyst. Det rattlade mot fönstret, som om några av höstens löv försökte ta sig in, eller hela grenar.

"I vilket fall vet ni var jag var", sa Ney. "Jag var hemma."

"Var det nån som såg dig?" frågade Ringmar.

"Jag var ensam. Herregud. Ni vet att jag är ensam nu. Vad är detta? Hur kan ni hålla på så här?"

"Jag menar om du stötte på nån granne", sa Ringmar.

"Eller om du ringde nåt annat telefonsamtal" sa Winter.

"Vart skulle jag gå? Och vem skulle jag ringa? Det kan ni väl kontrollera i alla fall? Om jag hade ringt?"

"Ja."

"Ja ja, jag förstår", sa Ney.

Han såg plötsligt ännu tröttare ut, som om allt ändå var över. När det blivit mörkt hade hoppet lämnat den här stan. Eller som om han ville säga något mer. Winter trodde att han ville säga något mer. Det var därför de satt här. Winters intuition var stark där. Han brukade lita på den. Något Ney visste, men inte ville säga. Vad som än hänt, och hände, ville han inte säga det. Hemligheten var djup som en avgrund. Vad kunde det vara? Vad i helvete kunde det vara? Kunde han nöta fram det hos Ney?

"Hur ser du själv på Elisabeths försvinnande?"

"Vad... vad menar du?"

"Varför är hon försvunnen?"

"Hon är förvirrad, förstås. Hon skulle aldrig ha fått lämna sjukhuset, som jag sagt förut."

Winter nickade. Ney hade också sagt att hon aldrig borde ha hamnat där.

"Det är vad det handlar om", fortsatte Ney.

Winter nickade igen.

"Du säger ingenting, Winter. Du tror väl inte på allvar att Elisabeths försvinnande har att göra med... med mordet på Paula? Att nån.. att nån..." Han fortsatte inte meningen. "Det kan du väl ändå inte mena?"

Winter svarade inte direkt.

"Att det är JAG?!" Ney reste sig häftigt. "Säg rakt ut om ni tror det är jag?!"

"Sätt dig", sa Winter.

"SÄG DET!" skrek Ney.

Ringmar hade rest sig. Winter gjorde en armrörelse, men Ringmar stod kvar. Ney rörde sig inte. Han såg förstörd ut, som om han var på väg att se någonting som han inte ville se. Löser vi gåtan nu? tänkte Winter. Får vi svar nu?

Ney satte sig, eller snarare föll ner i stolen.

Ringmar gick över golvet och såg ut genom fönstret. Där finns ingenting, tänkte Winter. Det är bara mörkt där. Ringmar vände sig om.

"Är det nåt mer du vill säga oss, Mario?" frågade han.

Ney tittade upp. Han såg ut att ha svårigheter att fokusera på Ringmars gestalt borta vid fönstret, tvärs över rummet som låg i halvdunkel. Det var ett rum som alltid låg i halvdunkel, Winters rum. Det var likadant med familjen Neys vardagsrum.

"Säg det nu", sa Ringmar.

Ney tittade på Winter, som efter hjälp. Som om Winter skulle vara den snälle polisen, Ringmar den elake. Men Winter kunde inte vara snäll nu.

"Säg det, Mario", sa han och nickade svagt. "Säg det bara."

"Ni-är-inte-kloka-i-huvet", sa Ney, men hans röst var mycket långsam, liksom släpande, som om han upprepade något han nyss tänkt men inte trodde på. Det var något Winter ibland upplevt som förhörsledare. Tanken var en sak, men orden som skulle förmedla den var någon helt annanstans, i den andra änden av hjärnan, rummet, staden, världen.

Winter väntade. Ney kunde resa sig och gå, han hade all rätt, de tänkte inte hålla honom på sex timmar, eller det dubbla. Men Ney väntade också, som om hans tankar snart skulle säga honom vad han skulle göra.

Och sedan reste han sig igen.

"Nu vill jag åka hem."

"Fan", sa Ringmar, "vi hade honom nästan."

De satt kvar i rummets halvdunkel, kurade skymning igen. Allt blev tystare när ljuset var svagt. Kanske är det då man tänker bäst.

Winter betraktade trädens långsamma rörelser. Jag behöver ett bloss ute i luften. Jag tänker inte resa mig, inte än.

"Vi hade det nästan", fortsatte Ringmar.

"Vad var det vi hade?"

"En hemlighet."

"Vad för hemlighet?"

De prövade sin metod igen, rutinen; frågor, svar, frågor, svar, ett högt tempo, ibland spretigt, ibland på väg mot ett enda ställe.

"Om honom."

"Bara om honom?"

"Hans familj."

"Hans fru? Hans dotter? Båda? En av dom?"

"Båda", sa Ringmar. "Det hänger ihop. Dom hänger ihop."

"På vilket sätt?"

"I det här fallet?"

"Ja."

"Mer än som mor och dotter?"

"Ja."

"Jag vet inte än. Därför får vi gräva mer i det förflutna."

"I den här familjens bakgrund?"

"Ja."

"Har vi inte varit tillräckligt uppmärksamma?"

"Nej."

"På vilket sätt?"

"Det får vi se. Vi kommer att se det."

"Har det med Marios bakgrund att göra?" sa Winter.

"Kanske. Men det kan vara ett blindspår. Italien, Sicilien. Det kan vara fel håll."

"Har det med Elisabeths bakgrund att göra?"

"Ja."

Varför?"

"Hon har en hemlighet."

"Är hon ensam om den?"

"Nej."

"Vem vet mer?

”Mario.”

”Så det är hans hemlighet?”

”Ja.”

”Men den handlar om henne?”

”Ja.”

”Handlar den om Paula?”

”Nej.”

”Är du säker?”

”Nej.”

”Om den handlar om Paula då?”

”Ja, vadå?”

”Är det hennes vuxna liv?”

”Jag vet inte. Vi vet fortfarande för lite om henne.”

”Hur får vi veta mer?”

”Det vet du, Erik. Det är bara att jobba på.”

”Om det här handlar om Paulas barndom?”

”Varför säger du det?”

”Jag vet inte.”

”Nåt i hennes barndom? Som hänger ihop med mordet på henne, menar du?”

”Ja.”

”Hänger det ihop med familjen?”

”Ja. Nej. Ja. Nej. Ja.”

”Du sa ja sist.”

”Det hänger ihop med familjen.”

”Endast familjen? Eller nån annan utanför familjen?”

”Jag ser ingen. Men det kan finnas nån.”

”Hänger det ihop med Marios barndom?”

”Nej.”

”Elisabeths barndom?” upprepade Ringmar.

”Ja.”

”Varför?”

”Jag ser Elisabeth. Det är henne det handlar om. Mario visade det för oss, utan att säga nåt.”

”Elisabeths barndom?”

"Ja. Kanske."

"Vi har inte gått tillbaka till hennes barndom."

"Vi har inte hunnit."

"Hinner vi? Orkar vi?"

"Är det nån idé?"

"Vad skulle det finnas i Elisabeths barndom som kastar ljus över det här?"

"Skugga. Det förflutna kastar alltid skuggor."

"Ska vi söka igenom deras lägenhet igen? Verkligen söka igenom den?"

"Där hittar vi inget, är jag rädd för."

"Var ska vi söka då?"

"Finns bara ett ställe kvar."

"Paulas lägenhet?"

"Ja."

"Vi har gått igenom stället två gånger."

"Då får det bli en tredje. Tredje gången gillt, som han sa."

"Vem var det?"

"Det var jag."

"Nu är det dags för paus."

Uppehållsrummet kändes som en bländande operationssal jämfört med skymningen inne i Winters rum. De drack automatkaffe som var alltför hett. Winter lät plastmuggen stå. Detta var också rutin. Allt var rutin, nödvändig rutin. På så sätt var också fantasi rutin, intuition var rutin. Att tänka var rutin. En del hade bara aldrig lärt sig det. Man måste lära sig att tänka. Det kunde vara besvärligt att ens tänka dåligt, och det var oändligt mycket svårare att tänka bra.

Ringmar tog en klunk av det avsvalnade giftet och gjorde en grimas.

"Låt det stå", sa Winter.

"Det blir min död", sa Ringmar.

"Nästa vecka kommer min cappuccinomaskin", sa Winter. "Jag ska ha den på rummet."

”Är det sant?”

”Kan bli.”

Ringmar log och lyfte muggen igen men satte ner den. En kollega från cityroteln kom in och tryckte fram sitt kaffe och nickade och gick igen med den heta koppen balanserande mellan fingertopparna.

De hörde vinden utanför. Den hade ökat när de satt i Winters rum. Han hade sett det på träden utanför fönstret, och han såg det nu. Vinden slet i träden utanför polishusets entré. De vajade med halvnakna grenar. Grenarna var som händer som sakta vinkade farväl. Winter följde rörelserna. Ringmar gjorde det också. Han vände sig mot Winter.

”Tänker du det jag tänker på?”

”Antagligen.”

”Är det en symbol vi borde se?”

Symbol. Den vita handen. Vari låg symboliken? I själva handen? Att det var en hand? I färgen, den vita färgen? I själva avbildningen?

”Den vita handen”, sa Winter men som för sig själv.

”Jag gick ner och tittade på den i eftermiddags”, sa Ringmar.

Winter nickade.

”Som om jag skulle lära mig nåt mer den här gången.”

”Den vita färgen”, sa Winter.

”Ja?”

”Det kan vara färgen.” Han tog blicken från träden och vände sig mot Ringmar. ”Färgen. Vit. Vad står det för?”

”Tja... oskuld. Nåt oskuldsfullt.”

”Mhm.”

”Renhet.”

”Ja.”

”Hur tänker du nu, Erik?”

”Är det färgen, Bertil? Är det den vi ska koncentrera oss på?”

”Hur långt kommer vi med det?”

”Kärlek”, sa Winter. ”Står inte vitt för kärlek också?”

”Beror väl på vad man menar”, sa Ringmar. ”I det här fallet kan den stå för vad som helst.”

Winter nickade.

"Den kan stå för död", sa Ringmar. "Vitt är också dödens färg. På begravning har man vit slips."

Winter strök en sträng saliv från Lillys mun. Barnet vände sig i sömnen. Han böjde sig fram och kysste hennes kind. Skinnet var mjukt, som ett sommarmoln.

Elsa snarkade lätt. Han vände försiktigt på henne och snarkandet upphörde. Men han visste att det skulle komma tillbaka. Polyperna. Det kunde bli operation. Det blev nog operation.

Angela låg i soffan med fötterna på armstödet.

"Vill du ha en whisky?" frågade han.

"Frågar du för att du själv vill ha?" sa hon.

"Jag? Varför skulle jag vilja ha en whisky?"

Hon tog ner fötterna och satte sig upp. "Du kan ge mig ett glas av det röda från i går kväll. Det finns lite kvar."

Han gick ut i köket och hällde återstoden av vinet i ett stort glas och hällde upp en Glenfarclas, två centimeter. Det skulle kunna bli två centimeter till lite senare men inte mer.

Han gick tillbaka till rummet.

"I morgon kanske du är hemma innan flickorna somnat", sa Angela och tog emot vinglaset.

"Det var Bertil. Vi blev sittande med frågor och svar."

"Skyll på honom."

"Du vet hur det kan bli."

"Tjugo frågor och svar?"

"Om det stannade vid det."

"Siv ringde."

"Ja?"

"Hon var i lägenheten i dag. Dom har bytt spisen."

"Gick det bra?"

"Det får vi väl se när vi använder den." Hon lyfte glaset. "Men den verkade okej."

Han nickade. Spisen i Marbella, köket i Marbella. En dryg månad dit. Han lyfte glaset och drog in whiskydofterna: ek, rök, sherry. Han drack och tänkte att han skulle vara på plats i den där lägenheten när Angela började sitt jobb. Han ville vara på plats redan nu. Nej. Jo. Nej.

"Jag pratade med Siv", sa Angela.

"Ja, du sa det."

"Om december. Hon är beredd."

"Beredd?"

"Beredd att hjälpa mig med barnen. När jag arbetar. Och om du arbetar kvar här."

"Jag kommer att vara där", sa han, "hos er. Tjänstledigheten är beviljad, som du vet."

"Det kanske dröjer."

"Nej."

"Jag känner dig, Erik."

Han svarade inte.

"Bättre än du känner dig själv", fortsatte hon.

"Skulle du kunna åka ner ensam med barnen?" sa han efter en liten stund. "Om jag blir... lite fördröjd?"

"Jag har gjort det förut, eller hur?"

Möllerström förmedlade samtalet.

"Hon verkar lite skakis", sa han.

Winter väntade medan Möllerström kopplade över.

"Hallå? Hallå?"

Det lät som ett rop.

"Ja, det är Winter."

"Ja... hej, det är Nina Lorrinder."

"Vad kan jag hjälpa dig med, Nina?"

"Jag... jag tyckte att jag såg honom."

"Vem?"

"Killen som... som Paula pratade med på Friskis & Svettis. Jag tyckte jag kände igen honom."

"Var?"

"I kyrkan."

"Kyrkan? Domkyrkan?"

"Ja. Jag gick dit i går kväll under aftonbönen. Jag ville bara... sitta där en stund. Jag ville tänka..."

Hon tystnade. Winter kunde höra hennes andhämtning. Den lät som om hon hade sprungit till telefonen.

"Ja?"

"Jag tyckte det var han. Han satt snett över... på andra sidan gången."

"I går kväll? Var det i går?"

"Ja."

"Varför ringde du inte direkt?"

Hon svarade inte.

Winter upprepade frågan.

"Jag vet inte. Jag var väl inte tillräckligt säker. Jag är det inte nu heller."

"Vad hände sen?" frågade Winter. "När bönen var över?"

"Jag... satt kvar. Han reste sig och gick. Han gick förbi mig. Sen... gick jag också."

"Såg du honom utanför?"

"Nej."

"Har du sett honom förut i kyrkan?"

"Nej. Inte vad jag kommer ihåg."

"Hur ofta går du dit? Till Domkyrkan?"

"Det är ett tag sen nu. Jag har inte... jag vet inte. Efter Paulas död... det var ju hon och jag... det var nåt vi gjorde tillsammans..."

"Vill du gå dit tillsammans med mig?" frågade Winter.

Det var stilla, det var vackert. Winter var ingen främling i kyrkor. Det var ett bra rum. Ljuset var bra. Världen utanför försvann. Kyrkans fönster släppte in sin egen version av staden därute.

Det var den tredje aftonbönen. Han lyssnade men inte alltför uppmärksamt. Vid det första tillfället, för fyra dagar sedan, hade han blivit förvånad över att det var så pass mycket människor i kyrkan. Kanske hade flera börjat söka sig till kyrkorna den senaste tiden, under det senaste året.

Kanske var det bara här, i Domkyrkan, i centrum. Ett alternativ till Drottninggatan.

Mannen i vitt därborta sa något som Winter inte uppfattade.

Församlingen sjöng, reste sig och sjöng. Winter betraktade församlingen. Nina Lorrinder stod bredvid honom med psalmboken i handen. Hon sjöng inte.

Hon gjorde som han, såg på de andra därinne. Det var inte tillräckligt många för att någon skulle kunna gömma sig.

Sången upphörde. De satte sig.

"Han är inte här i kväll heller", sa hon med låg röst.

Winter nickade. Det var ett försök. De skulle fortsätta att gå hit, inte han kanske, och de kunde inte tvinga hit Nina Lorrinder dag efter dag, bön efter bön. Men någon gång. En vacker dag.

Så var stunden över. Folk började resa sig i bänkarna. Kanske var det det... att folk fick böja sig framåt för att komma ur bänkarna... Winter höll blicken på raderna snett över gången, bara tio meter bort, tolv kanske, och en man som suttit för sig själv reste sig och Winter såg profilen innan mannen vände ryggen till och lämnade bänken på andra sidan och gick utefter bortre väggen mot kyrkans utgång. Winter såg höger ansiktshalva nu, men längre ifrån.

Han hade sett den förut, sett den där mannen.

Det måste ha varit längesen. Det var någon från längesen. Vem är det? Vad var det för något... som hände då?

Winter vände sig i bänken men mannen hade försvunnit bakom en pelare som skymde utgången.

"Vad är det?" frågade Nina Lorrinder.

"Jag tyckte jag kände igen nån."

"Vem då?"

"Jag vet inte riktigt."

Talat med honom, tänkte Winter medan de reste sig. Jag har pratat med honom.

Förhört honom.

Ja.

Det var han.

Det var många år sedan.

Därute fanns ingen kvar. Spårvagnarna avlöste varandra borta på Västra Hamngatan.

"Jag kör dig hem, Nina", sa Winter.

Halders besökte Friskis & Svettis tillsammans med Nina Lorrinder, vid samma tidpunkt som Nina och Paula brukat träna två kvällar i veckan det senaste året.

"Och innan dess?" hade Halders frågat när de gick uppför trappan från Västra Hamngatan. "Tränade ni inte då?"

"Ibland. Men det var mest jag."

"Varför det?"

"Det vet jag inte. Paula joggade lite. Jag vet faktiskt inte."

Det var mycket folk överallt därinne. De flesta rörde sig, eller var på väg att göra det. Det luktade lite svett men mer av olika sorters lotion. Det är inte min ungdoms brottarlokal, tänkte Halders. Där luktade det svett, decennier av ackumulerad svett. Här var det mera som om kropparna runt honom gav ifrån sig svett för första gången, men inte riktigt ville släppa ifrån sig den, som om det kunde vara farligt att svettas. I den stora lokalen innanför glaset rörde sig många på många olika sätt, försiktigt, överdrivet, blygsamt, narcissistiskt, ergonomiskt riktigt, eller helt åt helvete. Halders hade kunnat stå längst därframme i stället för den vackre gossen och visa hur det verkligen skulle se ut. Inte nu, men för tio år sedan när han var på topp.

Han hade pratat med personalen tidigare. Han hade också gjort det tillsammans med Nina Lorrinder. De hade lämnat en beskrivning på mannen som Paula hade pratat med. Den var vag, på gränsen till osynlig, trots att Nina Lorrinder tyckt att hon hade känt igen honom i Domkyrkan. Halders hade ännu inte kopplat ihop Nina Lorrinder med en porträtttecknare. Kanske borde han ha gjort det, även om det var omodernt och sällan ledde någonvart.

Ingen av personalen kom ihåg Paula Ney. Ingen kom ihåg Nina Lorrinder heller.

"Vi har rätt mycket att göra", sa en kvinna med rött pannband.

Hon var klädd i åtsittande trikå. Halders undvek att sänka blicken mot hennes stora bröst genom att fixera den på pannbandet. Det skulle inte se bra ut om hon trodde att han glodde på brösten. "Det är inte lätt att komma ihåg ett ansikte."

Nej, tänkte Halders. Här handlade det mest om kroppar. Han kände sig obekväm här, och han skulle känna sig ännu mer obekväm i trikåer. Han misskötte sin träning.

"Hur måste man se ut för att ni ska komma ihåg nån?" frågade Halders.

Hon tittade på honom och log. Det var svar nog.

När de gick mot kaféet frågade han:

"Skulle du känna igen honom igen om du såg honom nu?"

"Jag tror det", svarade Nina Lorrinder.

"Var han vältränad?"

"Jag såg honom inte i träningskläder. Eller om det bara var under träningen."

"Hur menar du?"

"Kanske pratade hon med honom när det inte var ett pass. Alltså före, eller efter."

"Var stod dom?"

"Det var ju bara ett par gånger, några gånger."

"Visa mig var."

"En gång i kaféet. Det har jag sagt."

"Och mer?"

"Här. I hallen. Där." Hon pekade bort mot andra änden, där det stod ett par stolar och ett litet bord. Hallen fortsatte bort mot flera ut- eller ingångar. Halders kunde se jympan fortsätta i lokalen bakom glasrutan. Fötter, armar, ben i luften, fram och tillbaka, upp, ner. Händer. Om han ville se det så kunde han se händer fladdra runt i luften och... ingenting annat. Händer som blev vita i det starka ljuset. Han blev nästan bländad därinne. När han blinkat och blundat och tittade igen var det fortfarande svårt att se skarpt. Han undrade om Nina Lorrinder verkligen sett någon därinne, eller om hon bara trodde det. Hennes osäkerhet hade varit stor, på något sätt onödigt stor. Det borde finnas ett skarpare minne. Kanske var det bara en önskan hos honom: Paula kände någon och det skulle hjälpa dem att hitta hennes mördare. Inte för att det skulle hjälpa Paula. Hon var borta från alla ljud och stönanden och hopp och armrörelser och bländande ljus.

Det kunde också vara så att Nina Lorrinder ville hjälpa till för att hon ville hjälpa till. Halders hade sett sådant hundratals gånger. Någon ville hjälpa till men det fanns ingenting att hjälpa till med. Det blev bara desinformation, det stoppade upp utredningen, sökandet. Kanske skulle han inte vara här. Han skulle vara tillbaka i Paulas lägenhet. Fortsätta leta efter det som de fortfarande inte hittat.

"Hur många gånger var du hemma hos Paula?" frågade han.

De stod vid det ynkliga bordet och de spinkiga stolarna. Allt här var för lättare kroppar. Kanske var det en uppmuntran. Ni kan bli som vi. Ni kommer in här som fettarslen och går ut som modeller. Vi har varit som ni, ni kommer att bli som vi. Devisen dök plötsligt upp i Halders huvud. Han hade sett den på en kyrkogård någonstans i södra Spanien. Det var en av de första semestrarna med Margareta, innan barnen kom. Det hade varit mycket hett, hyrbilen hade inte haft någon luftkonditionering. Han hade stått en stund och tittat på skriften ovanför portalen som ledde in till kyrkogården. Vi har varit som ni, ni kommer att bli som vi. Därinne tornade de svarta sarkofagerna mot den otroligt blå himlen. En gammal gubbe hade kommit förbi och förklarat orden utan att Halders frågat. Gubben hade pratat engelska som en amerikan. Det förvånade inte. Han såg ut som om han kom direkt ur en western. Halders hade tänkt på orden över portalen på väg tillbaka till Granada. Det var hånfulla ord.

"Jag var nästan aldrig där", sa Nina Lorrinder.

"Va?"

"Hemma hos Paula. Du frågade ju om det. Jag var nästan aldrig hemma hos henne."

"Men när du var där. Hur hade hon det?"

"Hur menar du då?"

"Var det mysigt? Hemtrevligt? Såg hon själv ut att trivas där?"

"Ja... jag vet inte. Det var inte mycket möbler."

"Behövs det för att trivas."

"Jag vet inte. Det är väl en kostnadsfråga också."

"Men hon klarade sig väl bra på sin inkomst?"

"Jag tror det."

"Pratade hon ofta om jobbet?"

"Aldrig."

"Aldrig?"

"Nej. Lika lite som jag pratade om mitt."

"Och lika lite som jag pratar om mitt", sa Halders.

"Jag trodde poliser ofta pratade om jobbet hemma", sa Nina Lorrinder.

"Vi avstår helst. Men vi tänker på det. Tyvärr."

"Varför tyvärr?"

"För att man skulle vilja släppa det som man släpper rocken rakt ner på golvet när man kommer hem."

"Släpper du rocken rakt ner på golvet?"

"Han där", sa Halders utan att svara. Han nickade mot en man som just kommit ut från en av träningslokalerna och nu började gå emot dem. Han såg ut att ha avslutat ett pass. Det fanns något bekant över honom, trots att Halders aldrig hade sett honom.

"Skulle kunna vara han."

"Det *är* han", sa Nina Lorrinder.

"Natten har tusen ögon, som följer dig varje steg du tar." Halders sjöng stilla medan han körde genom nattens stad. "Natten har tusen ögon, så det är säkrast du stannar kvar."

"Stannar kvar var?" frågade Winter.

Han hade börjat vänja sig vid det egendomliga umgänget med Halders. Absurditet var bara förnamnet. Ibland var det som att spela med i en pjäs av Beckett. I väntan på Godot. En evig körning på väg från olika ingenstans. Brottsplatser i väster, brottsplatser i öster. Ibland fyndplatser, värre än brottsplatser. Vad i helvete var det för mening? Kanske bättre att hålla det borta med en drastisk sorts humor som var Halders. En liten melodi mitt i kaos, på väg till och från avgrunderna. Ja. Natten hade tusen fasettögon, de lyste och blinkade och blundade därute. Neonskymningar som blev neongryningar och ibland hade det känts som han hade varit vaken en månad när dagsljuset kom.

"Stannar kvar i bilen", svarade Halders.

"Vad gör vi när vi kommer fram då?" frågade Winter.

"Ringer efter förstärkning", sa Halders.

"Skojar du?"

"Naturligtvis."

Winter hade känt Halders några månader nu. De slogs inte mer. De reste genom nätterna tillsammans. De gick uppför främmande och skrämmande trappor tillsammans, med dragna vapen. Blödde tillsammans, men det var alltid någon annans blod, det gick inte att komma undan *det*. Blod var vardagen. Han såg blod varje vecka, vissa veckor varje dag, vissa dagar varje timme. Vad i helvete var det för mening? Att han gick uppför trapporna var meningen. Att han drog vapnet. Att han stod där, *fanns* där. Men nästan alltid var det över. Om han hade kommit innan. De kom sällan fram i tid.

"Är det här?"

Halders vände på huvudet. Winter läste i sina anteckningar och tittade upp. Han var inte född på Hisingen. Det här var långt bortom Vågmästareplatsen. Den som inte var född på ön lärde sig aldrig hitta riktigt. Det var som om den flyttat sig för varje gång han kom dit. Väderstrecken stämde inte längre.

Halders hade stannat bredvid ett femvåningshus. Det stod sex sju likadana hus till runt om i en taggig halvcirkel. Det fanns en siffra över varje ingång och varje hus hade tre ingångar. Winter läste högt siffran i sitt anteckningsblock. Halders startade bilen och körde utefter huskropparna. Det kändes som om de lutade över bilen. Det var skuggorna. Skuggorna på natten var annorlunda jämfört med på dagen, det var konstgjorda skuggor och de kunde vara farliga. Man tog miste på perspektiven. En natt hade Winter sprungit i fel riktning på grund av den falska skuggan, och det hade kunnat sluta med något han inte ville tänka på.

Halders parkerade bortanför porten, kanske utom synhåll från fönstren. Winter tänkte inte på det just nu. Han såg upp mot fönstren. De var mörka.

"Jag hade föredragit om det varit tänt däruppe", sa Halders.

"Jag hade föredragit om det varit över", sa Winter och drog sin Walther och kontrollerade mekanismen.

"Jag gillar dig, Winter", sa Halders och log. "Du ser redan framåt."

"Vad sa han när han ringde?"

"Ett jävla bråk. En jävla trafik."

"Lugnare än så här kan det inte bli."

"Gör en orolig, eller hur?"

"Vi kanske ska tänka på den där förstärkningen du snackade om nyss", sa Winter.

"Den finns inte. Är du redo?"

"Går vi båda?"

"Den ene efter den andre. Du först."

"Varför jag?"

"Jag är den ende av oss med ögon i nacken", sa Halders.

De gick ur bilen, fortsatte tillbaka utefter husfasaden, gick in genom porten som tydligen inte var försedd med portlås, eller om låset var ur funktion. De tände inte lampan i trapphuset. Det hördes inga ljud från någon av lägenheterna när de passerade dörrarna, på väg uppför. Winter hade inte sett några tända lampor i fönstren invid den här uppgången. Det var som om hela uppgången blivit utrymd. Killen som ringt hade inte sagt något om det. Han hade bara berättat om det jävla bråket, den jävla trafiken. Trafiken låg nere nu. Det var en otäck tystnad i trapphuset, den värsta, det var som om den väntade in dem. Winter hade lärt sig att känna igen den. Den skulle börja vråla, förr eller senare.

"Nästa", viskade Halders.

Winter nickade mot den grova väggen. Det försiktiga ljuset i trapphuset kom från gatubelysningen därute. Ljuset hade lång väg hit upp. De stod bredvid dörren, på varsin sida. Det fanns en tittglugg mitt på dörren. Halders tryckte på ringknappen. Signalen lät mycket hög, ljudet förstärktes av mörkret. Det var en gäll signal, som i ett omodernt urverk. Det fanns ingen melodi i signalen, till och med Halders sjungande tidigare hade varit melodiöst jämfört med signalen. Halders tryckte igen. Det skrek och skorrade igen i hallen innanför dörren. Det var vad de hörde. Inga röster, inga steg. Winter böjde sig ner och lyfte försiktigt metallfliken över brevinkastet. Han såg bara mörker. Efter tiotalet sekunder såg han konturerna av mattan som låg innanför dörren. Det kom ett svagt ljus någonstans inifrån lägenheten, sannolikt från något fönster. Det var samma värdelösa ljus.

19

WINTER LYFTE HUVUDET OCH NICKADE MOT HALDERS.

Halders slog med näven på dörren.

"Polis! Öppna dörren!"

Winter lyssnade efter ljud inifrån. Det brukade alltid gå att höra någonting. Ingen tystnad var fullständigt stum.

"Öppna dörren", upprepade Halders. Han slog lätt med näven igen på dörrfaneret. Det lät tunt, ihåligt. Ett slag till och Halders näve skulle vara igenom. De stod fortfarande i trapphusets dunkel. Ingen klev ut genom någon dörr och tände belysningen och undrade vad i herrans namn som stod på.

De hörde ingenting inifrån. Det susade därute, det kunde vara vinden, eller husets ventilationssystem.

Winter tänkte på den upprörda rösten i telefon:

"Dom skriker därinne! Det är en kvinna som skriker!"

Halders satte örat mot dörren.

Winter kände på dörrhandtaget, drog ner det.

Dörren öppnades när han ryckte i den.

"Fan, det är inte låst", sa Halders.

"Ta det försiktigt."

Halders nickade. Han öppnade sakta dörren. Winter kände pulsen, som han kände vapnet i handen. Det kändes som nu. Det här var nu. Det var ingenting man kunde träna för, inte på ett verkligt sätt. Mörkret därinne i lägenheten kunde innehålla vad som helst. Att gå in där kunde vara att säga farväl till den här världen. Det var vad han kände just nu. Han hade inte haft den känslan så många gånger ännu.

"Jag tänder", sa Halders. "Var beredd."

Hallen blev plötsligt ljus som av en explosion. Winter skyddade ögonen med vänsterhanden. De väntade tio sekunder och steg sedan in. Det låg kläder på golvet, ytterkläder, innerkläder. Skor.

De gick sakta från rum till rum. Det fanns ingen i lägenheten.

Det fanns röda fläckar på golvet i köket. Det låg tidningar på golvet. Det röda hade runnit ner på tidningarna som färg. Tidningarna låg där som skydd, som om det röda var färg. Winter kunde se en rubrik, men den sa honom ingenting. Han kunde se bilder.

"Vad i helvete är det här?" sa Halders.

Winter sa ingenting. Han böjde sig ner. Han såg fläckarna. Det hade kunnat vara färg. Han hade kunnat vara målare.

"Det är rätt mycket", sa Halders och vände sig om och såg på Winter. "Mår du illa?"

"Nej."

"Du är blek, grabben."

"Vad har hänt härinne?" sa Winter.

Halders vände sig om igen.

"Vad det än var så är det över nu."

"Det fanns inget blod i trappan", sa Winter.

"Det vet vi inte än, eller hur? Teknikerna har inte varit här än, eller hur?"

Vad ska dom leta efter? tänkte Winter. Vad är det för brott som utspelats här? Om det är ett brott.

"Nån kan ju ha skurit sig i armen när han skivade skinka", sa Halders. "Eller slaktade ett par kycklingar. Vad tror du?"

"Var är kniven?"

"Han glömde slänga den", sa Halders.

"Var är han då?" sa Winter.

"Det har han glömt", sa Halders.

Winter sa ingenting om Halders absurda kommentar.

"Vi får snacka med vittnet", sa Halders.

"Han bor väl inte här?" sa Winter.

"Tvärs över gården."

"Vad gjorde han i den här uppgången?"

"Skulle besöka en kompis på våningen under, säger dom på LKC. Kompisen var visst inte hemma. Men vårt vittne hörde ett jävla liv härifrån."

Winter nickade. Nu var det en jävla tystnad där. Ibland kunde det vara som om skrik stannat kvar i rummet han kom till, men så var det inte här. De som varit här hade tagit med sig skriken.

Halders såg sig om igen.

"Jävla underligt", sa han.

"Vi får väl gå och prata med den där killen", sa Winter.

"Jag ringer efter en bil till", sa Halders. "Vi kan inte sticka innan."

"Jag ser mig om lite till", sa Winter.

Han gick ut i trapphuset och läste namnskylten igen på dörren. Martinsson. Inget förnamn. Han visste absolut ingenting om Martinsson, han eller hon eller de. Det hade inte funnits tid till det. Han visste ingenting om vad som skett här. Det var jävla underligt, som Halders sagt. Utan ett offer visste de ingenting.

Han gick ut i hallen och fortsatte in i det närmaste rummet. Dubbelsängen var obäddad. Det såg ut som om två personer legat i den, två kuddar med var sin fördjupning. Det kunde ha varit i morse, i går, i förrgår.

Det fanns blod i sovrummet. Han såg det andra gången han tittade. Först såg det ut som en del av mönstret på kudden. Det såg ut att ha hamnat där med något slags beräkning. Man fick titta minst två gånger.

Vad hade hänt här?

Han gick tillbaka till köket.

De väntade på teknikerna, och gick sedan över gården mot huset mitt emot. Winter hörde en hund skälla bortifrån en skogsdunge i huslängans norra ände. Det såg ut som en skog för barn. Träden stod tätt men de verkade inte vara så många.

Hundskallet fortsatte medan de gick in i porten. Winter kunde fortfarande höra det när de gick uppför trapporna.

De ringde på en ny dörr. Winter läste på skylten: Metzer. Det lät tyskt, eller kanske franskt, eller kanske italienskt. Det bodde en del folk från andra länder i den här stadsdelen, sydeuropéer, finländare. Den finländska kolonin var stor. Den hade stora fester med mycket brännvin men det var sällan kollegerna på ordning behövde åka hit. Finnarna tog hand om sina egna fyllon, de var troligen bäst i världen på det, de och ryssarna. Svenskarna klarade det sämre, trots att landet låg mitt i brännvinsbältet.

Winter stod kvar en bit ner i trappan. Mannen som kanske hette Metzer öppnade. Winter visste inte vad han hette som ringt in larmet. Halders hade tagit det. Halders och Winter hade varit i närheten. De hade spaning på en liga som misstänktes smuggla narkotika. De kunde åka en extra kilometer, ja. Ligan var inte där ändå.

"Metzer?" sa Halders.

Winter såg inte mannen. Han stod kvar innanför dörren. Det drog genom trapphuset, en vind nerifrån, som om någon öppnat porten och höll den öppen. Winter kunde höra hundskallet igen, det kom upp med vinden. Porten måste stå öppen därnere.

"Kan vi få komma in?" sa Halders.

Winter hörde bara ett mumlande från dörren. Han hade ännu inte sett mannens ansikte, bara Halders rygg.

"Jag ska bara kolla en sak", sa han och började gå nerför trapporna.

"Glömde du nåt?" frågade Halders och vände sig om.

"Gå in du", svarade Winter, "Jag är snart tillbaka."

Därnere var porten öppen. Han kunde se att någon ställt upp den, kedjan var sträckt.

Framför huset stod en pojke med en hund i sträckt koppel. Pojken tittade på honom utan att säga något. Hunden var tyst nu, men den var inte stilla. Den stretade för att få komma till den lilla ansamlingen av träd som om det fanns en magnet där.

"Såg du nån som öppnade porten?" frågade Winter.

Pojken skakade på huvudet. Han kunde vara elva, kanske tolv.

"Bor du här?" frågade Winter.

Pojken pekade mot huset de varit i tidigare. Teknikerna var kvar i lägenheten på fjärde våningen. Winter kunde se ljuset genom fönstren, och en plötslig skugga när en av teknikerna rörde sig därinne. Vi blir inte länge, hade de sagt. Vad är det här för skit?

"Bor du därborta?" frågade Winter. "I det huset?"

Pojken nickade.

"Kan du inte prata?"

Pojken skakade på huvudet. Håret var mörkt, men ändå ljust i skenet från gatlyktan. Winter kände det plötsligt. Pojken vet nåt. Han står här för att han vet. Han har sett nåt.

Winter kunde se hans ögon också från det här avståndet. De var som upplysta inifrån.

Winter kände en svag rysning. Det drog över håret som metall. Grabben tittar på mig. Dom där ögonen. Hunden drar i kopplet. Grabben pekar igen. Vad pekar han på nu? Han nickar och pekar. Det är mot skogsdungen. Den där handen darrar som löven i vinden. Den är lika tunn. Nu skäller hunden. Den är som galen. Vad har dom sett, grabben och hunden? Skogsdungen. Han vill att jag ska gå dit. Han kan inte säga det. Det ser ut som om han försöker.

"Är det nåt du vill visa mig?" frågade Winter och pekade. "Därborta? I skogsdungen?"

Pojken nickade.

"Vad är det?"

Pojken svarade inte.

Winter såg sig om. Det fanns inga andra människor ute. Vinden slet i vad den kunde få tag i. Grenverken gjorde skuggor på husfasaderna. Det såg ut som en film som visades med dubbel hastighet. Det var femtio meter bort till träden, sextio kanske. Det var bara en liten dunge, som en oas i en tegelöken. Björkarna vajade som glesa palmer.

Pojkens ögon var stora och rädda. Winter ville inte visa sin pistol för honom. Han höll handen på kolven i fickan. Han tittade bort mot bilen. Den stod närmare än dungen.

"Jag ska bara hämta en sak", sa han och gick till bilen, öppnade högerdörren, tog ut en ficklampa. Halders hade den andra. Ficklampan var tyngre än vapnet. Winter höll upp den så att pojken kunde se. Den var som ett lugnande ting. En otänd ficklampa förmedlade lugn. En tänd gjorde det också, men mest för den som höll i lampan. En pistol kunde lugna på samma sätt. Men inte just nu.

När de gick över lekplatsen började hunden skälla igen, och slita i kopplet. Den såg ut som en blandning av gud vet vilka raser. Den var på jakt, det var en självklar instinkt. Den kände lukter i vinden som ingen människa kunde känna.

Han lyste in bland träden och tittade på pojken. Hunden hade tystnat men kopplet var sträckt. Pojken hade svårt att hålla hunden kvar i randen av dungen.

Winter gick närmare med ljuskäglan riktad neråt. Allt blev vitt på marken, löv, jord, gräs, sand, sten. Det var vad han såg. Pojken stod kvar därute. Winter gick tillbaka.

"Jag ser inget", sa han.

Pojken pekade igen.

"Var?" frågade Winter. "Var är det?"

Pojken stod några steg in bland buskarna och det såg ut som om hunden flög framåt genom luften när den fick några meters frihet. När kopplet sträcktes rycktes hunden tillbaka, som av en vindstöt.

Pojken nickade ner mot marken. Winter lyste runt om därnere, löv, jord, gräs, sand, sten. Flera stenar låg i en vag halvcirkel. Troligen var det rester efter en öppen eld. Winter böjde sig ner. Det fanns mörkare fläckar på stenarna, men det kunde vara fukten, eller mossa. Han såg på pojken igen.

"Såg du nånting här?" frågade Winter.

Pojken svarade inte, han fortsatte att stirra ner.

"Det finns ingenting här", sa Winter.

"En... en... hand", sa pojken.

"Vad?" Winter satt kvar i sin nedhukade position. "Vad sa du?"

"Det låg en hand där."

De satt vid ett köksbord där det stod en vas med snittblommor som Winter inte kunde namnet på. Blommor, fåglar, växter, han var inte bra på sådant. Löv, jord, gräs, sand, sten, det var mera hans område.

Pojken var elva år. Han hette Jonas. Han såg lika frusen ut härinne som därute. Han hade en kopp choklad framför sig. Hans mor satt bredvid honom. Hon såg ung ut men hon måste vara äldre än Winter, åtminstone över trettio. Winter kunde se hennes drag i pojkens ansikte, inte alla, men det fanns ingen pappa vid bordet som han kunde jämföra med.

"Vi var inte hemma", sa mamman. Hon hette Anne. Anne Sandler. Både hennes och Jonas förnamn stod på namnskylten på dörren. Ingen pappa där heller.

Winter hade frågat om tider. När vittnet Metzer anmält det eventuella bråket i Martinssons lägenhet hade Anne och Jonas inte varit hemma.

"Vi var i simhallen."

Winter nickade.

Jonas drack en klunk av chokladen. Winter hade tackat nej till choklad men ja till en kopp kaffe. Det var starkt och hett.

"Han brukar inte hitta på saker", sa Anne Sandler och nickade mot Jonas.

Pojken hade inte sagt mycket sedan de kom in. Hunden var också tyst. Den hade gjort sitt.

"Herregud", sa Anne Sandler och tittade på sin son.

"Det var en hand", sa han.

Winter nickade ner mot pojken. Han såg inte lika frusen ut längre.

"Det var fingrar och allt."

"Jag tror dig", sa Winter.

"Den var av här", sa Jonas och måttade mot handleden.

"Herregud", upprepade Anne Sandler.

"Var den stor?" frågade Winter. "Som en vuxens hand?"

"Jag vet inte... ganska liten." Pojken tittade på sin egen hand, som för att jämföra. "Men det var ju rätt mörkt."

"Kan vi inte sluta nu?" sa Anne Sandler och tittade på Winter. Det fanns en vädjan i hennes ögon.

"Snart", sa han och tittade på pojken.

"Såg den ut som en barnhand?"

Pojken skakade på huvudet.

"Som en... tants hand? En kvinnas hand?"

"Kanske", sa Jonas.

Hans mor tittade på sina händer, tog ner dem från bordsskivan, la dem i knät.

"Det var ju mörkt", fortsatte Jonas.

"Men du såg ändå?"

"Ja. Det finns ju en gatlykta där. Och Zack skällde mer än han brukar."

"Den där hunden", sa Anne Sandler. "Han gör inget annat än skäller."

"Jag håller på att uppfostra honom", sa Jonas och tittade på sin mor.

"Det är försent", sa hon. "Han är för gammal." Hon tittade på Winter. Han förstod att pratet om hunden lugnade henne. "Det är som man säger: Man kan inte lära gamla hundar sitta."

"Zack sitter fint", sa Jonas.

"Du såg handen tydligt?" frågade Winter.

Pojken nickade, tittade på hunden som satt fint mitt på köksgolvet, drack choklad igen. Tittade upp.

"Men den såg inte riktig ut."

"Hur menar du, Jonas?"

"Den var så vit. Som plast. Eller gips."

"Nu räcker det", sa hans mor och reste sig och tog Winters halvt urdruckna kaffekopp med sig ut i köket. Winter hörde hur kaffet hamnade i diskhon.

De körde tillbaka över Älvsborgsbron. Centrala staden glittrade i öster som till fest. I väster breddades älven till hav. Det svarta blev bredare, och större. Temperaturen hade sjunkit de senaste timmarna. Kanske kommer det snö, tänkte Winter. Snö i oktober. Vitt på marken.

"Är grabben trovärdig?" sa Halders.

Winter ryckte på axlarna.

"Jag tror det." Han höll sig i handstödet när Halders snurrade i motorvägskarusellen ner mot Karl Johansgatan. "Men det kan ju ha varit vad som helst. Ljuset var ju inte det bästa."

"Men du såg alltså fläckar?"

"Ja. Men det kan ha varit vad som helst."

"Våra vänner på tekniska får väl berätta vad det är."

Winter svarade inte. Han skulle snart inte ha några vänner på tekniska, om han ens hade haft någon. De var ute på leden utmed älven. De döda varvskranarna på andra sidan spretade högt mot himlen. De skulle påminna om något, men snart skulle ingen komma ihåg vad det var. Det hade hängt ihop med den här staden. Nu var allt sådant borta, allt det som skulle ge en stad dess ansikte. Göteborg hade många ansikten nu. Många var bortvända. Det gick inte att se dem.

"Vad glada dom blev våra vänner", sa Halders. "En ny fyndplats, och bara inom femtio meter."

"Ja, det riktigt lyste om dom."

Neonljusen blev starkare ju närmare centrum de kom. Östra Nordstan saknade ingenting. Halders stannade för rött. Ett sällskap klätt till fest passerade på väg mot Lilla Bommen. Ingen kastade en blick mot de två unga kriminalassistenterna i den anonyma bilen.

"Då behöver vi bara leta reda på paret Martinsson för att se om nån av dom saknar en hand", sa Halders.

"Kvinnan i så fall", sa Winter.

"Mamman och pojken kände dom inte, sa du?"

"Nej, nej. Det där är inget gulligt radhusområde, Fredrik. Folk känner inte varandra ens i samma trappuppgång."

"Men dom ser väl varandra i alla fall?"

Winter ryckte på axlarna. Det var andra gången i kväll. Han gillade inte att göra det. Han fick lägga av med det.

"Hur är det med dig själv?" sa han. "Och med mig? Jag skiter uppriktigt sagt i folk i mitt hus uppe i Guldheden. Jag skulle inte kunna peka ut en tredjedel."

"Och ändå är du expert", sa Halders.

Han svängde in i halvcirkeln runt Centralstationen. Taxikön var lång utanför huvudingången. Winter kunde se människors andedräkt. Så kallt hade det blivit. Fy fan. Sedan skulle november komma, och december, januari, februari, mars, halva april. Det var den vita vintern. Sedan skulle den gröna vintern ta vid. Hans far hade pratat om att lämna den här delen av världen en gång för alla och sedan hade han gjort det. Det var rätt nyligen. Han hade tagit med sig sina pengar och glömt att betala skatten. Winter förstod att hans far ville ha ett liv i solen men det andra förstod han inte. De pratade inte längre med varandra. Kanske skulle de göra det i framtiden, men Winter var inte säker på det. Först ville han ha en förklaring. Men det skulle inte räcka.

"Metzer var inte till mycket hjälp", sa Halders. "Han blev orolig för det lät illa, sa han. Och det var allt."

"Kände han Martinssons då?"

"Nej."

"Här känner ingen ingen, tydligen."

"Det är så det är", sa Halders.

"Så vad gör vi nu?" sa Winter.

"Väntar på att Martinssons hör av sig", sa Halders. "Eller hittas. Kanske bara nån av dom."

Winter svarade inte. De väntade vid rött utanför GP-huset. Kanske skulle han få läsa i tidningen i morgon vad som hade hänt ute på Hisingen.

"Sen får vi ju se vad grabbarna på tekniska kommer upp med", fortsatte Halders.

"En av grabbarna var en tjej", sa Winter.

"Tja, det är bara som man säger", sa Halders. "Är en brud tillräckligt bra så blir hon en av grabbarna."

Han parkerade utanför polishuset. De skulle gå in och skriva och sedan var den här dagen över.

"Hänger du med på en bärs efteråt?" sa Halders.

"Inte i kväll."

"En dam som väntar?"

"Ja, faktiskt."

"Akta dig."

"För vad då?"

"Att åka fast. Det kan gå fort som fan."

"Ingen risk", sa Winter.

"Är hon snygg?"

"Det ska du bara skita i, Fredrik."

"Jag är bara nyfiken. Vad heter hon?"

"Hasse."

"Hasse? Kom igen nu, för fan."

"Hon är en av grabbarna."

"Ha ha. Kom igen nu, Erik. Vad heter hon?"

"Det ska du också skita i."

Angela tog ett steg tillbaka från övergångsstället. Det kanske var i sista stund.

"Såg du?!"

Winter svarade inte. Han försökte läsa registreringsskylten men den var för skitig. Det var en S 40, en senare modell. Han hade inte hunnit se föraren när bilen passerade i sextiofem, sjuttio.

"Han körde mot rött!" sa Angela.

S 40:an svängde åt höger och körde mot enkelriktat på Chalmersgatan, kanske på väg mot närpolisstationen Lorensberg. Winter drog fram mobilen, ringde direkt, förklarade snabbt.

"Ja. Ja. Han är kanske på väg mot dig just nu."

Han väntade med mobilen mot örat. De stod kvar vid övergångsstället. Angela hade tagit två steg bakåt.

"Ja? Okej. Jaså? Jaha, där ser man. Tack." Han stoppade tillbaka mobilen. "Dom fick honom."

"Rätt åt honom."

"En tjuv."

"Sa dom det?"

"Riktig kändis", sa Winter.

"Kunde dom se det så snabbt?"

"Vi lever i den snabba tiden." Det blev grönt igen. Trafiken stannade snyggt och prydligt. "Ska vi våga oss över?"

De gick genom parken och ner mot Salutorget.

"Har det inte alltid gått fort?" sa Angela efter en liten stund.

"Vad menar du?"

"Har du inte alltid känt att det går för fort? För fort genom livet?"

"Vad är det för fråga?"

"Kan du inte svara?"

"Ja... jo, det kan jag väl." Han saktade in. "Det kanske jag har... känt nån gång."

"Med oss, till exempel?"

"Nej nej nej."

"Vi var ju faktiskt bara tillsammans i fem år innan vi flyttade ihop", sa hon utan att titta på honom. "Det gick väldigt hastigt."

De gick på bron över ån. Den var svart i nattljuset. Det var svårt att se var man gick. Han kände efter Angelas arm.

"Var det så kort tid vi var särbos?" sa han.

"Där flög verkligen tiden", sa hon.

"Jag tycker om när du är ironisk", sa han.

"Fast du bodde rätt mycket uppe hos mig på Kungshöjd", fortsatte hon.

"Se där."

"Du sa att du trivdes bättre där än i Guldheden."

"Ja. Och sen skaffade jag våningen vid Vasaplatsen och sen var det liksom inget snack, eller hur?"

Angelas mobil ringde.

"Ja? Ja? Ja. Ja. Nej. Ja. Nej. Ja. Ja. Ja. Just det. Just det. Javisst. Ja. Ja. Ja."

Hon tryckte av och stoppade ner telefonen i handväskan.

"Barnvakten", sa hon.

"Jag förstod det. Problem?"

"Nej."

De fortsatte över torget till restaurangen i östra änden. Angela hade beställt i går. Bordet stod vid fönstret. Inifrån såg det mycket kallt ut därute. Winter kände goda dofter i rummet. Han beställde en dry martini, Angela beställde en kir royal. Martinin var mycket torr, det hade bara funnits någon droppe Noilly Prat på isen innan den hamnade i glaset.

De skålade.

Winter såg ut genom fönstret. Det såg ut som vinter därute. Han kunde se sin spegelbild i glasrutan. Den var suddig. Han såg glaset i sin hand. Han såg Angela.

"Vet du vad det är för dag vi firar i kväll?" sa Angela och såg upp från menyn.

"Naturligtvis."

"Men du sa inget när jag bokade bordet. Och bokade barnvakten med, för den delen."

"Ville du testa mig, Angela?"

"Naturligtvis."

"Tror du mig då?"

"Nej."

Han tog fram asken ur kavajens innerficka och räckte över den. Den var inte stor. Han hade kunnat dölja den i handen.

"Tror du mig nu då?"

"Hur kunde du hålla masken så länge, Erik?"

"Masken? Du menar asken?"

"Hur kunde du hålla dig?"

"Det är mitt jobb."

20

WINTERS MOBIL RINGDE SAMTIDIGT SOM förrätten ställdes på bordet. Han kände doften av de ugnsbrynta färska örtkryddorna som låg som en liten borste på tallriken. Han skulle använda den till att pensla havskräftorna.

Han svarade motvilligt.

"Var är du, Erik?"

Det var Halders.

Winter berättade var han var.

"Jag är inte långt ifrån", sa Halders. "Västra Hamngatan."

"Träningsstället?"

"Så kan man uttrycka det."

"Vad vill du?"

"Jag träffade Paulas pojkvän här. Eller vad man ska kalla honom. Själv höll han inte med."

"Är du säker?! Är det han?"

"Det är Nina Lorrinder det handlar om. Hon är säker."

"Vad säger han själv?"

"Han säger inte mycket. Han gillar inte det här."

"Var är han nu?" frågade Winter.

Han såg Angelas frågande blick över bordet. Han kunde fortfarande känna dofterna från allt det som låg på den djupa långsmala tallriken. Men inte länge till. Ytterligare en halv minut och allt skulle vara förstört.

"Han står två meter härifrån", svarade Halders.

"Vill du ta in honom?" frågade Winter.

"Jag frågar nog lite till först", sa Halders. "Sen får jag se. Jag tror inte han drar från stan."

"Ring mig om en timme."

"Vad säger Angela då?"

"Ring mig bara."

"Jag kanske ringer innan dess", sa Halders.

Pojkvännen såg ut som en pojke på trettio. Han hade håret kvar. Halders misstrodde män som hade håret kvar, det gällde alla, från fyllon till finansmän. De flesta finansmän var förresten fyllon.

Pojkvännen såg inte ut som ett fyllo. Han hade ett öppet ansikte. Det fanns något ofärdigt över det, ett par drag som inte var tecknade ännu. Det skulle ta några år. En del söp sig till ett ansikte, speciellt skådespelare, där fanns ett bestämt syfte. Men det tog också tid.

Halders var inte säker på att han skulle ha kommit ihåg det här ansiktet om han bara sett det ett par gånger. Det liknade dessutom så många andra ansikten på det här stället. Kanske var det rörelserna som gjorde det, jympan. Utseenden blev strömlinjeformade.

"Jag pratade bara med henne ett par gånger", sa pojkvännen. "Det var allt."

"Lyssna här, Johan..."

"Jonas."

"Lyssna här, Jonas. Vi försöker bara få fram så mycket vi kan om Paula."

De satt i kaféet. Halders ville ha det så. Det var tillräckligt långt till nästa bord efter det att han hade flyttat om lite därinne.

"Jag hjälper gärna till", sa Jonas.

"Vad gör du, Jonas?"

"Vad?"

"Vad jobbar du med?"

"Eh... jag är arbetslös just nu."

"Hur väl kände du Paula?"

Jonas såg förvirrad ut. Det var meningen. Alla frågor behöver inte omedelbart följas upp. Jonas tittade någonstans, som om vittnet som pekat ut honom skulle träda fram och förklara att allt var ett misstag. Men han hade inte träffat vittnet. Nina Lorrinder hade gått därifrån utan att visa sig efter det att hon känt igen honom.

"Jag har ju redan sagt att jag inte kände henne."

"Du pratade bara lite med Paula?"

"Ja."

"Känner man inte nån då?"

"Nja, det..."

"Hur kom det sig att ni började prata?"

"Kan du inte ta det lite lugnt?"

"Går det för fort för dig, Jonas? Hinner du inte tänka?"

"Vadå, jag ka..."

"Vad pratade ni om, du och Paula."

"Ingenting, egentligen."

"Är det vanligt?"

"Vilket då?"

"Att prata om ingenting? Är det vad du brukar göra?"

Jonas såg sig om i kaféet, som om de andra gästerna skulle höra honom, eller snarare Halders. Halders satt lutad över bordet.

"Tycker du inte om det här, Jonas? Ska vi gå hem till mig i stället?"

"Hem till dig?"

"Du vet vad jag menar."

"Jag förstår inte din... ton. Jag har inte gjort nåt."

"Du hörde inte av dig till oss efter Paulas död."

Jonas svarade inte.

"Hörde du vad jag sa?" frågade Halders.

"Ja. Men... vad kunde jag ha gjort? Eller sagt? Sagt till er?"

"Hon mördades. Visste du det?"

Jonas nickade och mumlade något.

"Jag hörde inte det där", sa Halders.

"Ja. Jo. Jag... läste det."

"Läste det var?"

"Var? Det var... hemma."

"I vilken tidning?"

"Det var... GP." Han såg sig om och tittade på Halders igen. "Tror jag."

"En kvinna du känner blir mördad. Det var ingen trafikolycka. Hon blev mördad, för helvete! Det hände tio-femton minuters snabb promenad härifrån. Det kanske hände samma vecka du träffade henne." Halders lutade sig närmare. "Det kanske hände samma dag?"

Jonas ryggade bakåt. Halders kunde se svettdroppar i hans panna. Det hade kunnat vara eftersvett, men grabben hade inte tränat ännu. Det skulle nog inte bli nåt pass i kväll.

"Vad menar du?"

"Jag menar inte. Jag frågar."

"Jag träffade henne inte den veckan."

"Så du håller koll på veckan?"

"Jag läste..."

"Du läste men du reagerade inte?"

"Jo, jag re..."

"Nej, Jonas, du reagerade inte. Du hörde inte av dig till oss."

Jonas svarade inte.

"Så vad pratade du och Paula om?"

Förrätten var borta, varmrätten stod på bordet. Piggvar, skirat smör, pepparrot, enkelt som fan och lika dyrt. En grand cru från Bergheim.

"Väntar du på att Halders ska ringa?" frågade Angela.

"Ja."

"Försök äta lite nu, min vän."

"Jag är glad att du förstår", sa Winter.

"Jag har några frågor men jag väntar till kaffet."

"Om det blir nåt kaffe."

"Ta en bit fisk nu, Erik. Ser den inte fin ut?"

Han tittade ner på fisken. En hel piggvar, skinnet delvis nedrullat, det underbara köttet därunder, som ett sidenlakan under ett sammetsöverkast. Han lyfte över en rejäl bit till sin varma tallrik, strödde pepparrot över, hällde på det skummande smöret. Den kokta potatisen var bra här. Det var mycket sällsynt med bra potatis på svenska restauranger. Potatis var landets nationalföda men den var usel på restaurang. Det är märkligt, tänkte han. I Alsace är surkålen nästan alltid perfekt. Han drack en liten klunk av vinet. För att inte tala om vinet. Han ställde ner glaset. Bäst att ta det lugnt. Telefonen kan ringa när som helst med vilka förbannade dåliga nyheter som helst. Eller goda. Det där flyter ihop. Dom värsta är ofta dom bästa.

"Har du pratat med Siv än?" frågade Angela.

"Ja... det har jag väl. Tänker du på nåt särskilt?"

"Mår hon bättre?"

"Jag visste inte att hon mådde sämre."

Angela sa ingenting.

"Mår hon inte bra?" frågade Winter.

"Hon har känt sig yr igen."

"Vad är det då?"

"Jag vet inte, Erik. Vi har ju pratat om det där. Hon behöver ta det lugnt. Och hon behöver en riktigt grundlig undersökning."

"Undersökning av vad?"

Kroppen, tänkte han som svar på sin egen fråga. Höljet för tankarna. Ja. Förstärkt med snart femtio års alkohol och nikotin. Jobbar jag på blir jag min mors son.

"Vi åker ner tillsammans", sa han. "Det vet du."

Angela lyfte över lite fisk på sin tallrik. Hon gav honom bara ett snabbt ögonkast.

"Tänk på det där lilla stället vid gamla fotbollsplanen", sa Winter och hällde upp mer vin åt henne. "Dom där två borden på trottoaren."

"Är du i Marbella nu?"

"Javisst. Den där grillade paprikasalladen. Vitlöksräkorna. Det var inga vanliga vitlöksräkor."

"Var det dit vi kom en gång efter midnatt? Var det det stället?"

"Javisst."

"Mmm."

"Just det. Så kan det sammanfattas." Han log. "Kocken blåste liv i glöden igen. Det fanns ett par havsabborrar kvar på isen."

"Var det inte kyparen?"

"Dom hjälptes åt."

"Kyparen såg ut som en sotare i ansiktet när han kom med fisken", sa Angela.

Winters mobil ringde.

"Ja?"

"Vi är uppe på roteln", sa Halders. "Kanske du skulle ta dig hit så småningom."

Hon korsade vägen utan att vara tillräckligt uppmärksam på trafiken. Plötsligt tjöt en signal intill henne. Det var som om den satt inne i hennes öra. Och ändå kändes det inte som om det var särskilt högt. Det var nästan som om hon hade förväntat sig det höga ljudet.

Hon mötte en ung kvinna som rullade en barnvagn framför sig. Det såg lätt ut, som om vagnen inte vägde någonting alls.

Hon passerade ingången och gick runt hörnet.

Dörren var öppen inne i gränden, som han hade sagt. Det var en gammal dörr av järn. Hon hade svårt att få upp den. Den föll igen bakom henne med en tung klang.

Hon gick uppför trapporna, fyra trappor. Det visslade runt väggarna, i taket, som om den starka vinden därute följde med henne hit upp.

Hon såg dörröppningen.

Hon såg något röra sig därinne. En gestalt blev synlig.

"Är det DU?!" sa hon.

Hon hörde dörren stängas bakom sig. Ljudet av vinden tystnade tvärt.

"Var det DU?" sa hon och började vända sig om och då kände hon en hand över sin nacke.

21

DE AVSLUTADE MIDDAGEN. DE VILLE ÄNDÅ inte ha dessert. Winter drack espresson medan han betalade.

"Halders ringer inte om det inte behövs", sa han ute på torget.

Angela nickade.

"Blir du kvar hela natten?" frågade hon.

"Blir jag det så kanske allt är över i morgon."

"Tror du att den där killen erkänner nåt?"

"Halders skulle inte plockat med honom till polishuset om det inte fanns nåt misstänkt."

"Han kanske bara var nervös." Hon tittade på honom. "Kan inte vem som helst bli nervös när Halders ställer frågor?"

"Nu blir det jag som ställer frågorna", sa Winter.

Halders hade skickat en bil och de tog vägen över Vasaplatsen.

"Godnatt då", sa Angela när hon klev ur.

"Jag ringer om nån timme", sa han.

"Ring på mobilen", sa hon. "Elsa får svårt att somna igen om hon vaknar."

Hon skulle sätta signalen på ljudlös. Den skulle lysa upp rummet när han ringde. Hon skulle läsa något, kanske tropisk medicin. Nej. Marbella är ännu inte tropikerna, hade hon sagt när de nyss satt på restaurangen. Men snart, hade han sagt. Det blir varmare överallt på jorden, hade han sagt och tittat ut på den nordiska kvällen. Utom här, hade han tillagt, här uppe hos oss. Vet du förresten vad malaria betyder? Dålig luft, hade han själv svarat innan hon hunnit öppna mun. Det visste väl alla.

Bilen svängde ner från Vasaplatsen och fortsatte österut på Allén.

Den här gatan är den jag kört mest av alla i den här stan. Bängen trålar.

Stadens ljus flackade förbi, ljus och mörker, sol och skugga, gryningar och skymningar. Det var vad han mest tyckte om nere i söder: gryningarna och skymningarna över Medelhavet. Över Afrika.

"Okej", sa polisinspektören vid ratten och bromsade in utanför huvudentrén.

"Tack", sa Winter och klev ur och bilen körde iväg, vände tillbaka ut i oktobernatten. En dimma hade plötsligt svept in från havet. Bilen försvann bort i det grå innan Winter hunnit genom portarna. Han andades in den fuktiga luften. Den kändes inte bra. Han skulle byta ut den mot cigarrök senare.

Luften var lättare i förhörsrummet, som om någon vädrat från ett fönster som vette mot en annan kväll.

Killen satt på stolen. Håret hängde ner över ögonen, som om han hade kammat fram det för att dölja sin identitet. Men den var känd. Han hette Jonas. Namnet sa inte Winter någonting, det gjorde förnamn sällan. Han kände inte igen killen, eller mannen: Winter visste att han var 30 år.

Frågan var vad han gjorde här.

"Mitt namn är Erik Winter", presenterade han sig. "Jag är kriminalkommissarie."

Mannen nickade utan att säga sitt namn.

Winter tog upp blanketten som låg på bordet och läste de översta raderna. Mannens namn var mycket riktigt Jonas. Han hade ett relativt ovanligt efternamn som inte heller sa Winter någonting. Ändå läste han det igen, tillsammans med förnamnet. Det fanns ändå något vagt bekant över namnet. Han lyfte blicken och betraktade mannen. Det fanns ingenting i hans ansikte som Winter kände igen.

"Varför ska jag sitta här?" sa Jonas Sandler.

"Vi vill bara ställa några frågor."

"Det sa din kollega också. Nu säger du samma sak. Men jag förstår fortfarande inte varför jag sitter här."

"Det är lugnare här", sa Winter.

"Ni tror väl ändå inte att jag hade nåt med... med mordet på Paula att göra?"

Winter svarade inte. Han betraktade mannens ansikte igen. Det var inte bara namnet. Det fanns nånting annat också.

"Tror ni verkligen det?" upprepade Jonas Sandler. "Då är ni inte riktigt kloka."

"Har vi setts förut?" frågade Winter.

"Vad?"

"Har vi träffats tidigare?"

"Vad menar du?"

"Precis det jag säger." Winter sökte mannens blick. "Jag tycker jag känner igen dig."

"Skulle jag vara nån gammal tjuv, menar du?"

"Nej."

"Är det här en ny förhörsmetod?"

"Har du haft med polisen att göra nån gång?" frågade Winter. "Förr. När du var yngre, kanske." Han la ner blanketten. "När du var... vittne till nåt, till exempel?"

Då såg han det. Då mindes han det. Pojkens ansikte, och hans namn, och platsen de stått på. Det kom några snabba bilder i huvudet, klick klick: Skymningen. Skogsdungen. Hunden. Handen.

Det är han. Det är den där pojken.

"När du säger det..." sa Jonas Sandler och tittade upp. "När jag var tio år eller nåt pratade jag med en polis om nåt... som jag hade sett."

"Det var jag", sa Winter.

"Det är nästan tjugo år sen", sa Jonas Sandler.

Winter nickade.

"Jag kommer inte ihåg hur du såg ut", sa pojken som blivit en man nu. Winter kom ihåg pojken. Han skulle kunna beskriva hans ansikte nu.

"Jag kommer inte ihåg några ansikten på vuxna från när jag var barn." Pojken svepte ut med handen. "Då måste jag titta på ett fotografi."

"Så är det för mig också", sa Winter.

"Men hur kunde du komma ihåg mig?" frågade Sandler. "Är det inte samma sak om man vänder på det?"

Se upp nu, Erik. Det här är ett förhör. Det kan inte få vindla iväg i olika sorters minnen.

"Jag arbetade", sa han. "Det fanns nåt att hänga upp det på." Han reste sig från stolen. "Vi hade åkt ut för att undersöka nåt."

"Jag kommer ihåg", sa Sandler. "Men vad hände? Vad var det som hände i den där lägenheten i våran uppgång?"

"Vi fick aldrig veta det", svarade Winter.

"Hade det inte varit nåt bråk?"

"Vi fick aldrig veta det heller."

"Dom sa att det fanns blod därinne. I lägenheten."

"Vilka sa det?" frågade Winter.

"Grannarna."

Winter nickade utan att säga något mer. Det här var just nu ett samtal, inget förhör. Kanske var det bra.

"Så det hände alltså inget?" frågade Sandler.

"Inte vad vi vet."

"Blodet då?" Pojken lutade sig framåt. Winter såg honom som pojken. "Det får du inte svara på, eller hur?"

"Enligt mannen som bodde i lägenheten hade det skett en olycka", sa Winter.

"Så ni hittade honom? Han som råkade ut för en olycka?"

"Ja. Samma kväll."

"Hans fru då? Jag kommer ihåg att han hade en fru." Pojken gjorde sin gest igen, som om han strök bort någonting i luften. "Jag kommer inte ihåg hur hon såg ut, men där fanns nån."

"Vi hittade henne också."

"Vad var det för olycka?"

"Köksolycka", sa Winter. "Mer säger jag inte."

"Köksolycka", upprepade Sandler. "Var det nån som dog?"

"Nej."

"Det var bra."

Pojken sa det som för sig själv. Men han borde väl veta. Han bodde där.

"Vi hittade inte handen heller", sa Winter.

Pojken ryckte till.

"Vi hittade ju inte nån hand", sa Winter.

"Nej", sa pojken kort, som om det var en självklarhet att den inte kunde hittas.

"Såg du verkligen den?" frågade Winter.

"Ja."

"Det kan ha varit inbillning. Eller nåt annat som du såg. En trädgren."

"Nej."

"Vi hittade den inte."

"Jag såg den. Zack såg den. Han blev som galen. Jag vet inte om du kommer ihåg det. Om du kommer ihåg Zack. Min hund."

"Jag kommer ihåg. Det är klart."

Jonas Sandler sa inget mer. Han hade en gång sagt allt vad han visste om handen som han hade sett.

"Hur är det med Zack?" frågade Winter.

Pojken svarade inte.

Winter upprepade sin fråga.

"Han försvann", svarade pojken.

"Vad hände?"

"Jag vet inte. En dag var han borta."

"Det var tråkigt att höra."

"Försök inte vara artig."

"Jag försöker inte vara artig."

"Zack var gammal redan då."

Winter nickade.

"Jag letade länge efter honom. Jag var fortfarande liten då. Men jag hittade honom aldrig. Och ingen annan heller." Jonas Sandler tittade Winter rakt i ögonen. "Han kanske helt enkelt glömde bort var han bodde."

"Kanske."

"Fanns det inte fläckar på dom där stenarna i skogsdungen?" frågade pojken. "Eller vad det var. Jag vet att jag kommer ihåg några fläckar."

266

"Jag kan inte säga nåt om det", sa Winter.

"Så det fanns alltså fläckar."

"Var bor du nu, Jonas?"

"Inte långt därifrån". Han nämnde en adress. "Vi Hisingsbor lämnar inte ön."

"Jag har hört det."

"Det är så med öbor."

"Jag har hört det också."

Pojken rörde sig på ett lite ryckigt sätt nu. Han pratade ryckigt, nervöst. Mer än han brukar, gissade Winter.

"Men alla vet inte att det faktiskt är en ö. Sveriges tredje största, tror jag."

"Ändå finns det broar och färjor till och från", sa Winter.

"Det finns broar på fastlandet också."

"Hur är det med din mamma?" frågade Winter.

"Bra."

"Bor hon också kvar på Hisingen?"

"I samma lägenhet."

Winter nickade.

"Det ser likadant ut därute. Till och med skogsdungen finns kvar."

"Visade du den för Paula nån gång?" frågade Winter.

"Jaså, det var det allt handlade om", sa Jonas Sandler.

"Vad menar du?"

"Du frågade om Zack och morsan och allt det där förut bara för att fråga om det här."

Winter försökte betrakta pojkens ansikte. Han såg inte paranoid ut. Det verkade mer bara vara ett konstaterande.

"Jag visste inte att det var du som satt här när jag kom in i rummet", sa Winter.

"Det tror jag inte på ", sa Jonas Sandler.

"Visade du henne skogsdungen?" frågade Winter igen.

"Varför skulle jag det?" Pojken såg ännu mer ut som en pojke nu. Det var som om han hade förändrats under de senaste minuterna. Anletsdragen hade blivit vagare, och samtidigt klarare.

Winter tänkte på pojkens berättelse, den från förr. Han tänkte på Paula. Han hade inte sett någon koppling mellan Paulas hand och den hand Jonas berättat om för mer än arton år sedan. Han hade inte ens tänkt på det förut. Varför skulle han ha gjort det? Han hade tänkt på Ellen Börge. Det var en mer konkret koppling tillbaka i tiden. Nej, inte konkret. Han fann inte ordet. Det fanns kanske inte.

"Varför skulle jag det?" upprepade pojken.

Winter rökte utanför portarna. Dimman hade lättat. Det gick att se Ullevis silhuett på andra sidan Skånegatan. Pelarna till strålkastarna reste sig mot himlen som de övergivna lyftkranarna på andra sidan älven. Hisingssidan.

Jag får åka över dit, tänkte han och blåste röken ut i luften som blivit klarare, som pojkens ansikte därinne. Han tänkte på honom enbart som pojken. Han kunde inte se honom tillsammans med en kvinna, inte på det sättet. Kanske för att det inte fanns någonting att se. Jag får åka över dit. Hisingen. Jag vet inte varför. Kanske jag vet när jag kommer dit.

Han hörde någon komma ut genom porten och vände sig om.

"Vad säger han?" frågade Halders.

"Kommer du ihåg Martinssons?" frågade Winter tillbaka.

"Nej. Vad är det? Vilka då?"

"Paret Martinsson. Deras kök på Hisingen. Vi åkte ut för arton år sen. Nån kille hade anmält brå..."

"Ja, ja, nu kommer jag ihåg", avbröt Halders. "Han hade skurit sig i handleden."

"Sa han."

"Det var hans blod."

"Inte helt och hållet", sa Winter.

"Det där var ju gammalt", sa Halders.

"Vad menar du, Fredrik?"

"Nån annan gammal köksskada."

"Med vem inblandad?"

"Herregud, Erik, vi talar om en generation tillbaka."

"Den nya generationen sitter därinne. Killen. Jonas."

"Nu är jag inte med."

Winter berättade.

"Jag träffade honom aldrig som grabb", sa Halders.

"Han sitter därinne."

"Vad menar du, Erik?"

"Det är som om pojken som var han sitter därinne nu."

"Jaha."

"Förstår du?"

"Nej, men du behöver inte förklara."

Winter log.

"Jag kommer ihåg handen, förstås", sa Halders. "Eller snarare grabbens fantasi om den."

"Tror du det var fantasi?"

"Vi hittade ju ingenting, Erik."

"Som den här gången", sa Winter lågt.

"Vad? Vad sa du?"

"Som nu", sa Winter, "vi hittar inte meningen med handen. Paulas hand."

Halders sa ingenting. Han verkade studera armarna av betong som höll strålkastarna på plats uppe i Ullevis himmel. Inom några kvällar skulle de lysa som solen. Det fanns ett derby kvar att spela.

Halders vände sig mot Winter.

"Det finns tillfälligheter i världen, Erik."

"Som den här pojken, menar du? Han är en vandrande tillfällighet?"

"Jag vet inte vad han är. Det är väl det han ska berätta för oss, eller hur?"

Winter kunde se en hinna av svett vid pojkens hårfäste. Det kunde inte vara eftersvett längre. Det var inte särskilt varmt i rummet. Luften var inte så bra därinne nu. Det luktade på ett särskilt sätt, som ingen annanstans. Många hade svettats i det här rummet. Kanske fanns det en lukt av allt som sagts här, alla ord som uttalats. Alla lögner, undanglidningar, undanflykter. Ett lögnens bibliotek?

Varför inte? Utan böcker, bara med stanken av sjaskiga ord.

Någon gång hade sanningen uttalats. Sprungit fram som ett plötsligt ljus i mörker. En strålkastare. Efter det hade alla kunnat gå hem, till sina celler, till sina lägenheter, till hus i förorten. Till gravarna, tänkte han plötsligt. De verkliga huvudpersonerna var ständigt närvarande vid förhören. De döda. Offren. När den sällsynta sanningen tändes fick de frid.

"Hur träffade du Paula, Jonas?"

"Det har jag väl sagt?"

"Nej."

"Har du inte frågat om det?"

"Hur träffades ni?" Winter höll rösten neutral. "Svara bara på frågan."

"Träffades... vi pratade med varandra några gånger. Ett par gånger. Det har jag sagt till din... kollega." Jonas tittade upp efter att ha betraktat bordsytan under lång tid. "Jag har sagt allt jag vet till honom."

"Hur gick det till när ni träffades?" frågade Winter.

"Jag kommer faktiskt inte ihåg. Det var nog i kaféet. Vi kanske satt vid samma bord." Han såg sig om i rummet, som om det förvandlats till kaféet och han försökte hitta bordet där de suttit. "Så var det. Jag satt där och hon kom och satte sig. Det var nog enda lediga stolen."

"Var hon ensam?"

"Ja... jag tror att det bara fanns en stol ledig."

"Vad hände sen?"

"Hände... det hände inget. Vi sa väl nåt, jag kommer inte ihåg vad. Nån artighetsfras, bara. Jag vet inte. Och sen gick jag väl därifrån. Eller om det var hon."

"När träffades ni nästa gång."

"Vi TRÄFFADES inte, som jag har sagt hundra gånger. Vi stötte ihop några gånger därborta. På Friskis & Svettis. Det är allt. Hur många gånger ska jag behöva säga det?"

Hundra gånger, tänkte Winter. Du kan behöva säga det hundra gånger, och sen hundra gånger till.

"Men ni blev bekanta med varandra, eller hur?"

"Inte mer än att vi pratade lite. Ungefär som första gången."

"Artighetsfraser?"

"Vad?"

"Vad pratade ni om?"

"Inget som jag faktiskt kommer ihåg."

"Pratade ni om att ses nån annan gång? Utanför Friskis & Svettis?"

"Nej."

"Aldrig?"

"Nej."

"Varför inte?"

"Jag vet inte vad jag ska svara på det."

"Var du inte intresserad?"

"Jag vet inte vad du menar."

Winter mötte hans blick. Pojken såg inte ut att utmana honom. Han såg inte korkad ut heller.

Han vill vinna tid. Han behöver tänka. Tänka på vad?

"Intresserad att träffa henne utan träningskläder", sa Winter. "Eller utan kläder överhuvudtaget." Han lutade sig framåt. "Du vet för helvete vad jag menar."

"Vi... kom inte så långt."

"Såg du henne prata med några andra?"

Winter släppte greppet, tog ett nytt, lösare. Han kunde se hur pojken slappnade av, hans kropp blev som lösare, knappt märkbart, men det var ändå kroppens språk. Ibland var det hundra gånger tydligare än det andra språket. Det var som rösten. Den avslöjade hundra gånger mer än själva orden. Men Jonas Sandlers röst avslöjade inte mycket. Kanske var det bara sanningen den avslöjade, eller delar av den.

"Andra? Nej... inte vad jag såg."

"Hennes väninna då?"

"Såg jag inte."

"Du såg henne aldrig tillsammans med väninnan?"

"Nej, säger jag. Jag såg henne aldrig tillsammans med nån." Han tittade på Winter igen. "Fast där var ju alltid mycket folk, så man kan ju inte säga att nån var ensam precis."

"Har du nån flickvän, Jonas?"

"Va... nej."

"Pojkvän?"

"Vad är det för fråga?"

"Var snäll och svara på den."

"Nej, jag har ingen pojkvän. Jag är inte bög."

"Bor du ensam?"

"Har jag ingen flickvän så bor jag väl ensam, eller hur?"

"Man kan dela lägenhet. Hyra ut halva våningen. Vara inneboende. Bo i kollektiv."

"Jag bor ensam", sa Jonas Sandler. "Och ni vet adressen." Han gjorde en rörelse med axlarna, som för att markera att han blivit stel i kroppen av att sitta där. "Jag vill åka hem nu. När får jag åka hem?"

"Vad gjorde du kvällen Paula försvann?" frågade Winter.

"Jag vet faktiskt inte."

"Varför vet du inte det?"

"Jag vet inte vilken kväll det var."

"Vad säger du?"

Halders satt på andra sidan om Winters skrivbord. Skrivbordslampan lyste upp undre delen av hans ansikte. Han såg inte snäll ut. Snart skulle det vara Halloween, en ny skräcktradition i Norden. Halders skulle inte behöva någon mask.

"Vi låter honom åka hem."

"Mhm."

"Men vi släpper honom inte."

"Han har alltså inget alibi", sa Halders.

"Det finns nåt jag inte kommer åt", sa Winter.

"När gör det inte det?"

"Det har att göra med... då. Det förflutna."

"När har det inte det?"

"Har du tänkt nåt mer på den där resan till Hisingen? För arton år sen?"

"Nej. Varför skulle jag det?"

"Jag träffade aldrig vittnet", sa Winter. "Han som slog larm."

"Inte mycket att träffa", sa Halders. "Han hade passerat dörren och hört bråket och ringt. Han kände inte Martinssons."

"Vem var det han skulle besöka i uppgången?"

"Kommer inte ihåg", sa Halders. "Jag får gå in i arkivet. Vet inte om jag ens antecknade det."

"Skulle du kunna kolla det?"

"När? Nu?"

"Ja."

"Okej", sa Halders och reste sig. "Men varför brådskan?"

"Jag vet inte."

Trafiken började glesna på Älvsborgsbron. Det fanns hundra gånger hundra ljus därnere. Kvällshimlen var molnfri, och djupt blå över Västerhavet.

Metzer. Han hette Anton Metzer. Han hade varit på väg att besöka en man i Martinssons uppgång men inte kommit ända fram den kvällen. Winter hade skrivit upp namnet. Det sa honom ingenting. Han hade inte förhört alla som bodde i uppgången. Efter ett halvt dygn hade det inte funnits något att förhöra om. Ingen hade ställt frågor om en hand som setts av en tioårig pojke och hans hund.

Ingen hade pratat med Metzer efter Halders besök samma kväll. Det hade inte funnits något mer att prata om, och gjorde det inte nu heller. Ändå kände Winter en lätt upphetsning, nej, inte det... en föraning. En föraning om det förflutna. Kunde man säga så? Varför kör jag ut dit just nu?

Förhöret med pojken hade sagt honom något som han ännu inte förstod men ändå hade vett att följa upp. Han åkte inte i första hand ut för att tala med hans mor, men han skulle också försöka göra det.

Han skulle gå in i den där märkliga lilla skogsdungen. Märklig? Ja. Det hade varit märkligt att stå där. Pojkens tydliga tystnad. En skräck. Ja. Hundens tänder. Hunden hade också blivit märkligt tyst.

Winter parkerade på parkeringsplatsen invid huskropparna. Han kunde vara var som helst i staden. Det fanns hundra gånger hundra sådana här bostadsområden. Han kände igen sig eftersom han visste att han varit här, men bara därför. Han gick över gården. Lekplatsen låg i den elektriska halvskuggan, ett sken som var mera vitt än svart. I bortre änden låg skogsdungen och nu kände han igen sig, på riktigt, som om han varit här i går senast.

Han gick in bland de få träden och tände ficklampan. Någonstans ifrån hördes ett plötsligt hundskall. Marken blev vit när han lyste på den. Här hade de stått. Någonstans därnere hade det legat något som pojken sa att han hade sett.

De hade inte hittat någonting.

Winter lyste på marken en lång stund men han såg ingenting som inte hörde hemma där. Bara sten, jord, grus, döda löv. En ny höst, en av många sedan sist.

Han gick tillbaka, mot lekplatsen. Det var som att komma ut ur skogen.

I trappuppgången kände han vinden, som förra gången han varit här. Han mindes det. Den blev kvar även när porten där nere slog igen, virvlade upp och ner som något osaligt.

Han ringde på dörren. Det stod Metzer på namnskylten, inget förnamn. Han ringde igen. Det skrällde därinne, en signal som blivit kvar från det förflutna. Winter hade inte aviserat sin ankomst. Metzer kunde vara ute.

Dörren öppnades en decimeter.

"Herr Metzer? Anton Metzer?"

Winter kunde se ett par ögon, en del av en panna. Mörkt hår.

"Ja?"

Winter presenterade sig.

"Får jag komma in en liten stund?"

"Varför det?"

"Jag har bara ett par frågor jag vill ställa."

"Vad handlar det om?"

"Får jag komma in?"

Dörren öppnades. Mannen tog ett par steg tillbaka. Han var

klädd i vit skjorta och bruna byxor som såg ut att vara av gabardin. Tofflorna han hade på fötterna såg bekväma ut. Ansiktet var åldrat. Det luktade mat i hallen, en sen middag. Winter hörde röster någonstans ifrån därinne, en teve. Det stod en gammal telefon med snurrskiva på ett litet bord i hallen.

"Ja... du får väl kliva på då", sa Metzer och gjorde en gest in mot lägenheten.

De gick in i vardagsrummet. Teveapparaten visade ett debattprogram, människor satt vid två bänkar mitt emot varandra och Winter hörde en upprörd röst säga "det var det dummaste jag hört" och såg att det var en kvinna med ett stort hår. Det sas alltid mycket dumt i teve men få vågade säga direkt inne i själva burken att det var så. Innan Winter hann höra ett eventuellt försvar för dumheten tryckte Metzer av debatten med en knapp på apparaten.

Winter förklarade sitt ärende.

"Det var längesen", sa Metzer.

Winter nickade.

"Jag kommer inte ihåg dig", sa Metzer.

"Det var min kollega du pratade med."

"Mhm."

"Kände du paret Martinsson?"

"Nej, nej. Jag har aldrig bytt ett ord med dom."

"Men du blev orolig när du gick förbi deras dörr?"

"Ja."

"Hur lät det?"

"Som om nån var på väg att ta kål på nån annan."

"Har du hört nåt sånt förut?"

"Här? Nej?"

"Pratade du med dom efteråt? Nån av dom?"

"Nej. Varför skulle jag det?" Metzer ändrade ställning i soffan. "Och dom flyttade ju bara några veckor senare, eller om det var ännu tidigare."

Winter nickade.

"Jag blev bara orolig. Det var därför jag ringde polisen."

"Vem var det du skulle besöka den där kvällen?" frågade Winter.

"Det var en granne därborta. Det sa jag väl då?"

"Ja."

"Men då så."

Winter läste namnet från sitt block. Han kom ihåg det, men använde ändå blocket. Det såg ut som om han hade gjort sin läxa, förberett sig. Han ville inte att det skulle se ut som om han flaxat över bron av en tillfällighet.

"Han var visst inte hemma?"

"Nej."

"Så du hann ringa på den där kvällen? Hos honom?"

"Jo... det gjorde jag väl?"

"Du kommer inte ihåg?"

"Nej... det står väl i vittnesmålet, eller vad det heter."

"Det står att du inte besökte honom."

"Då är det väl så."

Metzer såg på Winter. Det fanns en linje i hans ansikte som gick från ena tinningen och ner över kinden. Det såg ut som ett ärr efter en sabel. Metzer. Han kanske var tysk ädling.

"Det var... egentligen inte han jag skulle besöka", sa Metzer efter en liten stund.

"Förlåt?"

"Det stod hans namn på dörren, men han bodde inte där."

Winter nickade. Han kände något över hjässan, en svag upphetsning. Det var så hans kropp reagerade. Det kom utan varning.

Var så god och berätta, Anton.

"Det bodde en kvinna där, i andra hand. Och hennes dotter. Det var bara ett kort tag."

Winter nickade igen.

"Dom bodde bara nån månad."

Han tystnade.

"Ja?" sa Winter.

"Jag pratade lite med kvinnan ute på gården. Och flickan. Och jag... hjälpte dom lite. Dom behövde hjälp. Det var inget mellan henne, mamman och mig, inget sånt. Det var jag för gammal för redan då. Men jag tyckte väl synd om dom."

"Varför det?"

"Jag vet inte. Dom var lite... vilsna. Ensamma." Han verkade le ett svagt leende. "Som jag, kanske."

"Du var på väg att besöka dom den kvällen?"

"Ja."

"Varför sa du inget om det då? För arton år sen?"

"Ingen frågade." Metzer strök sig över hakan. Den såg nyrakad ut. "Och det var ju inte viktigt. Det var väl ändå inget som kunde intressera polisen?"

22

WINTER STOD PÅ GÅRDEN IGEN. HAN HÖRDE hundskall igen, från bakom skogsdungen. Skallet flöt med vinden. Det kretsade kring lekplatsen som om det hade vingar. När Winter passerade lekplatsen tänkte han på pojken. Han måste ha suttit där många gånger. Vinden rörde gungorna i en svag rörelse fram och tillbaka. Det var som om någon satt där, ett osynligt barn.

När han gick uppför trappan hade han en stark känsla av att han skulle få veta någonting viktigt inom den närmaste timmen. Något *viktigt*, något han hade anat när han stått ute på gården och suttit i Metzers lägenhet där det luktat ensamhet och en stilla desperation som varit som damm över allting.

Han ringde på dörren. Den måste vara densamma som då. Ingenting verkade ha förändrats här, det fanns ingenting som var nytt av det han såg runt omkring sig. Det fanns ingenting som var renoverat, upprustat, uppsnyggat. Pengarna hade tagit slut innan de hade nått ut hit. Det fanns inga sådana pengar för dem som bodde här. Det fanns inga pengar alls.

Winter ringde på dörren och hörde en ensam signal.

Kvinnan som öppnade hade en handduk virad runt håret. Han kände omedelbart igen henne.

Hon kände igen honom.

"Vad gäller det?" sa hon. Och sedan: "Har det hänt nåt?"

"Får jag komma in?" sa Winter.

"Har det hänt Jonas nåt?"

Det var som om han var tillbaka på den här platsen arton år tidigare, i det här trapphuset. Han hade bara gått ut för en liten stund, och kommit tillbaka, och pojken hade försvunnit.

"Du känner igen mig?" sa han.

"Winter", sa hon. "Jag kommer ihåg det där namnet."

"Jag känner igen dig också", sa han.

"Det är många år sen." Hon tittade bakom hans axel, som för att se om han kom ensam. "Det har gått många år."

"Får jag stiga på?"

Hon tog ett par steg åt sidan, som för att låta honom passera. Han klev in i hallen. Alla dessa hallar jag klivit in i under alla dessa år. Jag kunde ha sålt dammsugare, eller uppslagsböcker. Får jag komma in en liten stund och sälja nåt? Stjäla nåt. Stjäla tid.

Winter såg lekplatsen genom fönstret, eller om det skulle kunna kallas en fransk balkong. Glaset gick ända ner till golvet.

"Vad är det som har hänt?" frågade hon igen. Hon hade tagit bort handduken från huvudet ute i badrummet och kommit tillbaka och satt sig mitt emot Winter. Håret var fortfarande fuktigt. Det glänste av belysningen i rummet.

"Gäller det Jonas?" fortsatte hon.

"Varför frågar du det?"

"Är det så konstigt?" Hon såg rakt på honom. "Varför skulle du annars komma hit?"

"Det har inte hänt honom nåt", sa Winter. "Men jag har träffat honom. Nyligen."

"Varför det?"

Det fanns en oro i hennes ögon, men Winter kunde inte avgöra orsaken. Den kunde ha flera orsaker, de flesta naturliga.

"Känner du till mordet på en kvinna vid namn Paula Ney?" frågade han. Han kunde ha valt att fråga henne om hon kände till namnet, bara namnet, men han ville se hennes reaktion.

"Paula? Paula... vad? Ett mord? Varför skulle jag känna till... det?"

"Paula Ney. N-e-y."

"Vad hemskt. Nej... jag vet inte. Kan jag ha läst om det? Kan det ha stått i tidningen?"

Göteborgs-Posten låg på bordet. Winter kunde se att tevedelen var uppslagen. Han kunde se teven i hörnet, till höger om den franska balkongen. Det var en äldre modell, men Winter kunde inte avgöra hur gammal den var. Han visste inte mycket om teveapparater.

"Det har stått ganska mycket om det i tidningen", sa han och nickade bort mot teveapparaten, "och det har tagits upp i teve."

"Jag kanske har sett nåt..." Hon tittade ner på tidningen, och sedan bort mot teven. "Men varför kommer du hit och säger det?"

Det fanns flera svar på den frågan. Det skulle bli en lång berättelse.

Hennes ansikte hade förändrats under den senaste minuten. Han hade sagt att en kvinna blivit mördad. Och att han nyss träffat hennes son. Oron hade spridit ut sig från ögonen.

"Jonas har väl ingenting med detta att göra?" Hon lutade sig framåt. "Det har han väl inte?"

"Han träffade den här kvinnan några gånger", sa Winter.

"Herregud."

"Har du träffat henne?"

För ett ögonblick såg det ut som om hon skulle säga ja, bara för att det kanske skulle hjälpa hennes son, utan att hon visste varför, eller hur. Men kanske det skulle vara lika bra att säga nej. Kanske sanningen var bättre nu.

"Nej", svarade hon.

"Paula Ney", sa Winter. "Jonas pratade aldrig om henne?"

"Nej."

"Är du helt säker på det?"

"Ja. Vad är detta? Vad har han gjort? Han har väl inte..."

Winter sa ingenting.

"Är han..." hon letade efter ordet "... misstänkt?"

Winter berättade om Friskis & Svettis. Han berättade delar av Jonas berättelse.

Hon såg ut att slappna av.

"Ja, men då är det ju så."

Winter hörde ett hundskall igen och vände på huvudet.

"Du tror väl på honom?" sa hon. "Varför skulle du inte tro på honom?"

Winter vände sig tillbaka mot henne. Anne. Hon hette Anne. Det stod ute på dörren, Anne Sandler.

"Jag har bara pratat med Jonas", sa Winter. "Det är allt. Vi pratar med många när vi arbetar med en utredning. Det är nödvändigt. Jonas är ett av vittnena, ett viktigt vittne. Han var en av de sista som träffade Paula."

Han såg hur hon slappnade av. Oron lämnade delar av ansiktet. Han hade sett en ryckning i tinningen, och en nervös rörelse över munnen. Nu kröp den där oron tillbaka in i ögonen igen. Där verkade den bli kvar.

"När träffade du Jonas senast?" frågade han med lätt ton.

"Vill du ha kaffe?" sa hon och började resa sig. "Jag har ju glömt fråga dig om du vill ha en kopp kaffe?!"

"Ja tack", svarade Winter. "Kan du bara säga mig när ni sågs senast?"

Det hade gått ett tag sedan de sågs. Hon hade inte kunnat säga exakt hur länge. Någon månad. Det var en lång tid. Hon kunde inte ge Jonas alibi för den tid Winter arbetade med. Han nämnde inget om alibi. Det kanske skulle komma senare, en annan dag, vecka, månad.

Winter frågade inte varför hon träffade sin son så sällan, eller varför han inte träffade henne. Om det nu var sällan. Vem var han att döma. Hur många år hade det gått mellan den näst sista och den sista gången han träffade sin far? Och då hade det varit försent. Hur många gånger de senaste åren hade han träffat sin mor? Allt oftare, åtminstone. Och kanske för ofta den här kommande vintern.

De befann sig i köket nu. Winter hade föreslagit det. De hade suttit här för arton år sedan. Stolen där Jonas suttit var tom. Winter kom ihåg vilken stol det var. Ibland arbetade minnet på det sättet.

Han hade några frågor kvar.

"Det bodde visst en kvinna och hennes dotter på fjärde våningen i det här huset?"

Hon vände sig om med några bullar på en tallrik som hon tagit ut ur mikrovågsugnen.

"Den gången", fortsatte Winter, "när jag var här första gången. För arton år sen."

"Jaha..."

"Gjorde det det?"

"Ja... det gjorde det väl..."

"Hur väl kände du dom?"

"Det var inte länge. Dom bodde inte här mer än nån månad, tror jag, kanske två. Det var väldigt kort tid."

"Men du kommer ändå ihåg den där kvinnan, och hennes dotter?"

Anne Sandler nickade.

"Hur kommer det sig?"

"Hur menar du?" sa hon.

Hon hade blivit stående vid köksbänken.

"Det var ju så kort tid", sa Winter.

"Ja... vi sågs väl några gånger ute vid lekplatsen. Eller på gården. Och Jonas lekte väl lite med den där flickan. Dom var i ungefär samma ålder." Anne Sandler tog ett steg mot bordet. "Det fanns inte så många barn här då. Det var mest äldre här." Hon kom fram till bordet och satte sig. "Och nu är dom ännu äldre. Eller vi, ska jag kanske säga."

"Vad hette dom?" frågade Winter. "Vad hette dom i efternamn?"

"Det... kommer jag inte ihåg."

"Var det ett svårt namn att minnas?"

"Jag vet faktiskt inte. Är det inte lättare att minnas ett svårt namn?"

"Vad hette kvinnan i förnamn?"

"Det kommer jag inte heller ihåg." Hon sköt kaffekoppen en liten bit framåt på bordet. "Det var väl konstigt. Det borde jag väl."

"Vad hette flickan då?"

Anne Sandler såg ut att tänka efter.

"Jag tror hon hette Eva", sa hon efter en liten stund. "Jag tror jag minns eftersom Jonas sa det namnet."

"Besökte du dom nån gång? Var du hemma hos dom?"

"Nej."

"Varför inte?"

"Det... blev liksom inte av. Vi hann väl inte lära känna varandra tillräckligt bra." Hon såg sig om i köket. "Och dom var aldrig härinne." Hon såg plötsligt på den tomma stolen bredvid Winter, som om den också påminde henne om något. "Förresten, flickan var väl här nån gång."

"Fanns det nån man i familjen?"

"Inte vad jag vet. Jag såg ingen. Hon pratade aldrig om nån man."

Winter kunde se på henne att det plötsligt blev plågsamt att prata, att han hade påmint henne om något mer som hon inte ville tänka på, eller tala om.

"Varför frågar du om henne? Om dom?" sa hon och tittade på honom. "Vad har dom med... mordet att göra?"

"Det handlar om den där kvällen", sa Winter. "När vi kom hit. När det var bråk i Martinssons lägenhet."

"Det kommer jag ihåg att du frågade om. Då. Jag tror jag berättade vad jag visste om dom, Martinssons. Det var inte mycket, det minns jag."

Winter nickade.

"Men vad har dom med det att göra? Med det där bråket? Eller med nåt annat? Alltså mamman och flickan?"

"Jag vet inte", sa Winter. "Antagligen ingenting."

"Och vad har vi med allt detta att göra?" frågade hon. "Mer än att Jonas tydligen pratade några ord med kvinnan som... dog?"

"Vad hände med dom?" frågade Winter utan att svara på Anne Sandlers fråga. "Mamman och dottern. Vet du det? Vart flyttade dom?"

"Det vet jag inte. En dag var dom bara borta."

"Sa hon ingenting innan? Mamman?"

"Nej."

"Eller flickan? Hon sa ingenting till Jonas?"

"Nej. Jag frågade honom men han sa att hon bara var borta."
Anne Sandler tittade ut genom den franska balkongen. Hon såg
vad Winter såg: en lekplats svagt belyst av det elektriska ljuset, som
en gul skugga. De kunde se gungorna härifrån, och något slags
klätterställning. Bakom ställningen stod en rutschbana.

"Han blev ledsen för att hon bara försvann, utan att säga adjö",
sa Anne Sandler.

Mario Ney ringde Winters mobiltelefon när han var på väg tillba-
ka över bron. Trafiken var gles. Klockan var över tio. Winter kunde
se en färja på väg in i höjd med Älvsborgs fästning. Det var en klar
kväll.

"Vet ni nåt mer?" sa Mario Ney. "Har nån sett Elisabeth?"

"Inte än", sa Winter.

"Nån måste ha sett henne."

"Var är du nu, Mario?"

"Jag är hemma. Jag sitter här vid telefonen. Hon kanske ringer.
Eller nån annan. Du, till exempel. Att du ringer. Du sa att du skulle
ringa mig."

"Jag skulle göra det i kväll. Om en stund."

"Det säger du bara."

Winter kunde fortfarande se färjan i ögonvrån. Ett flytande tio-
våningshus som badade i sin egen belysning. När färjan gled in i
hamnen såg den ut som om den var på väg på fest. Här uppifrån
såg hela staden ut som om den var på väg på fest.

"Hur länge har ni bott därute, Mario? I lägenheten i Tynne-
red?"

"Vad? Varför frågar du det?"

"Hur länge har ni haft lägenheten?" upprepade Winter.

"Läg... ja, den har vi haft länge. Sen Paula var liten. Hur så?"

"Hur liten då?"

"Vad är detta? Vart vill du komma?"

"Hur gammal var hon när ni flyttade dit?"

Winter hörde hur Ney mumlade något, som om han pratade för sig själv.

Winter upprepade frågan.

"Fem", sa Ney. "Jag tror hon var fem."

Lakanen låg på tredje hyllan till höger. Men för att komma dit måste städerskan passera en annan hylla och sedan följa väggen till höger när den krökte sig som en båge. På det sättet kan man säga att förrådet nästan bestod av två rum. Den som stod i dörren kunde inte se det inre utrymmet.

Städerskan hade haft händerna fulla av det som nu låg på golvet, utspritt där hon släppt det. Hon hade skrikit. Det hade hörts ut i trappan och ner till våningen under och upp till våningen över.

Hon hade inte kunnat röra sig den första minuten, bara stått där och skrikit, ett högt och långt skrik bara.

Elisabeth Neys kropp låg på en bädd av bländvita lakan. Nästan allt var bländande vitt i förrådet.

Winter försökte se allting samtidigt.

Han var den förste därinne.

En av hotellets direktörer hade ringt in larmet och tre kolleger hade väntat utanför dörren när Winter kom. Ringmar var på väg, tillsammans med Aneta Djanali.

Städerskan vilade i ett av hotellets personalrum. Det var osäkert om hon skulle kunna prata mer än några ord med Winter i natt.

Hon hade aldrig sett något sådant här.

Han gick försiktigt runt kroppen. Bädden av lakan var fyra eller fem decimeter hög.

Den var inte en tillfällighet. Mördaren hade gjort i ordning den. När? Medan Elisabeth Ney... väntade? Eller tidigare? En förberedelse för något mördaren visste skulle hända? Ja. Nej. Ja. Ja. Någon med tillgång till det här rummet. Det här hotellet. Någon med tillgång till hotell. Ett gammalt hotell. Mitt emellan Revy och Gothia Towers, vilket var en lång sträcka. Inte lyxigt och inte sjaskigt. Ett hotell för den vanlige medborgaren. Som Elisabeth Ney. Hur kom hon in här? I det här jävla förrådet? Hon hade inte checkat in på hotellet, det visste han redan, och framför allt inte här. Winter väntade på läkaren. Läkaren. Sätt igång och läk. Säg mig om det var här hon dog. Winter studerade kroppen. Han trodde det hade hänt här. Hur skulle det annars ha gått till? Han reste sig och gick tillbaka genom det egendomligt formade utrymmet. Två poliser stod på vakt ute i trapphuset. Winter bad dem flytta sig så att han kunde peta upp dörren för att kunna se framsidan av den. Där fanns ingenting, den var blank, ingen skylt, inga siffror. Varför här? tänkte han.

"Varför här?" sa Ringmar. Aneta Djanali stod bredvid honom. Hon betraktade Elisabeth Neys döda kropp och hennes omgivning. Det var en scen.

"Det var så här han ville att vi skulle se det", sa hon. "Så här skulle vi... möta henne."

Winter nickade.

"Han måste ha planerat det noga."

"Förrådsdörren var inte låst", sa Winter.

"Varför inte?" frågade Ringmar.

"Obekvämt", sa Winter, "städpersonalen sprang här hela tiden."

"Han måste ju ha varit här", sa Aneta Djanali och såg sig om igen, "han måste ha kommit hit tidigare. Kanske flera gånger."

Winter nickade igen.

"Nån måste ha känt igen honom."

"Vi får se", sa Winter.

"Eller är han så välkänd här att ingen känner igen honom?" sa Aneta Djanali. "Han kunde komma och gå som han ville."

"Bra poäng", sa Winter.

"Kanske fortfarande gör det", sa Aneta Djanali.

"Skulle det här vara mördarens arbetsplats?" sa Ringmar.

Ingen kommenterade hans ord.

Ingen trodde på det. De skulle höra alla som arbetade här, men det tillhörde rutinen. De kanske skulle få andra svar, kanske några skulle hjälpa dem.

"Varför här?" upprepade Ringmar, men mest för sig själv.

"För att det är ett hotell", sa Winter.

"Det är inte ett riktigt rum", sa Ringmar, "och framför allt inte rum nummer tio."

"Det spelar ingen roll längre", sa Winter, "för honom."

"Hur menar du då?"

"Det här är inte... samma typ av mord som mordet på Paula." Winter såg ner på kroppen. "Det påminner om det, men det hör inte dit. Inte på det sättet." Han tittade upp. "Det var planerat, men inte som han planerade mordet på Paula. Det här kom efteråt. Det var kanske inte tänkt att bli så här."

"Vi vet inte ens om det är samma mördare", sa Ringmar.

"Menar du att mördaren var... tvungen att mörda Elisabeth Ney fast han inte hade planerat det?"

"Vi får se", sa Winter och betraktade kroppen igen. Det var en ovanlig situation: att stå lutad över en död person som han tidigare träffat, talat med, ställt frågor till, lyssnat till. Ett spaningsmord i sig var ovanligt. De flesta mördare var kända minuter efter dådet. Ibland innan de begått det. Men även i ett spaningsmord var det mycket ovanligt att utredaren tidigare träffat den mördade. Han hade varit med om det tidigare, men bara en gång. Han hade känt sig... upprörd då, och han kände sig upprörd nu. Känslan hindrade inte hans tankar. Kanske den hjälpte honom att tänka klart. Blodet rörde sig snabbare.

Winter lämnade Ringmar och Aneta Djanali och gick ut i trapphuset. Luften kändes friskare där, även om den inte var frisk. Han kunde inte tänka på någonting som var friskt här. Alla de vita färgerna påminde om sjukdom och död. Allt var vitt på ett sjukhus, ett bårhus. I en kyrka. Vitt var dödens färg i alla nyanser.

Hans mobil ringde.

"Jag är utanför nu", sa Halders.

"Kom upp", sa Winter.

Han väntade i trappan.

Halders gick direkt in i förrådsrummet när han kom. Läkaren

hade kommit strax dessförinnan. Det var en man Winter inte träffat förut. Han var ung, kanske tio år yngre än Winter. Han såg ut att dra ett djupt andetag innan han steg in. Winter hade talat några ord med honom.

Halders kom ut.

"Ska vi åka då?"

Mario Ney väntade i lägenheten. Winter hade skickat dit en bil från Frölundastationen.

Halders körde genom Tingstadstunneln. Rösterna i radion fick en annan ton, som om de plötsligt talade ett annat språk. Winter hade aldrig tyckt om att resa genom tunnlar. En gång hade han fastnat i en bilkö i en av de schweiziska kilometertunnlarna, och det hade inte varit en trevlig upplevelse. En kvinna med klaustrofobi några bilar längre fram blev galen och började hoppa från biltak till biltak mot ljuset och friheten.

När de väl kom ut hade Winter kört in på första rastplats och gått ur och stått stilla på den stadiga marken och andats in så mycket luft det fanns, frisk eller inte. Det hade varit som att komma ner från en hög höjd.

"Det såg inte ut att ha hänt för så länge sen", sa Halders.

"Vi får se vad läkaren säger."

"Jag kände inte igen honom", sa Halders.

"Inte jag heller."

"Vad sa Mario Ney?"

"Jag har inte sagt det till honom än."

"Undrade han inte varför du ville träffa honom?"

"Jag lät det inte bli tid till det", svarade Winter.

"Jag tror inte det är samma mördare", sa Halders. "Det är vad jag inte tror."

Halders svängde av leden. En kilometer bort kunde Winter se de grå höghusen i Västra Frölunda. De höjde sig som byggklossar mot himlen. Ett samhällsbygge som gått åt helvete. Allt var grått i dag. Grått var ännu en nyans av ett slags vitt.

"Eller samma motiv", fortsatte Halders. "Det kanske är det."

"Vilka är motiven?" frågade Winter.

"Dom kanske inte finns", sa Halders. "Utom i mördarnas huven."

"Mördarens", sa Winter. "Det är en och samma."

Halders parkerade i en av de många tomma rutorna på parkeringsplatsen nedanför hyreshusen. Winter steg ur bilen. Det var inte längesen jag var här. Trodde aldrig jag skulle komma tillbaka med det här budskapet.

"Kan han bli våldsam?" frågade Halders.

"Jag vet faktiskt inte, Fredrik."

"Om han anklagade oss förut så har han större anledning nu."

Winter nickade. Han hade fattat beslutet om att Elisabeth Ney behövde vård. Han hade inte satt henne under bevakning. Han hade inte skyddat henne. Han hade kanske inte tänkt tillräckligt, och inte tillräckligt långt fram i tiden. Hur långt fram kan man tänka? Till nästa mord? Han gick över gårdsplanen. Är det där gränsen går? Eller ska man tänka vidare? De passerade lekplatsen. Den var större än den uppe på Hisingen. Det fanns fler gungor. Han tänkte på pojken igen, och flickan. De hade gjort en sökning på hyresgästerna som bott i andra hand i en lägenhet som hyrts i första hand av en man vars namn Winter inte kände igen. Den hyresgästen hade flyttat därifrån för länge sedan. De flesta hade flyttat därifrån, det var ett genomflyttningsområde. Kunde man kalla det så? De flesta flyttade igenom, och vidare, men Metzer hade blivit kvar, och pojkens mamma, Anne.

En av gungorna rörde sig i vinden när de passerade, bara en, som om ett osynligt barn börjat gunga också där.

Paula har suttit i den där gungan, tänkte Winter.

"Grabbarna är på plats", sa Halders.

Winter såg den målade bilen utanför porten.

"Dom har inte ringt så det är väl lugnt", fortsatte Halders.

Winter tittade uppåt. Han såg fönstren som tillhörde familjen Neys lägenhet. Det var tre fönster, han kom ihåg att det fanns tre fönster som vette mot gården. De hade varit tre människor i den familjen. Han såg plötsligt ett ansikte i det mittersta av de mörka fönstren. Ansiktet var som en vit skugga.

23

"VAD I HELVETE ÄR DET FRÅGA OM?!" Mario Ney var redan ute i trapphuset när Winter och Halders var på väg upp. Winter kunde se de två poliserna från Frölunda flankera Ney som livvakter i uniform. "Vad är det som har hänt?!"

"Kan vi gå in?" sa Winter.

Ney vände sig häftigt om, som för att kontrollera var dörren fanns, att han stod utanför sitt eget hem.

"Det är Elisabeth?! Det har hänt henne nåt?! Var är hon?"

"Mario..."

Winter sträckte fram handen, men Ney var redan på väg tillbaka över tröskeln, som om han förstod att det var därinne han skulle få sina svar.

"Kan vi åka nu?" frågade en av polisinspektörerna.

"Tack", sa Winter.

"Vad sa han när ni kom?" frågade Halders.

"Han sa ingenting."

"Ingenting?"

"Vi gick nyss upp hit. Han öppnade och stirrade på oss och sen gick han in i lägenheten igen."

"Och sen kom ju ni", sa den andre. "Men han var lugn."

"Han uppträdde rätt annorlunda nu", sa Halders.

"Han såg oss genom fönstret", sa Winter. "Han kände igen mig."

"Så du triggade igång reaktionen?"

"Han anser väl att han har en del att anklaga mig för."

"Han vet inte hälften än", sa Halders.

Winter svarade inte. De var på väg in i hallen. Han kunde höra fotstegen från kollegerna när de klampade nerför trappan som uniformerade elefanter. Om inga grannar hade uppmärksammat besöket tidigare skulle det ske nu.

Winter såg ryggen på Mario Ney. Mannen stod vid fönstret, som om han väntade tills han fick syn på uniformerna nere på gården. Han vände sig om. Han såg lugnare ut nu. Det var som om han visste.

"Kan vi sitta ner?" sa Winter.

"Säg bara vad du har att säga."

"Vi har hittat Elisabeth. Hon är död."

Först de goda nyheterna, tänkte Winter. Vi har hittat henne. Sen de dåliga. Ney verkade inte reagera först. Han såg ut som om han fortfarande väntade på besked från Winter. Han tittade från Halders till Winter, fram och tillbaka, som om någon av dem skulle säga något.

"Mario..."

"Hur?"

Bara det. Hur. Ney stod kvar vid fönstret. Det var omöjligt att se hans ansiktsuttryck, han hade ljuset från fönstret i ryggen. Winter kunde se polisbilen starta bortanför lekplatsen, göra en U-sväng på parkeringen, långsamt köra ut på trafikleden mot Frölunda. Han önskade att han satt i den. Då hade han sluppit att inte berätta om hur. Han kunde inte göra det nu, fick inte göra det.

"Var?"

Två frågor nu. Den andra frågan gjorde det plötsligt lättare att besvara den första.

"Odin", sa Winter. "Hotell Odin. Hon ha..."

"Vad gjorde hon där?" avbröt Ney. "Var ligger det?"

"Kungsgatan. Men de..."

"Hotell nu igen! Vad i helvete är det som händer?!"

Winter hörde skärpan öka i Neys röst. Han kunde fortfarande inte se mannens ansikte tydligt. Det var alldeles nödvändigt att göra det.

"Sätt dig ner, Mario."

"Jag ka..."

"Sätt dig!"

Det var som om Ney förstod. Han tog några snabba steg framåt och satte sig i den närmaste fåtöljen. Winter satte sig i soffan mitt emot, bredvid Halders som hade satt sig direkt.

"Vi vet ännu inte hur", sa Winter.

Ney satte händerna för ansiktet. Han böjde sig framåt. Winter och Halders kunde se den kala fläcken på toppen av huvudet.

Han släppte händerna och tittade upp.

"Men... död?"

Winter nickade.

"Vad hade hon... gjort? Vad har hon gjort? Vad hände? Hur dog hon?"

"Hon blev mördad", sa Winter.

"När?"

"Förlåt?" sa Halders.

"När hände det? Hände det nu? I dag? Hände det i går?" Ney lutade sig framåt. Winter kunde se den spända huden i hans ansikte, de röda ögonen, händerna som rörde sig. "När hände det?"

"Vi vet inte riktigt än", sa Winter.

"Vet inte? Vet inte?" Ney var på väg upp igen. "Vad vet ni egentligen? Ni vet för helvete ingenting!"

"Finns det nåt vi borde veta?" frågade Winter. "Nåt som du vet?"

"Vad?" Ney satte sig igen, eller föll ner i fåtöljen. "Vad? Vad?"

Hans ögon rörde sig fram och tillbaka nu, från Winter till Halders. Först dottern och sedan hustrun, tänkte Winter. Han har rätt att fråga hur, och var, och vad. Kanske har han rätt. Men vi måste också ställa frågor.

"Jag tror du förstår att vi måste fråga dig vad du har gjort de senaste 24 timmarna", sa Winter.

"Vad? Jag? Vad spelar det för roll vad jag har gjort?!"

Nu reste han sig.

"Det är väl andra som ska svara på den frågan? Eller hur?"

"Vilka då?" frågade Winter.

Mario Ney svarade inte. Han såg ut som om han fortfarande väntade på ett svar från Winter.

*

Halders körde tillbaka genom tunneln. Trafiken hade ökat, strål-
kastarna lyste upp väggar som tog sig bättre ut i mörker.

Mario Ney hade vägrat hjälp. Vi skickar hit nån du kan samtala
med, hade Winter sagt. Om du vill vara kvar här.

"Jag vill vara ensam", hade Ney sagt.

Det var en svår situation. De kunde ta in honom på sex timmar,
kanske sex till om han kunde misstänkas för något. Kan misstän-
kas, den lägsta graden. Kan han det? Winter tänkte på blodfläcken
inuti knuten på repet som dragits åt runt Paulas hals. Dotterns
hals. Blodsdroppen var hennes. Och det fanns ingenting annat
att jämföra med. Ingen annan. Winter hoppades på att någonting
skulle komma ut av de nya analyserna på SKL. En droppe saliv på
repet som virats runt Elisabeths hals. Snart skulle de veta. Och han
skulle artigt be Mario om ett DNA-prov. Ett enkelt test, en tops ut-
efter insidan av kinden, över tandköttet. Något att jämföra med.

Men kanske behövde Mario någon att prata med för att skydda
honom från sig själv.

"Jag vill verkligen vara ensam", hade han upprepat.

"Har du ingen annan att prata med?" hade Halders frågat. "En
vän, eller en släkting."

Ney hade skakat på huvudet.

Halders körde ut ur tunneln. Oktobereftermiddagen sjönk
långsamt in i kväll. Gatubelysningen var redan tänd.

"Han bör inte lämnas ensam", sa Halders.

"Jag vet."

"Ska du skicka nån?"

"Låt mig tänka en minut."

Halders snurrade i rondellen och svängde ut på leden. Älven
blev synlig. Ett handelsfartyg gled in mot hamnen. Winter tyckte
att han såg människor på däck trots att avståndet var långt.

"Minuten är över", sa Halders.

"Det var nåt med hans reaktion som fick mig att reagera", sa
Winter.

"Visade han inte tillräcklig sorg?" Halders vände sig mot Win-
ter. "Eller för mycket?"

"Vad tyckte du?"

"Jag har sett för många olika såna reaktioner", sa Halders. "Jag kan inte avgöra det förrän jag träffat honom igen."

"Nej."

"Sorg visar sig på tusen olika sätt. Reaktioner, fördröjda reaktioner. Chock. Du vet själv."

Winter nickade.

"Snart hör han av sig med alla frågor han vill ställa", sa Halders.

"Vi har så det räcker", sa Winter och ändrade ställning i sätet. Instrumentpanelen hade skavt mot hans knä. "En mor och en dotter mördade."

"Där finns i alla fall en koppling", sa Halders.

"Är det där nåt slags galghumor?" sa Winter.

"Nej."

De passerade Stenaterminalen. Bilköerna var långa till färjan. Avgaserna steg från långtradarna som moln.

"Vi har försökt se tillbaka i Paulas liv", sa Winter efter en liten stund. "Och vi har inte kommit långt. Men det räcker nog inte med Paulas förflutna."

"Hur menar du?"

"Hennes mor. Elisabeth. Vi måste spåra hennes liv bakåt också."

Halders mumlade något han inte kunde höra.

"Vad sa du?"

"Snart rör vi oss mer bakåt än framåt i det här fallet. Dom här fallen."

"Är det första gången?" sa Winter.

Halders svarade inte.

"Hela familjens förflutna", sa Winter. "Det är nåt vi inte kommer åt där. En stor hemlighet."

Halders nickade.

"En stor hemlighet", upprepade Winter.

"Kanske inte bara en", sa Halders.

Winter behövde inte ta fram den vita handen och betrakta den. Han såg den ändå. Det var inte som för Ringmar; den vinkade inte till honom. Den var sluten, knuten. Något han inte kunde nå. Som återstoden av en staty.

Han satt hemma med whiskyn i glaset. Staty. Återstoden av en staty. Vad har vi här? Vi har en hand från en kropp. Det är tvärtom. Vad ser man när man ser en antik staty? En kropp, en torso. Inget huvud. Inga händer. Tvärtom nu. Hand. Ingen torso. Det stämmer inte.

Det mellersta fingret på Elisabeths Neys högra hand hade målats vitt. Höger långfinger. Det hade inte funnits någon färgburk i det vita förrådsrummet.

Bara ett vitt finger. Inte en hel hand.

Winter tittade på klockan. Det var någon hemma hos Ney nu. Kanske han inte skulle klara natten. Upp till akuten. Kanske samma sal.

Winter drack av sin Glenfarclas. Det doftade whisky runt honom. Det var en god doft. Den stod för godheten i världen. Livet, till och med. Ordet whisky härstammade från gaeliskans usquebaugh. Livets vatten. Det hade fortfarande funnits fukt på golvet i förrådsrummet där de hittade Elisabeth Ney. Städutrymmena städades också. Städerskan hade varit där kort före mordet. Herregud, han måste ha väntat. Med henne? Hur kunde tiden stämma så? Winter tittade på klockan igen, nästan midnatt. Flickorna sov. Elsa hade vaknat för en timme sedan av sin egna snarkningar. Polyperna. Snart skulle hon opereras men han sköt undan tanken. Det var lättare för Angela. Hon var läkare och kände till allt som kunde gå åt helvete men sa inte ett ord om det, hon tänkte kanske inte ens på det. Det måste vara något tvångsmässigt hos läkare; ingenting händer någon, framför allt inte inom den egna familjen. Elsa skulle vara okej när de satt på planet till Málaga. Skulle han vara okej? Skulle han vara där?

"Ska du inte komma och lägga dig, Erik?"

Han lyfte blicken från whiskyglaset. Spriten hade en vacker färg när ljuslågan sken rakt igenom.

"Kom och sätt dig", svarade han och makade på sig i soffan.

Hon gäspade borta vid dörren.

"Jag ska bara hämta ett glas vatten."

Han hörde vattenkranen ute i köket. Han hörde en bil passera nere vid Vasaplatsen, och den hesa protesten från ett gäng kajor som häckade i lönnarna. Snart skulle den sista spårvagnen rossla förbi och folk skulle gå till vila.

Angela kom tillbaka med glaset i hand.

"Kom hit", sa han och slog ut med armen.

"Här luktar som i ett destilleri", sa hon.

"Ja, är det inte härligt?"

"Ska du inte jobba i morgon?"

"Jag jobbar nu."

Hon kröp intill honom. Winter ställde ner glaset och drog henne ännu närmare intill sig.

"Fryser du?"

"Inte längre."

"Du luktar sömn", sa han.

"Hur luktar det?"

"Oskyldigt", svarade han.

"Ja, jag är oskyldig."

"Jag vet att du är det, Angela."

"Oskyldig ända tills motsatsen bevisats."

"Här behövs inga bevis."

"Mhm."

"Och det här behövs inte heller", sa han och knäppte upp översta knappen i hennes nattlinne, och sedan de andra.

Han drömde om två barn som gungade på varsin gunga, i perfekt symmetri. Han stod bredvid. Det fanns ingen ställning för gungorna, de flög fritt i luften, det verkade inte finnas någon tyngdlag. Det här är ett laglöst land, tänkte han. Barnen skrattade. Han såg inte deras ansikten. De skrattade igen. Han vaknade. Han kämpade emot, det var ett motvilligt uppvaknande. Något av barnen hade sagt något till honom alldeles när han lämnade dem. Han ville tillbaka för att höra tydligt vad det var han inte uppfattat. Nu mindes han inte.

Winter satte ner fötterna på golvet. Träet var mjukt och varmt.

Angela rörde sig i sängen bakom honom och mumlade någonting. Hon kanske drömde. Han gick över golvet och in i vardagsrummet och satte sig i soffan. Det var mörkt och tyst därute, vargtimme. Första november i morgon. Norden gick in i vargtimmen som skulle vara till nästa år. Den barmhärtiga snön blåste oftast förbi den här stan och längre inåt landet. Kvar blev den grå vintern. Ingenting borde kunna döljas i den. Det fanns ingenting som täckte över. Och ändå doldes så mycket. Mer eller mindre allt. Det blir inte mycket till sömn i natt. Det blir inte mycket till sömn förrän det här är över. När är det över? hade Angela frågat strax innan hon somnade. Men det var ingen fråga. De planerade för den omedelbara framtiden och hon sa inget eftersom han inte sa något. Han sa inte att han kanske skulle komma efter. Att han lämnade vintern, grön, vit, grå, men att han gjorde det senare eftersom han hade en sak som han måste göra först. Någon han måste träffa.

Lilly började plötsligt skrika. En dröm till i natt, en otäck. Det hade hänt några gånger. Han undrade vad hon drömde. Vad var det som var otäckt i hennes liv, eller drömliv? Vad var det som hotade en så liten människa? Vad var det som tilläts hota en så liten?

Han reste sig och gick snabbt in till henne och lyfte upp henne och kände hennes tårar mot sin kind.

"Såja, gumman."

Hon tystnade och snörvlade och han bar henne in i vardagsrummet. Hon vägde ingenting, en viktlös dotter. Hon började omedelbart nicka till när han sakta gungade henne fram och tillbaka framför det stora fönstret ut mot staden som snart skulle vakna. Han kände hennes hand röra sig mot hans hals. Den var också viktlös, som en fjäder.

Drömmarna ville inte komma tillbaka. Winter gick upp ur sängen igen och försökte smyga ut i köket utan att väcka någon. Elsa rörde sig i sin säng men vaknade inte.

Han satte sig vid bordet med ett glas vatten. Han var inte törstig. Kanske vattnet skulle hjälpa honom att somna. Det hade blivit svårare att sova.

Skuggan på husfasaden på andra sidan gården bildade ett mönster som kunde föreställa vad som helst. En figur, två figurer. Han tänkte plötsligt på Christer Börge. En figur på väg ut ur kyrkan. Börge hade inte tittat åt hans håll men Winter hade känt att Börge vetat om att han suttit där. Hans sätt att inte röra på huvudet. Som om han bara kunde stirra framåt.

Börge hade inte förändrats så mycket att han blivit en annan.

Winter hade inte suttit bredvid Nina Lorrinder under besöken i kyrkan. Men den senaste gången hade han pratat några ord med henne därinne. Han undrade nu om Börge hade sett det.

Solen hängde lågt över kullarna. I fjärran såg han sjukhusets fasad. Det kastade en stor skugga men den nådde inte hit. Rummet han stod i var mycket ljust i solskenet. Det fanns ett slitet uttryck som hette att någonting badade i ljus men han hade aldrig sett den bilden framför sig. Exakt hur badade tingen i ljuset? Vad var ting och vad var ljus? I Paulas lägenhet var allting ljus i dag, det fanns inga skillnader. När han stod mitt på golvet slog det honom att solen därute alltid varit skymd de tre eller fyra gånger han varit här tidigare. Det hade varit en sådan höst.

Hade Paula känt sig hotad? Höll hon sig undan för någon? När började hotet? Existerade det? Han hade tänkt på det när han höll sin dotters lilla fågelkropp intill sig. Kanske hade han börjat tänka redan när han höll hennes mors kropp på samma sätt. Ett långt hot. Nej. Ett tidigare. Nej. Nyligen? Nej. Ett pågående? Nej. Ja. Nej. Ja. Hennes ensamhet, Paulas ensamhet. Hon valde inte själv. Winter såg sig om i den svepta lägenheten. Snart skulle svepningen dras undan och någon annan få tillåtelse att leva sitt liv här. Att-leva-sitt-liv. Det var en rättighet.

Han gick fram till fönstret. Han kunde se huset han bott i som ung man. Kommissarien som ung man. Här hade varit vinter och sommar och vinter igen men han hade knappt lagt märke till väder och vind på den tiden. Sådant fanns det inte tid till i hans liv. Hans liv slungade honom framåt mot de nya utmaningarna i det yrke han valt. Det var hans liv. Brott. Han hade haft långt kvar till en metod och ett förhållningssätt. Hans hela värld var disciplin, han tänkte som en tröskmaskin, han blev befordrad. Nej, han tänkte inte som en maskin. Ja, han blev befordrad. Vad tänkte han när han blev kommissarie? Sa dom inte att han var landets yngsta? Trettiosju år. Hade han brytt sig om det? Ja. Nej.

Han vände sig bort från fönstret och gick över golvets plastmatta. Den var i sin tur täckt av ett lager plast.

Mobiltelefonen ringde.

”Ja?”

”Ser du nåt som jag inte såg?” frågade Halders.

”Det är ett bättre ljus den här gången”, svarade Winter.

”Bländande”, sa Halders.

”Nej, tvärtom. Men jag vet inte vad jag ska leta efter, Fredrik. Vi har letat överallt.”

”Brev”, sa Halders, ”foton.”

Ord, bilder, sådant som kunde berätta om ett liv, ett förflutet. Det var alltid det de kom tillbaka till. Förret, som Elsa hade sagt förra veckan. Barnen skapade det konkreta språket som betydde vad det verkligen betydde. Det fanns nuet och förret och i Winters värld fanns de samtidigt, och hela tiden.

Han gick ut i köket medan han pratade med Halders i mobiltelefonen. Köket var inte insvept på samma sätt som de två andra rummen i lägenheten.

”Hon skrev kanske dagbok”, sa Halders.

”Den kan vara i resväskan”, sa Winter, ”om det finns nån.”

”Allt vi behöver finns i den där resväskan”, sa Halders.

”Och ändå står jag här”, sa Winter, ”och du har stått här också.”

”Se dig om igen”, sa Halders.

Han såg sig om. Den vita färgen därinne var vitare än någonsin, målad i ett nytt lager, eller flera. Tillsammans med solskenet genom fönstret gjorde färgen köket bländande. Hade mördaren varit här? Hade han suttit vid det bordet? Det var samma bord. Allting var detsamma i det här köket som före renoveringen.

”Vem pratade med målarna?” frågade Winter.

”Förlåt?”

"Målarna. Dom som höll på med renoveringen när Paula blev mördad. Vem snackade med dom?"

"Fan om jag vet, Erik. Var det inte Bergenhem?"

"Kan du ta reda på det?"

"Javisst. Men fick han fram nåt hade vi ju vetat det. Bergenhem missar inget sånt."

Winter svarade inte. En solstråle nådde längre än de andra och lyste på en av skåpluckorna över spisen. Luckan såg ut som en bit av en sol.

"Menar du att dom såg nåt som vi borde veta?" fortsatte Halders.

"Dom var här", sa Winter. "Jag vet inte hur mycket dom fick röja innan dom började jobba på allvar. Men dom var här före oss."

Vad fanns det för lugnande ting i den här världen? Hon försökte tänka på sådant som skulle ha en lugnande effekt. Effekt. Hon tänkte på ordet igen. Det var nästan som något som hon kunde klamra sig fast vid.

Telefonen hade ringt igen och hon hade svarat och bara hört vinden genom ledningarna.

Hon hade lagt på luren och stirrat på den. Det var en telefon av äldre modell som hon haft med sig från sitt flickrum.

Den var ett lugnande ting.

Men inte nu. Det var som om hon inte ville röra den.

Bära ner den i soprummet.

Skulle hennes rädsla försvinna då?

Men hon skulle inte bära ner någonting i det svarta hemska soprummet. Det var som en gruva därnere. Ljuset fungerade nästan aldrig därnere. När hon släppte en soppåse i sopnedkastet kunde hon höra hur långt det var ner.

Regnet slog mot fönsterrutan. Då slipper jag gå ut, tänkte hon. Jag behöver inte gå ut. Det är inget jag behöver handla. Jag har allt jag behöver här.

Telefonen ringde igen.

Hon sträckte fram handen men hon lyfte inte luren.

Telefonen ringde, ringde.

Den tystnade.

Hon stirrade på telefonen som om den var ett främmande ting som hon aldrig förut sett.

Den började ringa igen.

Hon slet av luren och lyfte den snabbt.

"Jag vet vem du är!" skrek hon.

24

SAMMANTRÄDESRUMMET VAR LIKA UPPLYST som Paulas lägenhet. Novembersolen hängde över Ullevi som om den tagit fel på årstid, väderstreck. Ingen hade fällt ner persiennerna. Halders hade tagit på sig solglasögonen.

Aneta Djanali tog bort handen från ögonen, reste sig, gick bort till fönstret, drog ner persiennerna, ryckte på axlarna mot Winter som stod kvar. Han såg ett flygplan på väg söderut genom de vänliga skyarna. Folk hade fortfarande vett att ge sig iväg, hjärnan hade ännu inte frusit fast vid kraniet.

Det här skulle inte bestå. Solen skulle komma till sans igen och dra söderut den också.

Ringmar harklade sig diskret och Winter vände sig om.

"Ordet är fritt", sa han.

"Man tackar", sa Halders.

Till och med Ringmar log. Och Halders hade rätt. Det var ett jävla uttryck. I det här sammanhanget borde ordet alltid vara fritt. Det var liksom en tradition med fria ord i den här delen av världen, tänkte han. Söderut var det annorlunda.

"Så utnyttja den friheten då", sa Aneta Djanali och stötte Halders i sidan med armbågen.

"Vi har nån som verkar besatt av hotell", sa Halders.

"Snarare av att ta död på folk i hotell", sa Bergenhem.

"Det är liksom underförstått", sa Halders.

Bergenhem svarade inte.

"Rum nummer tio", sa Aneta Djanali.

"Vad?"

"Paula fanns i rum nummer tio", upprepade Aneta Djanali vänd mot Halders, "och... Börge... Ellen Börge hade tagit in på rum nummer tio."

Hon tittade på Winter som fortfarande stod kvar vid fönstret. Han brukade sällan gå bort därifrån under de här samtalen. Det var bra att stå en bit ifrån, orden fungerade ibland bättre om de fick flyga lite längre, tankarna också kanske. Det var meningen att tankarna skulle flyga. Ibland fungerade det.

"Ja, ja, hon", sa Halders. "Hon är väl fortfarande försvunnen, vad jag vet."

"Finns hon fortfarande med i bakgrunden av den här förundersökningen?" frågade Bergenhem.

"Har hon nånsin funnits med?" sa Halders. "Erik? Går du fortfarande och tänker på henne?"

"Inte på ett tag", sa Winter.

"Det där var en tillfällighet", sa Halders.

Winter svarade inte.

"Hon är borta för oss", sa Halders.

"Det är Elisabeth Ney också", sa Aneta Djanali.

"Vad betyder det?" sa Halders.

"Jag vet inte riktigt. Men det är väl henne vi pratar om här i första hand."

"Det var du som nämnde rum nummer tio", sa Halders.

"Det var du som nämnde hotell", sa Aneta Djanali.

"Hur kom han in?" sa Winter, och allas huvuden vändes mot honom. "Elisabeths mördare. Han måste ha rört sig på hotellet. Odin. Antagligen flera gånger. Hur kom han in utan att nån la märke till honom?"

"Det kanske nån gjorde", sa Bergenhem. "Vi har inte hört alla än."

"Förklädnad", sa Halders.

"Hur?" frågade Bergenhem.

Halders ryckte på axlarna:

"Det spelar ingen roll. Och det spelar ingen roll vad nån såg. Det var inte han i alla fall."

"Det var nån", sa Aneta Djanali. "Det kan räcka."

"Långrocken?"

"Passar bättre i oktober i alla fall", sa Ringmar, "jämfört med i augusti."

"Det är november nu", sa Aneta Djanali.

"Frågan är ju också hur hon kom in", sa Bergenhem.

"Och vilken form hon var i då", sa Halders.

"Hon mördades därinne", sa Ringmar. "Det vet vi i alla fall."

"Hur kunde han stämma möte med henne därinne?" sa Bergenhem. "Varför gick hon med på att träffas där?"

"Kanske det inte var dit hon hade tänkt sig", sa Ringmar. "Han kan ha burit henne, knuffat henne."

"Så deras rendezvous var ute i trapphuset?" sa Halders och såg sig om. "Ja, i så fall klarnar ju det här en hel del."

"Dina sarkasmer är verkligen till stor hjälp för oss alla, Fredrik", sa Aneta Djanali.

"Rendezvous", sa Winter. "Vet du vad det ordet egentligen betyder, Fredrik?"

"Ja, vadå... det betyder möte. Uppgjort möte."

"Avtalat möte, ja", sa Winter. "Oftast i betydelsen avtalat möte mellan älskande."

Det blev tyst runt bordet i några sekunder.

"Hon gick dit för att träffa sin älskade?" frågade Aneta Djanali.

"Det är ju en tanke", sa Ringmar.

"Hon var borta i drygt ett dygn", sa Halders. "Var var hon under den tiden? Hade hon en älskare borde hon väl redan vara hos honom? Det var kanske där hon var. Vi kunde inte hitta henne. Hon drog sannolikt inte runt på gatorna. Hon var nånstans."

"Kanske i det där förrådet", sa Bergenhem.

"Utan att bli upptäckt?" sa Halders.

Bergenhem ryckte på axlarna.

"Nej", sa Ringmar. "Vi har kollat städerskornas rutiner. Dom kommer och går rätt ofta. Åtminstone ett par gånger om dan."

"Såvida inte nån bett nån annan att hålla sig borta", sa Halders och lyfte handen och gned tummen mot pek- och långfingret. "Antytt ett litet kärleksmöte, kanske."

Winter nickade.

"Vi behöver ändå prata mer med dom två som använde förrådet. Trapphuset var deras territorium. Kanske dom minns mer nu."

"På tal om territorium", sa Aneta Djanali. "Vi började med att prata om hotell. Alltså: varför hotell?"

"Just det", sa Halders.

Alla tittade plötsligt på Winter, som om han stod redo med svaret. Tror ni inte jag har tänkt på det, tänkte han. Det finns en mening med det.

"Det finns en mening med det", sa han.

"Du behöver bara säga vilken", sa Halders.

"Ge mig ett par dar", sa Winter.

"Du har en månad", sa Ringmar.

Winters tjänstledighet var inte en hemlighet. Halders hade sakta tagit del i ledningen av förundersökningen. Han skulle fortsätta att göra det ända tills åklagaren tog den ifrån honom. Men då krävdes en skälig misstänkt. Winter ville gärna lämna en misstänkt efter sig när han satte sig på planet. Han ville inte fortsätta att leda det här på mobiltelefon från Nueva Andalucía.

"Har någon av alla vi hört arbetat på hotell?" frågade Aneta Djanali. "Jag menar inte just dom här hotellen. Hotell, överhuvudtaget."

"Inte vad vi det."

"Vi kanske inte vet tillräckligt."

"Torskarna och sossarna på Revy", sa Halders, som om de två kategorierna var samma skrot. "Är vi verkligen färdiga med dom?"

"Naturligtvis inte", sa Ringmar.

"Men du vet vilken tid det tar."

Halders såg ut som om han tänkte säga något mer, antagligen något syrligt, antagligen om politiker, men han avstod.

"Kopplingen", sa Bergenhem, "vi måste försöka se kopplingen."

"Här finns ju en självklar koppling", sa Halders.

"Ja?"

"Familjekopplingen. Vi har att göra med två mord i samma familj, om ingen lagt märke till det."

"Och?" sa Bergenhem.

"Familjeöverhuvudet", sa Halders. "Var brukar man börja leta efter gärningsmannen?" Han vände sig mot Bergenhem. "Kommer du ihåg den lektionen på Polishögskolan? Eller var du skakis och bakis och sjukis den dan?"

Mario Ney såg skakis och sjukis ut i det rum där Winter träffat honom flera gånger. Det såg ut som om Ney började falla sönder.

De hade försökt pussla ihop Neys eventuella alibi, men det fanns inte. Det behövde inte betyda någonting, kanske det snarare talade till hans fördel. Han hade inte sökt umgänge under den senaste kaotiska tiden. Han hade sökt sin egen ensamhet, först tillsammans med Elisabeth, sedan ensam här i lägenheten. Winter hade sökt svar i mannens ansikte, i hans ord, i hans sätt att röra sig. Han uttryckte sorg, sorg och förtvivlan. Andra känslor skulle komma senare. Han kunde bli suicidal, var det kanske redan. Familjen Ney kunde försvinna från jorden. Någon ville att det skulle ske.

"Jag har en del frågor att ställa", sa Winter.

Ney såg ut genom fönstret. Han hade gjort det sedan Winter steg in i det här rummet som luktade instängt, en sötaktig lukt som också kunde vara svett, rädsla, förtvivlan.

"Hon såg ut som om hon sov", sa Ney.

Hans blick var fortfarande fäst på ingenting därute.

Nu vände han på huvudet.

"Min lilla Elisabeth. Som om hon sov."

Winter nickade. Han hade låtit Ney se hustruns kropp. Det var inte självklart. Ney hade inte fått se hennes hals, bara hennes ansikte.

Winter ville inte att Ney skulle se något som han kanske sett förut.

Neys ansikte såg nästan fridfullt ut för ett ögonblick. Som om han hade mött döden och accepterat den. En annans död, accepterat en annans våldsamma död.

"Hon var försvunnen i över ett dygn innan vi... hittade henne", sa Winter. "Jag måste fråga dig igen, Mario." Winter lutade sig framåt. "Har du nån aning om var hon kan ha befunnit sig under den tiden?"

"Ab-so-lut-ing-en-an-ing", sa Ney med betoning på varje stavelse i varje ord. Det var som ett nytt språk. Sedan verkade något hända med hans ögon och han sökte Winters blick. "Varför skulle jag ha det?"

"Jag vet inte, Mario. Men hon var nånstans. Inomhus nånstans. Ingen såg henne ute."

"Bara för att ingen såg henne behöver hon inte ha varit inomhus hela tiden", sa Ney.

"Kan hon ha åkt nånstans?" frågade Winter.

"Åkt? Vart skulle hon ha åkt?" Han slog ut med armen och handen, en gest som skulle kunna innefatta allt vad de såg. "Hon bodde ju här. Det här var hennes hem."

"Var kom hon ifrån?" frågade Winter. "Var hade hon sitt föräldrahem?"

"Det var väl... Halmstad."

Halmstad. En annan stad söderut utefter kusten, halvvägs till Malmö, Köpenhamn. Winter hade en ungefärlig uppfattning om hur folk pratade som kom därifrån, det fanns några kolleger som var hallänningar, men han hade inte hört någon sådan dialekt hos Elisabeth Ney.

"Men hon flyttade hit när hon var ung", fortsatte Ney.

"Träffade du hennes föräldrar?"

"Ja. Men dom är borta nu."

"Har hon några syskon?" frågade Winter.

"Nej."

Som Paula, tänkte Winter. Inga syskon.

"Finns hennes släkt kvar i Halmstad?"

"Det har aldrig funnits nån där", sa Ney. "Dom flyttade till stan när Elisabeth var rätt liten, eller halvstor eller vad man ska säga. Jag tror inte dom kände nån där då."

"Men dom fick väl vänner?"

"Ja, det tror jag väl. Men det är inga jag känner."

"Men Elisabeth gjorde det."

"Menar du att hon skulle ha åkt dit? Till Halmstad? Och sen tillbaka igen direkt? Varför det?"

"Jag försöker bara ta reda på var hon var", sa Winter.

"Jag vet var hon är", sa Ney.

"Förlåt?"

Men Ney svarade inte. Han tittade åter ut mot gården.

"Vad menar du, Mario?"

"Hon är hemma", sa Ney med blicken mot himlen.

Skymningen föll som regn därute. Winter kunde nästan höra den, eller om det var rusningstrafiken ute på leden. Alla ville hem.

På väg hem köpte Halders knäckebröd, filmjölk, röd mjölk, äpplen och rökt medvurst i ICA-affären på hörnet. Han visste att han hade glömt något men kom inte på det under hela resan till huset fem kvarter bort, och sedan var det ändå försent.

"Var är äggen?" frågade Aneta Djanali när han plockat ut allt ur påsen och lagt det på arbetsbänken i köket.

"Jag visste att det var nåt."

"Jag har lovat Hannes och Magda pannkakor till kvällsmat", sa Aneta Djanali. "Det går inte att göra pannkakor utan ägg."

"Har du försökt?"

"Försök inte komma undan, Fredrik."

"Jag går nu", svarade han.

Det var alltså aldrig försent. Och han gick. Skymningen gick över i kväll på några minuter. Kvällen kom innan dagen var över. Om en månad skulle den ta över helt, kvällen och natten. Alla skulle tända adventsljusen, och julejusen på samma gång, en månad i förväg. Magda hade redan frågat honom om hans önskelista. Hon hade alltid varit ute i god tid. Men Hannes skulle komma med sin begäran veckan före julafton. Däremot skulle han själv lämna sin egen önskelista till barnen innan november var över. Han visste vad han önskade sig.

Det var skönt att gå. Halders tränade på jobbet eftersom det ingick i tjänsten, men han var inte en entusiast. Det var längesedan. Han bar på något som en del kallade trivselvikt. Han trivdes inte.

När den här vintern beslutade sig för att äntligen dra åt helvete skulle han dra på sig träningskläderna och ge sig ut och nöta asfalt. Kanske springa Göteborgsvarvet. Slå hela världen med häpnad.

Han bar hem äggkartongen som den sista droppen vatten.

Aneta Djanali stekte pannkakor som om det varit hennes jobb i åratal. Hon hade inte gjort det förut, inte hemma hos Halders. Han undrade om det betydde något. Om hon hade bestämt sig för att stanna, och inte bara i natt. Hon hade ännu inte flyttat dit. Huset var tillräckligt stort. Det fanns plats för alla. Det var hemma.

"Finns det mer blåbärssylt?" frågade Hannes.

"Både blåbär och jordgubb."

"Var har du lärt dig steka såna här pannkakor", frågade Halders.

"Hemma, förstås."

"Hade ni pannkakor hemma?"

"Varför skulle vi inte haft det? Vi älskade pannkakor."

"Dina föräldrar flydde från Ouagadougou i Övre Volta. Jag trodde inte pannkakor var deras grej", sa Halders.

"Deras grej?" sa Aneta Djanali med stekspaden i handen. "Deras grej?"

"Det är väl allas grej", sa Magda. "Pannkakor finns överallt. Visste du inte det, pappa?"

"Jag tänkte mest på blåbärssylt."

"Det gjorde du inte alls", sa Magda.

"Jordgubbssylt då."

Gardinen rörde sig men knappt märkbart. Måste vara ventilationen, tänkte han. Luftintaget satt däruppe till vänster om fönstret, eller luftutsuget, beroende på hur man såg på det.

Rum nummer tio såg ut som senaste gången han stått här. Och den första, för arton år sedan. Åtminstone kändes det så. Tiden rörde sig i båda riktningarna, som om den mötte sig själv halvvägs. Som om han själv stod där, och samtidigt här. Stod halvvägs. Lika långt bakåt som framåt. Lika svårt att se åt båda hållen. Eller lika lätt.

Han gick fram till fönstret och såg ner på gatan. Den var inte så lätt att se, en svag gatubelysning som påminde mer om 50-tal än om ett nytt årtusende. Om det var 50-tal. Han var inte född på 50-talet. Han föddes 1960 och det var det bästa årtiondet hittills i världen, om man fick tro de flesta. Ellen Börge föddes på 60-talet, året efter honom. Hur hade hennes 60-tal varit? Winter vände sig om. Rummet låg mest i mörker, den enda belysningen var 50-tals-lyktorna utanför.

Paula Ney hade suttit i det här mörkret, måste ha gjort det. Väntat. Lyssnat. Lidit. Det där brevet. Winter tog ett par steg in i dunklet, som för att pröva det, kanske utmana det. Det var samma dunkel nu som då. Det var vittne till vad som hände. Det måste finnas fler brev. Från andra tider. Varför har jag inte läst några andra brev från Paula? Det första jag lärde mig om henne var i ett brev. Hon skrev det. Var är hennes brev? Hemma? Nej. Inte hemma och inte... hemma. Om det går att säga att hon hade två hem. Hennes föräldrar har inte sparat nånting. Är inte det konstigt? Hör det ihop med tystnaden? Med en hemlighet? Vad är hemligheten, den här familjens hemlighet? Vet jag det så vet jag allt. Han hörde röster ute i korridoren, kanske horor, torskar, sossar. Ett kvinnoskratt, ett mansskratt. Inga barnskratt. Det här var stället för dem som lämnat allt sådant bakom sig. Det är borta, bytt är bytt och kommer aldrig tillbaka. Och nu är det de sista dagarna för Revy. Barnet. Barnet Paula. Varför tänker jag på barnet Paula? Är det gungorna? Lekplatserna? Kvinnan och flickan i det eländiga hyreshuset på Hisingen? Varför tänker jag på dom just nu? Jag har så mycket annat att tänka på. Andra som var barn en gång. Såna som är det nu. Mina egna, till exempel. En dörr slog igen med kraft längre bort i korridoren. Livet pågick runt om som vanligt, hur det än var. En bil passerade nere på gatan, de röda baklyktorna kastade ett sken hela vägen upp till rum nummer tio. Allting såg plötsligt ännu äldre ut därinne, som något ur en film från förr. 50-tal, 60-tal, 70-tal, 80-tal. 80-talet. Vilken liten gröngöling jag var då. Här stod jag och visste inte bättre än att jag visste att jag stod här. Ellen, tänkte jag. Var är du, Ellen? Fast jag visste redan då att hon var borta, död antagligen. Lika död nu. Undrar hur det är med hennes man just nu. Christer. Han går till kyrkans aftonbön. Han var i min ålder han också. Alla var i min ålder, det finns visst bara en ålder. Paula var i min ålder, när jag var grön, och Ellen innan dess, och Christer. Och Jonas. Och hans mor den gången när pojken var pojke. Ett skratt rullade förbi utanför, som grus mot golvet, inga pärlor. De hade sökt efter hemligheter i rum nummer tio men inte funnit mer än de redan visste. Det fanns inga fler brev i det här rummet. Det räckte med det som fanns. Han hade läst det innan han gick hit. Det fanns en makaber kraft i orden som inte gick att komma undan. Det fanns ett meddelande i de orden som han inte såg. En hemlighet. Som det här rummet, han visste att det var ett rum och vad som fanns där men han såg ingenting riktigt tydligt.

Winter öppnade dörren och steg ut i korridoren. Det var ljusare där, men inte mycket. De röda tapeterna dämpade det ljus som fanns. Naturligtvis var de röda. Det fanns guld här och där. Allt var som det skulle på Hotell Revy.

Han gick nerför den svängda trappan. Också den såg ut som något från annan epok, en belle epoque.

Portiern såg ut som något från en annan epok, och ändå inte.

Det var samma portier som genom åren.

"Då är rummet ledigt igen då?" sa han.

Winter nickade.

"På nåt sätt känns det skönt", sa mannen. "Det är som det blir lite normalt här igen."

"Normalt?"

"Du förstår vad jag menar."

"Jag är inte säker på att jag gör det." Winter vände sig om för att gå därifrån. "Och stället slår ju snart igen i vilket fall."

En man kom in genom svängdörren med en resväska och en datorportfölj. Han såg ut att komma direkt från tåget, kanske hade han gått från Centralen. Det var inte långt. Det fanns röda rosor på hans kinder. Temperaturen måste ha sjunkit därute när solen gick ner. Det var vintermånad nu. Mannen hade vinterrocken på.

Winter bar sin vinterrock. Mannen anmälde sin ankomst, fyllde i ett formulär, gick uppför trapporna med väskorna. Ingen piccolo här.

"En normal gäst", sa portiern.

"På vilket sätt?"

"Här för att sova och arbeta."

"Vilket rum gav du honom?"

"Inte tian, om du trodde det."

"Har du listan?"

Portiern sträckte sig efter ett papper vid kassaapparaten.

"Jag vet inte hur fullständig den är."

Winter tog emot papperet utan att svara.

Han läste snabbt igenom det.

"Det är fler än jag trodde", sa han.

Mobilen ringde ute på trappan. Han höll på att förlora balansen när han tog fram den. Det hade visst blivit halt därute medan han var inne. Det var kallare i vinden.

"Det är samma färgtyp", sa Torsten Öberg.

"Men vi har ingen burk", sa Winter.

"Det har han."

"Hittade du inget mer i rummet?"

"Färgspår?"

"Ja. Eller vad som helst."

"Det är samma typ av rep, som du vet. Vi får se vad dom kommer fram till i Linköping."

"Jag känner mig liksom inte optimistisk", sa Winter.

"Nu vet du i alla fall det där om färgen."

"Han måste väl haft med sig en burk dit in", sa Winter.

"Det är inte alldeles säkert."

"Jag förstår vad du menar, Torsten."

"Men hur det gick till kan jag inte förklara. Det överlåter jag åt dig."

"Tackar."

"Fast det verkar ju otroligt."

Otroligt. Ja. Nej. Elisabeth Ney hade kanske gått genom stan till sitt rendezvous med ett vitmålat finger. Det kanske fanns en förklaring. Det fanns alltid förklaringar, men många av dem hade ingen som helst relevans. Mycket kunde aldrig förklaras. Det mest oförklarliga var nästan alltid en följd av mänskligt handlande.

25

WINTER TOG SKYDD UNDER EN MARKIS som blivit hängande långt över trottoaren sedan sommaren. Regnet ökade. Ringmar stack ut en hand och det såg ut som om den träffades av en vattenkanon.

"Här blir vi nog stående ett tag", sa han och skakade av handen.

"Jag kan tänka mig bättre ställen", sa Winter.

"Var inte så otålig", sa Ringmar.

Winter skrattade till. Bertil hade försökt få honom att bli mer tålmodig ända sedan de träffades första gången. Var det två år sedan? Nej, tre. Tiden rusade som en galen.

Det var svårt att hinna med, svårt att hålla igen för tålamodets skull. Han tittade upp mot himlen. Den höll inte igen just nu. Regnet ökade, vinden ökade. November svepte in med sedvanlig arrogans. Här är jag. Nu tar jag över. Passar det inte så stick.

"Göteborg är inget för veklingar", sa Ringmar.

"Har du nånsin tänkt på att flytta härifrån?" frågade Winter.

"Bara ett par gånger per dag."

"Söderhavet, kanske?"

"Menar du Skånetrakten?"

"Ja. Eller Tahiti."

"Vad skulle jag göra där?"

"Gå i kortbyxor", sa Winter.

"Jag passar inte i kortbyxor. Och det regnar i Söderhavet också. Regnar utav helvete ibland."

"Har du varit där?"

"Nej. Har du?"

"Bara i drömmarna."

"Dröm vidare, grabben. Nej, nu får vi ta och ge oss iväg härifrån."

Som ett slags naturens svar på Ringmars ord öppnade sig skyarna fullständigt och allt regn i universum vräktes ner över staden, eller kanske bara över den gata där Winter och Ringmar stod.

De var på väg till ett möte. Kanske var det viktigt, kanske inte. Ingen visste förrän efteråt. Det var något Winter höll på att lära sig som halvgrön kriminalassistent. Efteråt visste man. Kanske var det försent då, kanske inte. Men rutinerna var nödvändiga. Först rutinerna, sedan tankarna. Han började också sakta upptäcka att det gick att tänka under rutinerna. Att det gick att tänka överhuvudtaget. I början hade han tvivlat. Nu började han förstå att han kanske inte hamnat fel i livet.

Regnet föll inte så hårt längre. Det var mer ljudet än något de kunde se; dånet minskade mot markisduken över dem.

De hade stått där i fem minuter.

Winter insåg plötsligt var de stod.

Han hade lämnat det. Ett minnesfack som sorterats undan en bit bort från tankecentrum.

Nu kom det tillbaka.

Han vände sig om, mot trappan upp till dörren. Texten på glaset fanns kvar, etsningen i guld. Hotellet hade inte bytt namn sedan senast. Han kunde se skylten med "Hotell" på en smidd ställning en meter ut från huskroppen. Det såg ut som en skalbagge på väg uppför väggen. Han såg upp mot fasaden. Fönstren var som svarta hål våning för våning.

Tre år sedan, en höst då också. Han hade varit inne i det där rummet. Han hade inte kommit dit med en husrannsakan, en sådan hade han inte fått: Ellen vem? Försvunnen, säger du? Bodde en natt på ett hotellrum? Du vill undersöka rummet? Nej, inte så. Jag vill bara kolla in det.

Det skulle inte gå.

I stället hade han frågat portiern om han fick se rummet om

det var ledigt. Det var två dagar efter att hon hade försvunnit. Han hade stått i rummet och lyssnat på trafiken utanför. Ingen hade bott här sedan Ellen Börge. Det var det närmaste han någonsin kom henne.

"Vi står under Revys markis", sa han nu och vände sig tillbaka mot Ringmar.

"Ja?"

"Ellen Börge, den försvunna kvinnan. Hon tog in här natten innan hon försvann för gott. Minns du?"

"När du säger det. Jag minns henne, inte hotellet. Men du har visst inte glömt."

Winter svarade inte. Han fick en plötslig lust att gå uppför trappan och fråga om han fick se rummet igen om det var ledigt. Men det skulle vara meningslöst. Han skulle aldrig se det rummet igen. Aldrig behöva göra det.

Rocken rörde sig, fram och tillbaka. Bilden var lika dålig som alltid. Skorna hade inte förändrats sedan senast.

De hade inte kunnat binda någon till skorna. Vilket uttryck, tänkte Aneta Djanali. Binda någon vid sina skor. En latinamerikansk tortyrmetod, eller afrikansk, nej, det fanns inte så många med skor i Afrika. Hon hade varit tillbaka där hon kom ifrån, hon hade inte fötts där, men hon kom ändå från Burkina Faso som det hette nu. Inte många skor i byarna, fler i huvudstaden. Hon kom från en by strax utanför huvudstaden. Dammet hade funnits överallt. Fötterna täcktes av ett lager som kunde bli tjockare och tjockare och kanske ge skydd.

Halders satt bredvid henne.

De studerade kvinnan nu, hennes speciella sätt att gå. En hälta som inte var en hälta.

"Hon döljer ansiktet men jag är inte säker på varför", sa Halders.

"Hur menar du?"

"Hon kanske alltid döljer det", sa Halders.

"Fortsätt", sa Aneta Djanali medan hon studerade kvinnan.

"Hon döljer det inte för kameran, om hon ens vet om att där

finns en kamera. Hon ser bara ut så. Det är så hon ser ut", sa han och nickade mot monitorn.

"Varför?"

"Jag vet inte."

"Hon skulle alltså inte vara med i en... konspiration?"

"Konspiration?"

"Du vet vad jag menar, Fredrik."

"Hon är med på något", sa Halders. "Hon är med på att lämna in den där jävla väskan som jag väldigt gärna skulle vilja öppna."

Aneta Djanali följde kvinnans rörelser för trettionde gången.

"Hon gör det för Paula", sa hon efter en liten stund. "Hon lämnar in den på Paulas uppdrag." Aneta Djanali vände sig mot Halders. "Paula var på väg, och hon här hjälpte henne med väskan."

Halders nickade.

"Paula var på väg", upprepade Aneta Djanali.

"Två frågor", sa Halders: "Vart? Och varför?"

"En fråga till", sa Aneta Djanali och nickade mot skärmen: "Varför har hon här inte hört av sig?"

"Och ännu en till", sa Halders: "Vem är hon?"

"Och", sa Aneta Djanali: "Var är hon?"

"Här i stan", sa Halders.

Men varför i herrans namn har hon inte gett sig tillkänna?"

Halders studerade hennes rörelser igen.

"Kan vara död. Kan vara rädd."

Winter och Ringmar var på väg tillbaka från sitt möte. Men det hade inte blivit något möte. Den de skulle träffa hade inte kommit.

"Oartig jävel", sa Ringmar.

Winter skrattade till.

"Kanske inte fanns nån bil att stjäla uppe i Bergsjön", sa han. "Då kan man inte begära att han ska passa tiden."

"Finns alltid bilar att stjäla", sa Ringmar. "En gång snodde dom min. Har jag berättat det?"

"Nej."

"På polisparkeringen. Mitt på dan."

"Det är nästan så man blir imponerad", sa Winter.

"Jag hittade den under Götaälvbron veckan efter."

"Gör man inte alltid det? Soppan verkar alltid ta slut just under bron."

"Dom hade snott radion."

"Det var tråkigt."

"Gjorde inget. Var inget bra på den ändå."

Winter log. Han trivdes med Bertil. Det var inte en far–son-relation, men det var inte så långt därifrån. De kunde prata med varandra, vilket kanske inte fäder och söner alltid kunde, och de hade hittat ett sätt att diskutera som fungerade. Det var alltid en fråga om samtal. Det kom nästan alltid någon öppning under ett samtal som började i en avlägsen ände och sakta rörde sig mot någonting. Tystnad var aldrig tillräckligt, bara tankar räckte inte. Samtal. Högt och lågt. Jargong. Diskussion. Gräl. Gråt. Skrik. Viskningar. Rop. Allt.

Regnet hade upphört och en blek sol glimmade bakom diset som en ficklampa med värdelöst batteri. De gick över Gustaf Adolfs torg. Den fete kungen på sin sockel pekade finger åt dem när de passerade. Han var inte mycket till krigare. En soldat pekade med hela handen.

Vinden svepte med sig kvarlämnade löv över torget, tidningsark, ett omslagspapper i rött och guld. Snart skulle julgranen resas här. Omslagspapperen skulle bli många överallt. Alla snälla barn skulle få sitt och de stygga också. Ljusen skulle brinna i hemmen. Winter hade den årliga inbjudan till föräldrarnas hus i Nueva Andalucía och han skulle göra sin årliga avböjan. Lotta skulle åka ner med flickorna. Hans syster behövde det, hon kunde doppa sina nyskilda tår i Medelhavet och försöka glömma lite. Själv skulle han jobba. Det var bättre än att stirra ut på ett guldbehängt Guldheden julaftons kväll och lyssna på julsånger på radion och skåla med sig själv. Det var inget bra på radion ändå. Han hade vänner men de flesta hade egna familjer nu och han ville inte störa. Du stör inte, för fan Erik. I vilket fall jobbar jag.

"Ska vi ta en fika?"

Ringmar pekade med hela handen mot Östra Hamngatan.

"Varför inte?"

Det var en annan sak som han lärt sig, och lärt sig uppskatta. De lämnade ibland polishuset och höll sina samtal på stadens kaféer. Någon gång på en bar, efter det att arbetsdagen formellt var över. Att vara bland folk, vanligt folk, gav en känsla av verklighet som man kunde förlora i det här arbetet. Till slut var alla abnorma, onormala, brottslingar, galningar. Gärningsmän. Offer. Och ingenting däremellan. Att tillbringa en dag som kriminalpolis, eller som polis överhuvudtaget, var nästan alltid en märklig resa. Egentligen var den skrämmande. Den var inget för vanligt folk.

En kopp kaffe och ett wienerbröd gav tröst.

De gick över gatan och in på kaféet.

Kön var lång vid disken.

"Vi går nån annanstans", sa Ringmar.

Just då blev ett bord ledigt vid de stora fönstren ut mot gatan. Genom glaset kunde Winter se hur regnet hade börjat vräka ner igen. Det var aprilväder i november.

"Vi tar det där bordet", sa Winter. "Jag ställer mig i kön. Vad ska du ha?"

"Vanligt kaffe, ingen mjölk, två sockerbitar, en napoleonbakelse, ett glas vatten."

"Inget mer?"

"Stick iväg innan kön blir ännu längre, grabben."

Men den var kortare när han kom dit. Det var som om några av de köande hade förvandlats till luft. Kön rörde sig långsamt. När det var hans tur gjorde han sin beställning. Flickan bakom disken la Bertils napoleon på en assiett och vände sig mot honom igen:

"Prinsessbakelserna tog precis slut."

"Aj, aj, aj."

"Jag är ledsen", sa hon, och Winter följde hennes blick till assietten med den sista prinsessbakelsen. Den stod på brickan framför honom. Winter höjde blicken och mötte ett par gröna ögon.

"Om det gör så ont som det låter kan du få den", sa kvinnan framför honom i kön. "Jag fick visst den sista."

"Nej, nej."

Han tyckte han såg ett leende leka någonstans i utkanten av hennes läppar. Han kände sig dum som fan. Hon var snygg som fan. Några år yngre än han, kanske fem, fyra. Håret var brunt som guld.

"Den här bakelsen betyder inte så mycket för mig", fortsatte hon. "Jag kunde lika väl ha beställt nåt annat."

Flickan bakom disken följde intresserat samtalet. Folk väntade i kön bakom Winter men det verkade inte vara så viktigt just nu. Men han var tvungen att bestämma sig och gå därifrån så det normala livet kunde fortsätta vid den här disken.

"Ta den nu", sa kvinnan med de gröna ögonen. "Jag har inte rört den."

"Me... men jag måste ju betala?" Han kände sig halvt medvetslös. Han sa tydligen vad som helst, gick med på vad som helst. "Jag ha..."

"Jag tar en sån där i stället", avbröt hon och nickade mot napoleonbakelsen på Ringmars assiett.

Okej, okej, tänkte Winter. Det blir väl snabbaste sättet att komma ur det här.

Han kastade en blick bort mot fönstret. Ringmar höjde på ögonbrynen.

"Den är dyrare", sa flickan bakom kassan. "Napoleon är dyrare."

Också hon verkade se något roligt i detta. Winter själv kände sig torr i halsen. Han funderade på att gripa Bertils vattenglas nere på brickan och tömma det i ett drag.

"Det blir två och femtio till."

"Jag betalar mellanskillnaden", sa Winter och drog fram plånboken.

Kvinnan vände sig mot honom igen, studerade honom, en sekund eller två, log igen. Han kände sig som en ännu värre idiot. Han var inte van vid den känslan. Senast han känt sig som en ännu värre idiot var när han träffat Halders första gången, och blivit dragen i örat av Birgersson.

"Okej", sa hon med lätt ton, som om hon gjorde honom en liten tjänst som han tjatat om ett bra tag.

Hon fick sin napoleonbakelse och tog brickan och gick mot ett bord som blivit ledigt längre in i lokalen.

Winter betalade och balanserade brickan tillbaka till Ringmar.

"Vad var det där om?"

"Glöm det."

"Hur ska jag kunna glömma nåt jag inte vet nåt om?"

Winter svarade inte. Han kastade en blick förbi kön, in i lokalen, till det lilla runda bordet där hon satt. Nu log hon igen. Det verkade vara ett större leende nu.

Hade det hänt vid en bardisk hade han frågat efter hennes namn.

"Söt tjej", sa Ringmar och drack en liten klunk och gjorde en grimas. "Det här kaffet är lite svalt."

"Förlåt mig, Bertil, det är mitt fel." Han reste sig och grep Ringmars kopp. "Jag hämtar nytt."

"Behöver man inte betala för påtår här?"

"Skit i det nu."

Han gick rakt förbi kön, och de sex stegen till hennes bord. Hon såg honom komma och väntade med en gaffel bakelse lyft halvvägs till munnen.

"Du har väl inte ändrat dig?" sa hon.

Det där lilla leendet igen.

"Jo", sa han, "jag beslutade mig nyss för att fråga efter ditt namn."

"Varför det?"

"För att du... var så snäll. Det är inte så vanligt i dag."

Hon skrattade till, kort och högt. Han log kanske, han visste inte. Men han visste att människorna vid de två borden på vardera sidan om dem uppmärksamt följde dramat. Uppriktigt sagt skiter jag i det. Det här är viktigt. Jag vet inte riktigt varför. Det kanske jag gör, förresten.

"Vad heter du?" frågade han.

"Angela", svarade hon. "Angela Hoffmann."

"Var är mitt kaffe?" frågade Ringmar när han kom tillbaka till bordet.

Winter gick nerför trappan med det tunna pappersarket i innerfickan. Vinden letade sig nerför hans hals och han fällde upp kragen på rocken.

Mobilen ringde. Displayen visade "privat nummer" och han gissade vem det var:

"Hej, Angela."

"Kan du vara hemma till sju i kväll, Erik?"

"Det hoppas jag verkligen."

"Lilly har nåt hon vill visa dig. Helst innan hon somnar."

"Vad är det?"

"Hon får själv visa dig."

Han var hemma halv sex. Lilly visade honom direkt, i hallen. Hon kunde gå fyra steg.

Det var mörker utanför och det fick gärna fortsätta. Natten utanför. Han hade alltid tänkt på allting därute som natt, ljus ibland, mörk annars. Man skulle akta sig för natten. Den kunde vara farlig. Det fanns ingen kärlek i natten. Inte hans kärlek. Den högsta. Han hade givit henne sin kärlek, under så lång tid. Hade hon tagit emot den? Under hela den tid som gått hade han inte vetat. Nu visste han. Hon visste också. Alla borde veta. Det kom röster utifrån. Han reste sig och gick över golvet till fönstret och tittade ut. Han såg ingenting men han hörde fortfarande rösterna. Han hörde bilarna runt om, överallt körde alla åt alla håll. Han hörde sirener men de var inte på väg hit, det visste han. Inte än. Nej, aldrig. Hur skulle någon veta? Den som visste måste förstå och ingen förstod. Framför allt inte han. Den där. Han förstod ingenting, visste ingenting. Han bara frågade, frågade, frågade. Som om det fortfarande fanns några svar.

Efter formaliteterna lutade sig Jonas Sandler bakåt på stolen. Det var inte en arrogant rörelse. Det var mer som om han inte visste vart han skulle ta vägen.

"Det är några datum som jag vill diskutera med dig, Jonas."

"Diskutera?"

"Diskutera, ja."

"Jaha?"

Winter nämnde dagarna. Det betydde också kvällar, och nätter.

"Jag var på ett par ställen", sa pojken. "Den där kvällen. Det måste ha varit den."

Han nämnde stället.

Winter antecknade.

"Dom måste känna igen mig där."

"När var du där? Mellan vilka klockslag?"

"Det var väl sent, tror jag. Tolv och framåt, ett kanske."

"Ett och framåt?"

"Nåt sånt."

"Är du ute ofta? På klubbar, barer?"

"Det händer."

"Är det inte dyrt?"

"Det beror på."

"Beror på vad?"

"Var man är. Vad man tar."

"Tar?"

"Dricker. Eller nåt annat. Du förstår väl vad jag pratar om?"

"Pratar du om narkotika?"

"Klubbarna är fulla av knark, det kan inte vara en hemlighet ens för polisen."

Plötsligt hade hans röst ett skarpare tonfall. Det var som om han blivit äldre.

"Du är arbetslös. Hur får du pengar?"

"Jag tar inget", sa pojken. "Då blir det billigare."

"Är det lika roligt då?"

"Vilket då?" frågade Jonas Sandler tillbaka och ändrade ställning i stolen.

Jag går inte i den fällan, tänkte Winter och såg på bandspelaren framför sig på det blonda bordet.

"Att inte ha pengar", sa han.

Jonas Sandler ryckte på axlarna.

"Jag träffade din mamma häromdan", sa Winter.

Han kunde se Jonas rycka till, en knappt märkbar ryckning över axeln, men han var tränad att se sådant.

"Jaha?"

"Hon har inte sagt nåt till dig?"

"Nej. Varför skulle hon det?"

"När pratade du med henne senast, Jonas?"

Han ryckte på axlarna.

"Försök tänka efter."

Han såg ut att tänka efter. Kanske visste han.

"Rätt längesen."

"Undrar du inte varför jag besökte henne?"

Han ryckte på axlarna igen. Han förändrades inför Winters ögon, regredierade om man så ville. Han blev trotsig.

Som om mammas skugga fallit över rummet.

"När du bodde därute som pojke", sa Winter, "så lekte du med en flicka som bodde i samma trappuppgång. Kan du berätta lite om henne?"

26

"DET KOMMER JAG INTE IHÅG", sa Jonas Sandler. Han såg ner i bordet. "En flicka? Det var många barn där." Han lyfte blicken.

"Var det?" frågade Winter.

"Ja, vadå?"

"Enligt din mamma var ni dom enda barnen i den trappuppgången."

"Ja, vadå? Det fanns väl massor med barn på dom där gårdarna. Det är vad jag kommer ihåg i alla fall."

"Men du kommer inte ihåg den här flickan? Eller hennes mamma?"

Jonas svarade inte. Han såg ut att tänka efter. Winter väntade på att han skulle säga något. Grabben kanske har nåt att säga. Eller nåt att dölja.

"Bodde dom i samma uppgång?" frågade Jonas Sandler.

"Ja."

"Vad är det med dom? Varför frågar du om dom?"

"Försök bara komma ihåg."

"Vad ska jag komma ihåg?"

"Skärp dig nu, Jonas?"

"Va?"

"Skärp dig!"

Jonas Sandler hoppade till. Hans blick gled fram och tillbaka, och ut mot förhörsrummets hörn, som om den sökte något att hålla fast vid som låg så långt från Winter som möjligt.

"Du behöver inte skrika", sa han till slut.

Winter väntade. Ventilationen susade som en svärm flugor uppe under taket. Rummets persienner släppte in ett ljus som kunde kvitta. Dagsljuset orkade inte riktigt med årstiden längre. En leende väderkvinna hade i går kväll halvt om halvt utlovat snö till helgen. På morgonen hade Halders berättat att han slängt en toffel på teven när bruden flinat fram sin profetia.

"Hur gammal var hon?" frågade Jonas Sandler.

"I din ålder ungefär. Tio."

"Hon kan inte ha bott där länge. Jag... borde komma ihåg."

Winter hade tänkt igenom förhöret innan han steg in i rummet. Vad mindes han själv från när han var tio? Ganska mycket. Han hade dragit runt på gatorna i Kortedala, och sedan i västra Göteborg med ett gäng som splittrats när vuxenlivet börjat, för en del tidigare, andra senare. En del blev vuxna när de slutade bråka med tjejerna och sedan återvände de aldrig till barndomen. Den var borta för alltid. Winter hade försökt hålla sig kvar så länge det var möjligt. När han i går, och i morse, tänkt på den tiden mindes han bilder och enskilda händelser. Men han mindes nästan inga namn. Det fanns ett eller två kvar i minnet, men de andra barndomskamraterna hade förlorat namnen. Kanske var de inte så många. De hade också förlorat sina ansikten.

"Hur länge bodde hon där?" frågade Jonas Sandler.

"Vi vet inte riktigt."

"Vad hette hon?"

"Vi vet inte det heller."

"Är ni verkligen säkra på att hon verkligen bodde där?"

"Din mamma är säker, Jonas."

Han svarade inte.

"Ska vi inte tro på henne?"

Jonas Sandler svarade inte på det heller.

"Kan hon ha fel?" frågade Winter.

"Jag vet inte vad hon minns och inte minns." Jonas Sandler såg Winter i ögonen nu. "Vad hette den här flickan?"

"Det vet jag inte heller."

"Nehej."

"Jag tänkte du skulle hjälpa mig med det."

"Namn minns jag aldrig."

"Försök minnas henne. När du går härifrån så försök komma ihåg om du lekte med henne."

"Men varför?"

"Försök komma ihåg, Jonas."

Winter och Ringmar smet ut på stan strax före lunchtid.

Kaféet på Östra Hamngatan hade blivit ett stamställe. Bordet vid fönstret hade blivit ett stambord. Ibland gick Winter och Angela hit, först ensamma, sedan med barnen. Bordet inne i lokalen hade flyttats någon gång under de senaste tjugo åren. Det var ett bord och en plats att minnas.

"Hon måste ha hållit sig gömd nånstans", sa Ringmar när Winter kom tillbaka med kaffe och två napoleonbakelser.

"Mhm."

"Det är svårare än många tror."

"Eller lättare."

"Hon måste ha haft en lägenhet", sa Ringmar.

"Eller ett hotellrum."

"Inte här i stan."

"Nej, det verkar inte så", sa Winter.

"Hon måste ha varit hemma hos nån. Nån hon kände."

"Vi har gått igenom alla bekanta. Alla få."

"Vi får gå igenom dom igen."

Winter såg ut genom fönstret. Plötsligt kom säsongens första snöflingor dalande mot marken.

"Det snöar", sa han.

"Bry dig inte om det du. Du ska ju till solen snart."

Ringmar tittade på klockan.

"Du har tre veckor på dig." Han tittade upp. "Sen tar vi över på allvar."

Snöfallet ökade utanför, luften blev tjockare. En kvinna hukade över en sittvagn. Barnet höll ut händerna mot snöflingorna. Snö var riktig nederbörd för barn. Winter mindes barndomens snö, framförallt för att den varit så sällsynt i västra Göteborg. Havet var för varmt och för stort.

"Hur gick det med grabben?" frågade Ringmar.

"Jag vet faktiskt inte."

"Vad tror du?"

"Han vill inte minnas."

"Varför?"

"Han kände henne."

Ringmar sa ingenting. Han förstod vad Winter menade.

"Han kände Paula då", sa Winter. "Han vill inte att vi ska veta det."

"Och det gör vi inte heller."

"Fan att jag inte kan få fram vilka dom var! Vart dom tog vägen!"

"Mhm. Och var dom kom ifrån."

Winter stirrade ner på sin bakelse. Han hade inte rört den. Plötsligt såg den röda hallonsylten oaptitlig ut. Han sköt assietten åt sidan.

"Dom ville ha det så", sa Ringmar. "Kvinnan ville med säkerhet ha det så. Ingen skulle veta nåt om dom."

"Men folk visste ju! Sandler visste, Jonas mamma. Metzer. Andra måste ha sett dom."

"Ja... dom kunde ju inte sitta inne i lägenheten natt och dag", sa Ringmar. "Det hade varit ännu mer misstänkt."

Winter nickade.

"Det är väl ännu skummare att vi inte kan hitta den som hade förstahandskontraktet."

"Vi vet ju vad han heter i alla fall."

"Men var är han?"

"Och är det hans riktiga namn?"

Ringmar högg med dessertgaffeln i bakelsens översta lager. Det blev en röra.

"Varför gör dom bakelser som man inte kan skära upp snyggt och prydligt?"

"Då får du välja nåt annan än napoleon."

"Jag tycker om smaken."

"Jonas lekte med henne som barn", sa Winter. " Jag tror det. Och han kommer ihåg henne."

"Och han vill inte säga det till oss", sa Ringmar.

"Eftersom han träffat henne i vuxen ålder."

"Vilket han inte heller ville tala om för oss."

"Eftersom han träffat henne fler gånger än han vill säga."

"Vilket han ljuger om."

"Eftersom han... mördade henne", sa Winter.

"Okej."

"Han är för kall för att inte ha gjort det."

"Okej."

"Ge mig motargument", sa Winter. "Det kan inte vara så svårt."

"Han är bara en skraj pojke", sa Ringmar.

"Fortsätt."

"Han råkade tala med en stackars flicka som råkade illa ut. Det är allt. Han har aldrig känt nån liten flicka som kunde vara vår Paula eftersom hon aldrig har funnits."

"Vem?"

"Den lilla mystiska flickan förstås. Åtminstone har hon inte funnits för honom. Hon kanske bodde där men han har glömt det. Det var så kort tid. Det betydde inget."

Eftersom hon aldrig har funnits. Winter tänkte på vad Ringmar sagt, på syftningen, tolkningen. Hon hade aldrig funnits. Inte som de kände henne. Hon var en annan. Hade alltid varit det.

Ringmar hade betraktat sin napoleon och tittade nu upp med gaffeln hängande över resten av bakelsens spröda och samtidigt hårda skal. Han såg sig om, som om någon uppfattat vad de sagt och nu fortsatte att lyssna. Men de satt långt från alla andra gäster, och relativt nära den slamrande disken och de väsande kaffemaskinerna därbakom.

"Varför mördade han henne?" frågade Ringmar. "Jag säger inte att jag håller med dig. Jag frågar bara."

"För att han är sjuk", sa Winter. "Finns det några anledningar då?"

Winter och Ringmar lämnade kaféet. Solen stack i ögonen. Winter grep efter solglasögon han inte hade. De tillhörde den andra årstiden, den gröna vintern.

"Bytte ni telefonnummer?" frågade Ringmar.

"Jag förstår inte vad du pratar om, Bertil."

"Raggar upp tjejer på kafé. Mitt på dan. Under arbetstid. Du kommer att bli en legend på roteln, grabben."

"Det var hon som..." sa Winter utan att avsluta meningen.

"Snacka om att skylla ifrån sig."

"Men okej, jag har telefonnumret."

"Vad heter hon?"

"Angela."

"Det var ovanligt." De gick genom Brunnsparken. Ett fyllo på en bänk saluterade den civilklädda ordningsmakten med flaskan i vädret. "Låter engelskt."

"Eller tyskt. Hon hade ett tyskt efternamn."

"Var hon tyska?"

"Jag vet inte mer än du, Bertil. Hon pratade svenska i alla fall. Lät som om hon kom härifrån stan. Centrumdialekt."

"Hur låter en sån?"

"Inte som ditt Hisingstugg i alla fall."

"Jag är stolt över min bakgrund, grabben."

"Önskar jag kunde säga detsamma."

"Skit i att farsan stack med pengarna. Han har inte mördat nån i alla fa..."

"Där går ju han", avbröt Winter och nickade mot folkmassan som passerade framför dem på väg in i Nordstan. Ringmar följde Winters blick.

"Vem då?"

"Börge. Christer Börge." Winter nickade igen mot folkmassan där den gjorde halt vid övergångsstället. En spårvagn passerade med ett eländigt gnissel. "Ellen Börge. Vi pratade om henne för en stund sen, Bertil."

"Ja, just det", sa Ringmar. "Hon har inte kommit tillrätta, vad jag vet."

"Nej, hon har inte kommit tillrätta." Winter nickade mot folkmassan igen. "Det är han längst ute till vänster. I den blå toppluvan."

Mannen vände på huvudet, som om han hörde att de talade

om honom. Men det var omöjligt, avståndet var för stort. Winter kunde se att hans blick föll på dem, flyttade sig, återvände till vad han hade tittat på förut. Det var Christer Börge.

"Är du säker?" sa Ringmar. "Kommer du ihåg ansikten så väl? Även när de har toppluvor?"

"Jag kommer ihåg det här. Det är värre med namn."

"Men du vet att han där heter Börge."

"Jag kommer ihåg det här", upprepade Winter.

"Stackars jävel", sa Ringmar och såg bort mot Börges mössa. Det såg ut som om den dragits på för att väcka uppmärksamhet.

Winter svarade inte. Folk satte sig i rörelse när ljuset slog om och gick snabbt över gatan. Christer Börge vände sig inte om. Folkmassan försvann in genom portarna till det gigantiska köpcentret, som in i en tunnel.

"Jag tror jag ska hälsa på hemma hos honom", sa Winter.

"Varför det?"

"Det är synd om honom. Du sa ju det själv."

"Du kan inte släppa det där fallet, Erik."

"Nej."

"Vad kan du åstadkomma genom att gå hem till den stackarn och gräva i såret?"

"Jag vet inte. Men jag känner att jag bör göra det."

"Är det intuitionen?"

"Kalla det vad du vill."

"Tror du fortfarande att han hade nåt med hennes försvinnande att göra?"

"Jag tror ingenting. Det är vårt motto på roteln, eller hur? Som Birgersson säger: Tror gör man i kyrkan."

"Jag tror vi måste bege oss tillbaka nu", sa Ringmar.

"Gå du", sa Winter. "Jag är tillbaka om nån timme."

Han lämnade Ringmar och gick över gatan på grönt.

Det fanns en chans att upptäcka Börge igen, såvida inte blå toppluvor blivit mode. Men han behövde inte upptäckas. Winter hade hans adress, om han inte flyttat. Han fanns uppenbarligen kvar i stan.

Varför gör jag så här? tänkte Winter.

Utanför Åhléns såg han toppluvan framför ett av skyltfönstren. Börge stod framför avdelningen för leksaker. Han vände på huvudet åt olika håll, som om han såg på allt utom det som fanns i skyltfönstret. Julskyltningen skulle infalla om ett par veckor, och sedan julen, och sedan det nya året, och samtidigt det nya decenniet, 90-talet.

Börge gick snabbt bort mot den norra utgången.

Winter följde efter på trettio meters avstånd.

Börge gick in på Systembolaget. Winter väntade utanför. Börge kom ut med en påse. Winter kunde se konturerna av några flaskhalsar. Börge fortsatte mot utgången och tog till höger efter de automatiska skjutdörrarna och var försvunnen.

Winter gick ut. Han kunde se Börge korsa leden på ett övergångsställe femtio meter bort. Han måste ha gått fort. Winter kunde se honom ställa sig vid busshållplatsen bredvid en handfull andra människor. Ingen annan hade blå toppluva. Bussen var redan på ingång. Börge steg på sist och bussen körde iväg. Winter kunde inte upptäcka honom när den passerade. Solen kastade reflexer tvärs över de svarta fönsterrutorna. Det såg ut som en eldsvåda.

27

KANSKE VAR DET BÖRGES ANSIKTE HAN SÅG i bussens bakruta, en vit fläck i det skitiga glaset.

Winter fortsatte att gå österut, förbi Centralstationen, GP-huset, Gamla Ullevi.

Han hämtade ut en bil i polisgaraget och körde till Börges adress. Det fanns en ledig parkeringsruta ett kvarter bort.

Namnet fanns kvar på lappen i porten.

Winter såg sig om. Det mesta var sig likt. Ingen vågade sig på patricierhusen i de centrala stadsdelarna av Göteborg. Gatorna här lämnades orörda av toksossarna. Förorterna fick ta smällen, och de små städernas centralkärnor.

Han gick in genom porten och uppför trapporna. Börge bodde på tredje våningen. Trappan var välhållen och trapphuset släppte in ljus genom målade fönster. Det var som en kyrka.

Tre år sedan. För tre år sedan hade han gått uppför de här trapporna några gånger. Efter det: fyra eller fem telefonsamtal för att höra hur det var, kanske en konsolidering. Någon gång hade Börge ringt upp honom. Han hade låtit dämpad, som om han lagt en näsduk över telefonluren.

När Winter sträckte fram fingret mot ringknappen slog det honom att Börge kanske inte längre levde ensam. Att han kanske ändå skulle ha ringt upp innan han kom.

Men det ville han inte.

Han ringde på och Börge öppnade efter första signalen, som om han stått innanför dörren och väntat. Kanske hade han sett Winter gå in i porten, kanske sett honom redan vid bussen, eller inne i Nordstan.

Börge såg inte förvånad ut.

"Jaså, det är du."

Det var mest ett konstaterande. En trötthet i rösten, som efter sjukdom. Börge hade åldrats under tre år, kanske på ett normalt sätt. Ett par kråksparkar runt ögonen. Men det har nog jag också, tänkte Winter. Jag ser mitt eget ansikte varje morgon och märker inte förändringarna.

"Får jag komma in?"

Börge gjorde en gest inåt våningen, vände om och gick tillbaka genom hallen.

"Du får ta av dig skorna", sa han över axeln. "Det är nystädat."

Winter visste inte om det var något slags skämt, men han drog av sig sina handgjorda engelska skor och ställde dem bredvid några par som stod i skostället under klädhängaren i hallen. Winter hade inte tänkt på dem förut, kanske hade de inte stått där. Det såg ut att vara identiska par. Det var en bra idé, kanske inte att alltid bära identiska par, men att byta skor regelbundet. Winter hade noga fått det inpräntat av sin skohandlare i Mayfair. Han reste över en gång om året och fick alltid samma råd. Han behövde inte köpa skor varje gång. Skorna han bar var gjorda för att hålla. Börges skor var enklare, förstås, men inget skräp.

Börge satt redan när Winter klev in i vardagsrummet.

Det stod en flaska rött vin på bordet, och ett halvfyllt glas. Winter hade känt vinet i mannens andedräkt ute i hallen.

Börge nickade mot vinflaskan.

"Vill du ha ett glas. Det är ingen skit."

"Jag ser det."

"Vill du ha ett glas då?"

"Nej tack. Jag kör."

Börge log, kanske ett syrligt leende:

"Bra ursäkt."

Han drog ut lite på stavelserna, ett tecken på svag berusning. Kanske ett par glas på fastande mage. Winter kunde se på nivån i flaskan att Börge var inne på andra glaset. Kanske var det ett regelbundet eftermiddagsnöje.

"Sätt dig", sa Börge.

Winter satte sig i fåtöljen mitt emot. Några svarta fåglar irrade omkring utanför fönstret, som om de sökte ett hem. Winter hörde deras skrik genom glaset.

Börge lyfte sitt glas.

"Ja, här ser det ut som om man sitter och firar nåt."

"Gör du det då?"

"Vad skulle jag ha att fira?" Han satte ner glaset. "Det här är mer ett trevligt sätt att ta sig igenom dagen."

Winter nickade.

"Du har inga synpunkter på det?"

"Nej, varför skulle jag ha det?"

"Tja... du är ju polis."

"Så långt har det inte gått än att vi kliver in hos folk och tar deras buteljer."

"Men du klev in här", sa Börge.

"Vill du att jag går?" sa Winter.

"Nej, nej. Det är trevligt med sällskap."

Det var andra gången han nämnt ordet trevligt. Men det kändes allt annat än trevligt därinne. Det kändes plötsligt kallt, som om all värme lämnat elementen och dragit ut genom fönstret, till fåglarna som fortsatte att flyga fram och tillbaka. Måste finnas träd på vardera sidan om fönstret, tänkte Winter. Jag tänkte inte på det när jag gick in här.

"Hur har du det, Christer?"

Börge hade sträckt sig efter vinglaset igen men stannade upp i sin rörelse.

"Är du verkligen intresserad, Winter?"

"Annars skulle jag inte vara här."

"Vad är du intresserad av?"

"Nu förstår jag inte."

"Det gör du fan visst. Jag kommer ihåg att du misstänkte mig för att ha nåt att göra med Ellens försvinnande. Vore inte konstigt om det är därför du kommer hit nu också."

"Det är inte därför", sa Winter.

"Hon ligger fortfarande inte i nån av garderoberna här", sa Börge. "Du kan få kontrollera en gång till om du vill."

"Jag såg dig i dag", sa Winter.

Börge svarade inte. Han drack en snabb klunk av vinet och ställde ner glaset. Glasfoten hade lämnat en röd ring efter sig på soffbordets blonda trä. Börge verkade inte se den. Hans rörelser hade blivit en liten aning yvigare. Flaskan var knappt halvfull.

"Jag såg dig på stan. Nordstan. Jag råkade se dig." Winter böjde sig framåt. Han kunde känna den vaga stalldoften av vinet från flaskan. Det var en relativt dyr Pessac. Ville Börge supa så skulle han tydligen göra det med stil. "Det var en tillfällighet."

"Tror du inte jag såg dig?"

"Jag var inte säker. Jag gömde mig inte."

"Inte jag heller." Börge betraktade vinflaskan och tittade sedan upp. "Tror du inte jag räknade med att du skulle dyka upp?"

"Det verkade faktiskt så", sa Winter. "När du öppnade."

"Inget på tre år och sen dyker kriminalaren upp."

"Det var en plötslig ingivelse", sa Winter. "Att jag kom hit."

"Vad betyder det ordet? Ingivelse?"

"Ja... jag vet inte exakt", svarade Winter. "Det är att ma..."

"Det måste vi genast ta reda på", sa Börge och reste sig hastigt och svajade till och fick ta grepp med ena handen mot soffryggen bakom sig för att inte tappa balansen. Winter tittade på flaskan igen. Det slog honom att det inte behövde vara dagens första flaska. Börge verkade relativt nykter men han kanske hade en professionell alkoholists tolerans.

Börge gick över golvet till en bred bokhylla på väggen bredvid fönstret. Han studerade bokryggarna och sträckte sig efter en titel.

"Svenska Akademins", sa han och höll upp den tjocka volymen mot Winter. "Oumbärlig."

Han började bläddra i ordboken.

"Ing... ingi... in/gi/vel/se." Han tittade upp. "Finns ingen förklaring." Han tittade på volymen, höll upp den mot fönstret som mot en ljuskälla. "Inte så oumbärlig." Han slängde den i en hög båge rakt över rummet. Den landade bakom Winter.

Winter reste sig och gick fram till bokhyllan. Börge stod kvar, stödde sig mot bokryggarna med den andra handen. Han stirrade efter boken, som för att se var den landat.

En av hyllorna var tom till hälften. Det stod tre fotografier i ram tätt intill varandra. De hade inte stått där för tre år sedan, inte vad Winter kunde minnas. Eller kanske. Han kände igen två av fotona, han hade sett dem när han varit här. På det ena log Ellen mot honom från en stol som kunde stå var som helst. Hon hade ett uttryckslöst leende i ansiktet som inte avslöjade någonting. På det andra fotografiet syntes Christer och Ellen tillsammans, stående under ett träd. Det kunde vara träden utanför. Det var i en stad. Husen såg bekanta ut. Kanske var ett av dem huset han befann sig i nu.

På det tredje fotografiet log Ellen tillsammans med en annan flicka. Flickorna kunde vara i femtonårsåldern, kanske något äldre.

"Vem är det där?" frågade Winter och nickade mot fotografiet.

"Va?" sa Börge och vände ansiktet mot bokhyllan. Winter insåg att mannen var mer berusad än han trott. Det var inte den första flaskan som stod på bordet. Han måste ha druckit innan han gick till Systemet, såvida han inte knäckt en helpava på tjugo minuter, innan Winter kom. Det var möjligt.

"Vem är flickan som står bredvid Ellen på det där fotot?"

Flickorna såg ut att stå i en berså. Buskarna var täta runt dem. De höll om varandra, fyra armar, fyra händer. Det var sommar, deras kläder var tunna. I bildens utkant kunde Winter se något som glimmade. Det kunde vara en bit av himlen, eller vatten, en sjö, hav.

Börge fixerade blicken på fotot. Han svajade till igen men var inte på väg att förlora balansen.

"Det där är Ellens syster."

"Jaha?"

Börge fixerade blicken på Winter nu. Han kisade lätt. Talet var ännu mer utdraget, tjockare men inte sluddrigt.

"Pratade du inte med henne när Ellen... försvann?"

"Inte jag."

"Nehej."

"Det var nån annan av mina kolleger. Men jag visste ju om henne." Winter såg på flickan igen. "Ellen dök aldrig upp hemma hos henne. Vi hade nån därnere som pratade med henne också. Malmö, tror jag. Hon bodde i Malmö just då."

"Jag har inte träffat henne sen... dess", sa Börge och nickade mot fotografiet igen.

"Varför inte."

"Jag tror inte hon tycker om mig." Han vände blicken mot Winter igen. "Jag vet att hon inte tycker om mig." Han nickade, som för sig själv. "Hon tror att allt är mitt fel."

"Ändå har du tagit fram ett fotografi på henne. Och ställt det i hyllan."

"Det är inte för henne", sa Börge och viftade till med ett yvigt finger i riktning mot fotot. "Det är för Ellen, förstås!" Han gick ett försiktigt steg närmare. "Hon ser glad ut där, tycker du inte det?"

Winter tittade på fotot igen.

"Jag hittade det för bara nån månad sen", sa Börge. "Jag gick igenom lite grejor och där låg det."

"Hittade du nåt mer?"

"Vadå?"

"Nåt mer foto på Ellen? Eller nåt annat. Nåt minne."

"Nej, nej, ingenting."

Winter höll blicken på flickornas ansikten. Kanske fanns det en likhet, men han hade svårt att upptäcka den. Kanske något med ögonen, eller håret. Kanske i själva kroppshållningen. Båda var långa, smala, en kantighet i kroppen som skulle förändras över tiden.

"Dom var ju bara halvsystrar, som du kanske vet", sa Börge.

Winter nickade.

"Träffar henne aldrig mer", mumlade Börge. "Men det sa jag väl förut."

"Var bor hon?" frågade Winter.

"Ingen aning."

"Jag kommer inte ihåg hennes namn just nu", sa Winter.

"Eva", sa Börge. "Det var i alla fall vad hon kallade sig då."

"Vad menar du?"

"Hon använde olika namn", sa Börge.

"Varför det?"

"Hur fan ska jag kunna veta det?" Han lösgjorde sig från hyllan och tog ett par steg åt vänster, mot soffan. Den här gången kanske det inte skulle gå. "Du får väl fråga henne om du träffar henne."

Morgonmötet inleddes med en tyst minut. Det hade inte med någon särskild hedersbetygelse att göra, det var mer en liten stunds koncentration. Sedan ringde Halders mobiltelefon. Winter hade just börjat sin genomgång.

"Hmh?" Det var Halders sätt att svara i telefon. "Ja? Ja, det är jag,"

Han reste sig och gick ut i korridoren och stängde dörren efter sig.

"Det kan vara nån som tidigare varit anställd på nåt av hotellen", sa Winter.

"Har vi hunnit gå igenom hela listan du fick?" frågade Aneta Djanali.

"Inte än", svarade Winter.

"Listan från Odin då? Är det några vi känner?"

"En del småbus", sa Ringmar.

"Så är det väl alltid?"

"Det är inte många, ett par stycken", sa Ringmar. "Men en anställning på hotell verkar fungera som nåt slags genomgångsstation ibland."

"Varför det?" frågade Aneta Djanali.

"Tja... folk verkar inte ställa så många frågor på hotell. Bland dom anställda, alltså. Verkar inte vara så nyfikna."

"Nej, det har vi nog fan märkt", sa Bergenhem.

Dörren öppnades med ett ryck.

Halders klev in med mobiltelefonen fortfarande i handen.

"Det var en av målarna", sa han.

"Från Paulas lägenhet?" frågade Bergenhem.

"Nej, van Gogh."

"Vad sa han?" frågade Winter.

"När dom kom dit var pappa Mario där." Halders satte sig. "Det hände ett par gånger."

"Och?"

Det var Aneta Djanali.

"Tja... han hade kanske tillgång till sin dotters lägenhet. Jag vet inte ens om vi har frågat honom om det. Men ändå."

"Men ändå vadå?"

"Han hade en väska. Han bar med sig en väska därifrån."

"En resväska?"

Det var Ringmar.

"Nej, sån tur har vi inte. Det var nån bag av nåt slag."

"Varför det?"

Det var Bergenhem.

"Målarn frågade inte om han fick titta i bagen, Lars. Så innehållet förblir ett mysterium."

"Han hämtade väl nåt åt sin dotter", sa Djanali.

"När hände detta?" frågade Winter.

"Efter hennes försvinnande, första kvällen", svarade Halders. "Vi hade ju inte stoppat renoveringen än."

"Vad gjorde han där?" sa Bergenhem.

"Jag föreslår att vi frågar honom", sa Halders.

"Jag ville bara se om hon var hemma", sa Mario Ney.

"Du kunde ha ringt", sa Winter.

"Hon kanske inte kunde svara. Hon kanske var sjuk. Det var det jag ville kolla."

"Målarna var ju där."

"Det visste jag inte. Jag visste inte om dom var kvar."

"Du hade varit där ett par gånger."

"Ja, vadå? Paula ville att jag skulle hämta ett par saker."

"Vad var det för saker?"

"Kläder. Nån kjol, tror jag. En blus."

"Varför gjorde hon det inte själv?"

"Jag... hon frågade mig. Jag vet inte. Jag gjorde det."

"Vad hämtade du andra gången?"

"Andra gången?"

"Uppfattade du inte frågan, Mario?"

"Eh... jo. Andra gången... jag kommer inte riktigt ihåg... det var lite mer kläder, tror jag..."

"Men Paula var borta då. Vad skulle hon med dom kläderna till?"

"Jag måste ha varit... jag vet inte... jag måste ha varit förvirrad."

Han såg Winter i ögonen. Blicken flackade inte. Han såg ut som om han verkligen försökte tänka efter.

"Nej", sa han efter en liten stund. "Det var inte så. Jag ville bara åka dit för att se om jag... kunde hitta nåt som kunde hjälpa mig. Oss. Hjälpa oss att hitta henne."

"Vad skulle det ha varit?"

"Jag vet inte. Vad som helst. Nåt som kunde hjälpa oss."

"Hittade du nåt?"

"Nej."

"Ingenting?"

"Nej."

"Letade du efter nåt särskilt?"

"Nej."

"Vad hade du i väskan?"

"Menar du bagen?"

"Ja."

"Det fanns ingenting i den."

"Vems var den?"

"Den var min."

"Den var inte Paulas?"

"Den var min, säger jag."

"Vad skulle du ha den till?"

"Om jag hittade nåt. Om jag skulle ta med mig nåt."

"Vad tog du med dig, Mario?"

"Jag har ju sagt att jag inte tog med mig nåt! Jag har ju sagt det!"

"Vi frågade en av målarna. Det såg ut som om det fanns nåt i den där bagen."

"Vad vet han? Vem då? Han kunde inte avgöra det. Han stod på en stege uppe vid taket."

"Var bagen stängd?"

"Det kommer jag inte ens ihåg. Troligen inte."

"Varför inte?"

"Den går inte att stänga, inte ordentligt. Dragkedjan är trasig."

"Tog du med dig en trasig bag?"

"Jag bara tog den. Jag visste knappt vad jag gjorde. Vad spelar det för roll om en väska är trasig eller inte? Vad i helvete spelar det för roll här?"

"Varför berättade du inte för oss att du var i Paulas lägenhet dom här gångerna?"

"Varför skulle jag göra det? Det har väl ingen betydelse?"

"Har det nån betydelse?" frågade Birgersson.

Han satt för en gångs skull bakom sitt skrivbord. I hans mun stack en tandpetare ut. Det var ett dåligt tecken. Snart skulle den sannolikt bytas ut mot en cigarrett.

"Han höll inne med det", sa Winter.

"Det kan faktiskt vara som han säger", sa Birgersson.

"Jag är benägen att hålla med", sa Winter.

"Benägen? Det var ett lustigt ord. Det hör man inte så ofta. Vet du vad det betyder exakt?"

"Nej, inte exakt", svarade Winter.

"Då får vi väl ta reda på det", sa Birgersson och reste sig.

"Är det nödvändigt?" frågade Winter.

"Jag tänker bättre när jag handfast söker svar på frågor", svarade Birgersson och gick bort till den smala bokhyllan där det stod trettiotalet volymer. Han tog ner en av dem.

"Nu ska vi se", sa han och bläddrade.

"Det här är andra gången jag är med om detta", sa Winter.

Birgersson tittade upp med frågande blick.

”För femton år sen eller så. Hemma hos Christer Börge.”

”Christer Börge? Försvunna frun?”

”Han letade också efter ord i SAOL.”

”Se där.”

”Märkligt”, sa Winter.

”Kanske är vanligare än man tror”, sa Birgersson och fortsatte sitt bläddrande.

”Undrar om han fortfarande är vid liv”, sa Winter.

28

"finns ingen förklaring", sa Birgersson, slog igen boken, ställde in den i bokhyllan, gick tillbaka, satte sig i sin stol igen och nickade mot Winter. "Så är det ibland."

"Så var det då", sa Winter.

"Förlåt?"

"Det fanns ingen förklaring."

"Till vad?"

"Jag kommer inte ihåg vilket ord det var", svarade Winter. "Ge mig en minut."

"Jag tänker inte på ordet", sa Birgersson.

"Jag kan inte få det där fallet ur tankarna, Sture. Eller vad det ska kallas. Ellens försvinnande."

"Du får nog leva med det resten av karriären", sa Birgersson.

Winter svarade inte.

"Karriären", upprepade Birgersson och tog upp en ny tandpetare, betraktade den, stoppade in den i munnen, tittade över bordet på Winter. "Nästa höst slipper man den."

"Det är bara att gratulera", sa Winter.

"Ja, är det inte?"

Birgersson lutade sig över fotografierna de lagt ut på skrivbordet. Det låg fler på en bänk utefter rummets långsida.

De föreställde mor och dotter.

Birgersson hade lagt de två ansiktena jämte varandra. Det var ungefär samma vinkel, belysning, avstånd. Samma tystnad. På sitt sätt samma ansikten.

Birgersson betraktade dem under tystnad.

"Vem liknar hon mest, Erik?" sa han till slut och tittade upp. "Av föräldrarna?"

"Jag vet faktiskt inte, Sture."

"Mamman? Pappan? Jag ser ingen direkt likhet här."

"Varför undrar du?"

"Slog mig bara att jag knappt sett några foton på den här familjen."

"Det finns nästan inga", sa Winter.

"Vad ska han med... dom vita troféerna?" sa Birgersson och såg ner på bilderna igen, andra bilder. "Det är som om han samlar på nåt. Fast det... sitter kvar."

"Det har nåt med äganderätt att göra", sa Winter.

"Han hade rätt till dom? Handen? Fingret?"

Winter nickade.

"Är det så du ser det?"

"Han ansåg sig ha rätt till allting som var dom", sa Winter. "Han kunde ta vad han ville. Och lämna kvar vad han ville." Winter nickade mot fotografierna. "Göra vad han ville."

"Gipshanden då?"

"En bekräftelse", sa Winter.

"Bekräftelse på vad?"

"På det jag just sa."

Nina Lorrinder ringde Halders under den tidiga eftermiddagen. Halders tittade på klockan när han grep luren: halv tre och mörkret var på ingång därute. Om två timmar skulle han skjutsa Hannes till innebandyn. Grabben hade valt den lugnare innebandyn före den mer aggressiva ishockeyn. Halders hade spelat hockey. Hannes brås på Margareta, hade Halders tänkt när Hannes sagt vad han ville göra i höst. Det är bra.

"Spaningsroteln. Halders."

"Ja... Hej. Det är Nina Lorrinder."

"Hej, Nina."

"Ja... Det var en sak..."

Halders satte sig rakare på stolen och grep efter en penna.

"Berätta, Nina."

"Jag vet inte hur jag ska säga det... men när jag gick förbi huset där Paula bodde. Ja, du vet ju att jag bor lite längre bort. Jag var på väg till spårvagnshållplatsen. Och då så såg jag nån stå bland... buskarna nedanför huset. Det är tvärs över planen. Det ligger en lekplats där."

"Jag vet hur det ser ut, Nina. Vem var det du såg?"

"Jag vet inte om det betyder nåt. Det kanske var dumt att ringa. Men det var... han. Det började bli mörkt men det finns ett gatljus precis över och han vände på huvudet när jag gick förbi och jag såg att det var han."

"Han? Vem var det?"

"Han som Paula träffade på Friskis."

"Är du helt säker på att det var han?"

"Ja."

"Vad gjorde han?"

"Han bara stod där. Det verkade som om han tittade upp mot huset. Mot fönstren en bit upp."

"Sen vände han på huvudet, sa du?"

"Ja. Det var väl för att han hörde mig. När jag gick på gångvägen bakom."

"Såg han dig?"

"Ja... det gjorde han kanske. Men jag tror inte han kände igen mig. Det var ju rätt mörkt... och det regnade lite. Jag hade en huva." Halders hörde hur hon svalde. Det gick att höra. "Och sen vände han på huvudet igen."

"När hände det här?" frågade Halders.

"I förrgår. Vid halvfemtiden."

"Varför ringde du inte direkt?"

"Jag... jag vet inte. Först var jag säker på att det var han. Och sen... jag vet inte."

"Var du rädd?"

"Ja."

"Rädd för vad?"

"Att han såg mig." Halders hörde hennes andning. "Att han skulle... jag vet inte..."

"Desto större anledning att ringa mig direkt. Om du trodde att han skulle söka upp dig."

"Jo... jag vet."

"Har du sett honom fler gånger?"

"Nej..."

"Du drar på det, Nina."

"Det... har känts som om jag varit... jag vet inte... förföljd den senaste tiden"

"Förföljd?"

"Ja..."

"Har du sett nån?"

"Nej..."

"Hur menar du då?"

"Jag... hur ska man säga... det är som om nån föl, r mig. Eller spionerar på mig. Ser mig. Är det hemskt fånigt av mig? Det kanske inte är nånting alls."

"Och du har inte sett nån?"

"Nej... inte direkt. Jag har tyckt att jag skymtat nån utanför fönstret. Nån... som stått därute. Men jag är inte säker. Och en gång ringde telefonen men ingen sa nåt. Men linjen var öppen. Och det tutade från en ambulans därute, eller en polisbil, jag hörde det i... rummet och jag hörde det också i telefonen. Det verkade vara samma ljud... samtidigt. Och det var alldeles i närheten."

"Varför har du inte sagt nåt om det här tidigare, Nina?"

Hon svarade inte.

"Nina?"

"Är det... kan det vara farligt? För mig?"

"Har du nån du kan träffa?" frågade Halders. "Nån vän, eller familj? Åka hem till?"

"Nån kan jag väl... ringa till."

"Gör det."

"Menar du nu?"

"Ja."

Halders hörde rädslan i hennes röst. Han ville inte skrämma upp henne. Men han tog hennes rädsla på allvar.

"Nina... är du helt säker på att du inte sett honom vid andra tillfällen? Alltså killen som Paula träffade?"

"Jag... tror det."

"Inte på stan? Var som helst?"

"Nej."

"På Friskis & Svettis?"

"Jag går inte dit längre. Inte sen det hände. Paula."

"Vad hände när du hade passerat då? När du såg honom?"

"Inget..."

"Vände du dig om? Stod han kvar?"

"Jag vände mig om, lite längre bort. Men då såg jag inget. Buskarna var i vägen."

"Och sen tog du spårvagnen?"

"Ja."

"Och du har aldrig sett honom tidigare i kvarteren? I närheten av Paulas bostad?"

"Nej."

"Okej, Nina. Tack för att du ringde."

"Vad... händer nu?" frågade hon.

"Vi får prata lite med honom", svarade Halders.

Ingen öppnade när de ringde på Jonas Sandlers dörr. Ingen hade svarat i telefonen som stod därinne någonstans. Ingen svarade i Jonas mobiltelefon. Halders försökte igen.

Det fanns en liten handskriven skylt på dörren: Ingen reklam, tack.

"Ingen Jonas, tack så mycket", sa Halders.

"Han är väl ute och går", sa Winter.

"Det är visst det han gör", sa Halders och stoppade ner mobiltelefonen i skinnjackans innerficka. "Går, och står."

"Det är olyckligt att människor är arbetslösa", sa Winter och ringde på dörren igen. "Man kan inte få tag på dom på deras arbeten när dom inte är hemma."

Halders skrattade till.

"Ett fall för sossarna", sa han.

"Vi får ta det genom rikspolischefen", sa Winter och vände sig om och såg ner mot trappan.

"Är inte han också sosse?" sa Halders.

"Gillar du inte sossar, Fredrik?"

"Om jag lärde känna nån sosse på allvar kanske jag skulle gilla honom, eller henne. Det finns visst kvinnliga sossar också. Det finns visst snälla sossar också."

"Jag är sosse", sa Winter och började gå nerför trappan.

"Skojar du?"

"Ja."

"Vad är du då?"

"Feminist."

"Skojar du?"

"Nej."

"Jag är också feminist", sa Halders.

"Jag vet det, Fredrik."

"Det är sant. Det är inte skoj."

"Du har försökt dölja det men mig lurar du inte", sa Winter.

"Det finns väl ingen som lurar dig?" sa Halders.

De stod utanför porten. Den gled igen bakom dem med ett gnälligt läte. Ljudet fick Halders att tänka på en sossepolitiker som måste fatta beslut som inte nödvändigtvis hjälpte den egna karriären.

"Jonas", svarade Winter. "Han kan ha lurat mig."

"Vi väntar tills i kväll", sa Ringmar.

Winter nickade.

"Han kan vara ute och driva på gatorna", fortsatte Ringmar. "Ett larm nu... tja..."

"Han kan ha drivit iväg långt åt helvete vid det här laget", sa Halders.

"I så fall har vi vår man", sa Ringmar.

"Inte nödvändigtvis", sa Winter.

Anne Sandler svarade inte i telefon. Winter hade ringt första gången när de stod på gården utanför Jonas lägenhet. Han hade fortsatt att ringa. Hon hade ingen telefonsvarare.

Winter passerade gungorna på den tomma lekplatsen. Han hade ännu inte sett några barn där. Det var som om den tiden var över för alltid. De enda barn han kände till som suttit i de där gungorna var Jonas och flickan. Men också det var osäkert. Anne Sandler kunde ha misstagit sig. Kanske bodde aldrig den där familjen här, eller åtminstone inte i samma uppgång. Hur skulle Jonas minnas en flicka från en månad i en avlägsen barndom? För en del människor var barndomen mycket avlägsen. För många hade den aldrig ens existerat. Winter hade i sitt arbete mött många som saknade en barndom som de aldrig hade haft, som letade efter den, desperat sökte den.

Det kunde få fruktansvärda konsekvenser.

Hade Jonas haft en barndom? Winter visste inte. Han hade träffat pojken som var Jonas, men han visste inte det andra. Hade Paula haft en barndom? Han visste inte det heller. I går hade han tänkt: Det här handlar om barndom, eller det som kunde ha varit barndom. Paulas. Någons. Fleras. Ellens. Eller Elisabeths, Marios. Ellens, hade han tänkt igen. Jag kommer inte ifrån det. Jag-kommer-inte-ifrån-det. Varför lämnar hon mig inte ifred?

Gungorna svängde i vinden igen. De osynliga barnen. Det var som om vinden svängde genom tiden, och tiden var densamma. Ingenting var nytt eller gammalt. Allt fanns där.

Ingen öppnade när han ringde på. Han hade inte väntat sig det. Ändå åkte jag ut hit. Det är som en magnet. Är det gungorna? Skogsdungen? Det är skogsdungen.

Winter gick ut ur huset och bort till den lilla samlingen träd och buskar. Det gick inte att se någonting därinne. Det var som ett rum med väggar utan dörrar. Skymningen föll igen, den föll hela tiden vid den här tiden på året, föll och höll sig kvar som ett svart ljus. Egendomligt var det, det där osynliga ljuset.

Han tog några steg mot träden. Han hörde ett ljud, ett läte. Var det en hund därinne som grävde i jorden? Det lät som om någon grävde, eller rörde runt i jorden. Det var ett ljud man kände igen.

Winter förde undan några buskar och gick två steg längre in. Han såg en rörelse bakom det stora trädet. Han såg en rörelse till, en hand. En arm. Han hörde ljudet av någon som grävde i jorden. Nu hörde han en snyftning.

Jonas vände sig om när han steg fram bakom trädet.

Pojken låg på knäna och grävde i jorden med händerna. Det måste vara hårt arbete. Jorden hade börjat frysa för vintern. Höstlöven låg som segt skinn över marken.

Han slutade inte gräva.

"Jonas?" sa Winter och tog ett steg till.

Pojken svarade inte. Det fanns ingenting i hans ansikte som inte påminde om den första gången Winter sett honom. Det hade varit en stark upplevelse för Winter. Pojken snyftade, andades hårt, grävde, grävde. Winter kunde se blod på hans knogar. Det var fortfarande tillräckligt ljust för att han skulle kunna se den röda färgen. Alla andra färger runt omkring hade börjat krypa ner i marken för natten.

"Jonas!"

Pojken tittade upp igen, men fortsatte med sitt grävande, ett krafsande på jordskorpan. Winter tog de sista stegen och la händerna på pojkens axlar. Det var som att ta i sten. Pojken fortsatte att röra armarna, musklerna. Han var som en maskin.

"Jonas, lugna dig."

Winter kände hur rörelsen långsamt avstannade, också det en mekanisk rörelse. Snyftningarna avstannade inte.

"Jonas."

Pojken vände upp ansiktet mot honom. Det fanns en stor fasa i hans blick. Winter visste att det inte var honom det handlade om här. Jonas hade inte varit rädd för upptäckt. Han verkade vara bortom det nu. Han hade sökt någonting, letat efter det härinne. Grävt efter sin barndom, någonting i barndomen som aldrig hade lämnat honom i fred. Det behövde inte vara jordskorpan. Det var bara det översta lagret.

"Paula", sa pojken och vände ansiktet mot jorden igen. "Hon är här."

29

POJKEN HÖLL UPP SINA HÄNDER, SOM ETT bevis på något. Winter såg inga bevis, inte än. Han såg pojkens starka upphetsning, som om han skulle sprängas i bitar.

"Jonas", sa Winter och sträckte fram en hand.

"Paula!" sa pojken. "Jag såg henne!"

"Var såg du henne, Jonas?"

"Här!" sa han och viftade med armarna mot jorden. "Hon var här!"

"När såg du henne?"

"Hon var här!" upprepade pojken.

"När såg du henne, Jonas?"

"Du såg henne också!" sa pojken. "Du var också här!"

"Det var längesen, Jonas."

"Nej!"

Upphetsningen hos pojken blev ännu större, som om han skulle förlora medvetandet vilken sekund som helst, eller förståndet. Kanske det redan hade skett. Något hade skett de senaste dagarna. Eller timmarna. Pojken hade ryckts ur sin letargi. Det var det ordet Winter fick i huvudet. Han såg plötsligt Christer Börge för sin inre syn, med ordlistan i handen, under bokhyllan i det kusliga vardagsrummet där tiden stått still. Letargi. Det betydde dvalliknande tillstånd, det hade Winter själv slagit upp en gång. Det fanns inget dvalliknande över Jonas Sandlers agerande just nu. Kanske befann han sig i en mardröm, men inte i dvala.

Och tiden hade frusit i barndomens skogsdunge.

Och pojken var tillbaka där.

"Paula!"

Winter gick ner på knä. Han försökte lägga sin hand på pojkens axel, men Jonas vrängde av sig den. Han hade slutat gräva nu. Det hade bara blivit en grund grop, som en skål bland löven. Hans händer var såriga, raspiga, som överdragna av ett mönster. Ljuset var borta nu. Risporna över händerna var svarta. Winter tänkte på de svarta stenarna han sett här för arton år sedan. De fanns inte kvar nu, eller så hade Jonas kastat undan dem. Han tänkte på handen som bara Jonas hade sett. Den fanns inte heller. Den vita handen pojken hade berättat om med stora och skräckslagna ögon. Han kanske såg den för alltid, oavsett om den var borta. Och Paula fanns inte heller här. Men pojken var lika övertygad nu som då. Vad visste han? Vad hade han gjort? Vad hade någon gjort mot honom? Vad fanns i den här svarta jorden? Pojken hade börjat gråta, ett stilla ljud. Winter hörde plötsligt det avlägsna bruset från trafiken på den här ön, den tredje största i landet. Nu kändes den mycket liten, som om ön bara bestod av den här skogsdungen. En fågel skrek till ovanför dem. Pojken ryckte till. Han såg på Winter som om han kände igen honom nu. Det var som om han vaknade upp ur mardrömmen. Pojken vände ansiktet mot marken, som om också den varit del av en dröm men nu blivit främmande för honom. Det var inte ett spel, ingen roll. Han upprepade inte hennes namn. Winter gjorde det.

"Flickan du lekte med här var Paula, eller hur?"

Jonas Sandler var lugn när han satt i Winters rum. Det var en bättre plats just nu än det kalla förhörsrum som påminde om en mardröm. Winter var rädd för att Jonas skulle återvända dit. Då skulle det inte gå att nå honom.

Ljuset var varmt över Winters skrivbord. Jonas såg ut att värma sig i det. Winter kände själv hur han började tina upp iskylan han upplevt bland träden. Han hade kört direkt hit, med Jonas som tyst passagerare. Jonas händer skymtade under skrivbordet. Han höll dem i knät. Knogarna var täckta av gasbinda. Det såg ut som om han bar vita handskar.

"Berätta om Paula", sa Winter.

Jonas försökte säga något, men det kom inga ord. Det var som en svag vind. Han gjorde ett nytt försök.

"Det... finns inte nåt att berätta."

"Ni lekte tillsammans."

Jonas nickade svagt.

"Lekte du tillsammans med Paula när ni var små?"

"J... ja."

"Är du säker på det?"

"Ja."

"Hur kan du vara säker?"

"Jag förstår inte", sa Jonas och tittade upp mot Winter. Pojken satt framåtlutad på stolen, med huvudet nära bordsskivan.

"Hur kan du vara säker nu? Du har tidigare sagt att du inte kände henne."

"Jag... kände henne."

"Varför sa du inte det förut, Jonas?"

Han svarade inte.

Winter upprepade frågan.

"Jag vet inte."

"Du vet, Jonas."

Han tittade upp igen.

"Du är rädd för något", fortsatte Winter. "Vad är du rädd för?"

"Ingenting."

"Vem är du rädd för?"

Jonas svarade inte.

"Har nån hotat dig?"

"Nej."

"Vem har hotat dig, Jonas?"

"Ingen."

"Hotade Paula dig?"

"Va... vad?"

Jonas höjde huvudet nu.

"Kände du dig hotad av henne?"

"Ne... nej. Varför skulle jag det?"

”Kände du dig hotad när du träffade henne igen, Jonas? När ni var vuxna? Visste hon nåt om dig?”

”Ne... nej. Vad skulle det vara?”

”Varför åkte du ut dit? Till den där skogsdungen?”

”Jag... vet inte det heller. Det är som... jag inte vet varför jag gjorde det.” Han sökte Winters blick. ”Det är som det andra. Att vi hade lekt... därute.”

”Pratade ni om det när ni träffades?”

”Ja... nån gång.”

”Vad sa ni då?”

”Inget särskilt. Vi... kom bara ihåg det.”

”Hur träffades ni, Jonas?”

”Det vet ni ju. På träningen.”

”Hur gick det till?”

”Vadå? Gick till?”

”Kände du igen henne?”

”Ja.”

”Bara så där?”

”Ja. Hon... var densamma.”

”Hur menar du? Densamma?”

”Hon såg ut som då.”

”Efter arton år?”

”Är det så länge?” sa Jonas.

”Kände hon igen dig?” frågade Winter.

”Nej... inte först.”

”När kände hon igen dig?”

”Jag förstår inte.”

”Kände hon nånsin igen dig?”

”Ja.”

”Var hon lika säker som du?”

”Ja.”

”Var träffades ni nästa gång?”

”Vad?”

”Var träffades ni nästa gång?” upprepade Winter.

”Där. På träningen. Friskis.”

"Jag menar utanför Friskis."

"Vi träffades aldrig... utanför."

"Jag tror inte på det, Jonas."

"Det är sant." Pojken satt upprätt nu. Det hade varit som ett långsamt uppvaknande av kroppens funktioner. "Det är så. Det är sant."

"Aldrig en fika på stan? En pub?"

"Nej."

"Varför inte?"

"Hon ville inte."

"Frågade du?"

"Ja."

"Bjöd du hem henne?"

"Ja."

"Vad sa hon?"

"Hon sa nej."

"Varför?"

"Jag... jag vet inte."

"Frågade du?"

"Vad?"

"Varför hon sa nej?"

"Nej... ja... hon ville inte. Jag kunde inte tjata."

"Men du visste var hon bodde?"

"Ja..."

"Har du varit där?"

"Jag... förstår inte. Jag har ju sagt att jag inte... blev bjuden dit."

"Du har blivit sedd utanför", sa Winter.

Jonas svarade inte.

"Har du varit där?" frågade Winter.

"Ja."

"När då?"

"Häromdan... flera gånger."

"Vad gjorde du?"

"Ing... ingenting. Jag bara stod där."

"Varför?"

"Jag... vet inte." Pojken såg på Winter igen. "Jag vet inte det hel-ler." Han såg någon annanstans, kanske mot fönstret. "Jag saknade henne. Jag hade träffat henne igen och sen var hon borta." Han såg på Winter. "Hon var borta."

"Varför var hon borta, Jonas?"

"Jag förstår inte."

"Har du tänkt på varför hon var borta?"

"Ja... tänkt... jag vet inte..."

"Hon blev mördad, Jonas. Hon var inte bara borta. Vem kan ha mördat henne?"

"Jag vet inte." Winter såg hur Jonas underläpp började darra, en spasm. Han hade sett den också ute i skogsdungen, bland all an-nan rörelse hos pojken. "Herregud, jag vet inte."

"Känner du Paulas föräldrar, Jonas."

"Föräldrar? Nej."

"Du kände ju hennes mamma."

"Nej..."

"Kände du inte hennes mamma? Dom bodde ju i samma hus, eller hur?"

"Paula sa att det... inte var hennes mamma." Han tittade över bordet igen, rakt på Winter. "Inte hennes riktiga mamma."

"Så han säger att Paula bodde där som barn", sa Ringmar. "Och om så vore? Det behöver inte betyda nåt."

"Jaså, inte?" Winter gick fram och tillbaka i rummet, vilket var ovanligt. "Det kan betyda allt."

Ringmar satt utanför ljuskäglan på Winters skrivbord. Jonas hade suttit där för en kvart sedan. Nu satt pojken i ett undersök-ningsrum en våning ner. Han hade blivit pojke igen och börjat skaka, hans läppar hade plötsligt blånat i det varma ljuset, ögonen hade börjat fladdra som en ljuslåga. Winter hade ringt efter en lä-kare. Efter honom skulle psykolog följa. Sedan fick de se. Kanske åklagare. Kanske präst.

"Det här betyder allt för honom nu", sa Winter. "Det har blivit hans hela liv."

"Han kanske är galen."

"Nej."

"Varför inte?"

"Det är stark press", sa Winter. "Han är under stark press. Det är nåt annat."

"Sånt kan leda till galenskap", sa Ringmar.

Winter svarade inte.

"Har han mördat henne så får vi veta det", sa Ringmar. "Kanske redan i dag."

Winter stannade mitt på golvet och såg ut genom fönstret. Det var inte dag längre, hade inte varit det på mycket länge.

"Elisabeth Ney då? Mamman? Har han mördat henne också?"

"Enligt Jonas är det ju inte hennes mamma", sa Ringmar.

"Ska man tro på det?"

"Varför skulle han annars säga det? Varför skulle Paula ha sagt det till honom?"

"Om hon sa det."

"Mhm."

"Det kanske var nåt hon fantiserade ihop", fortsatte Ringmar. "Barn kan säga sånt."

"Vuxna också."

"Som Jonas", sa Ringmar.

"Mhm."

"Det här kanske är hans fantasier", sa Ringmar. "Det har aldrig funnits nån Paula när han växte upp. Det skapade han senare, när han träffade henne. Nej, när hon hade dött. En fantasi om henne."

Winter sa ingenting. Han tänkte på pojkens ansikte när han träffat honom första gången. Pojken och hans hund. Vad hade den hetat? Zack. Det var ett namn han kom ihåg. Zack. Det var ett bra namn.

"Han verkar ju inte helt klar över vad han ser och inte ser", sa Ringmar.

"Jag vet inte", sa Winter. "Det är inte så enkelt."

"Vem har sagt att det är enkelt?"

"Han såg nåt ute i den där skogsdungen", sa Winter.

"Du menar för tjugo år sen?"

"Arton."

"Den där handen? Är det den du pratar om?"

"Inte nu. Jag pratar om vad han såg nu. I dag."

"Han sa att Paula var där?"

"Ja. Men var det därför han var där? För att söka efter Paula?"

"Han kanske sökte efter sig själv", sa Ringmar. "Och det menar jag inte som ett skämt."

"Är det handen han såg som grabb?"

"Inte Paulas hand, i alla fall. Det har vi lyckats hålla utanför medierna."

"Vilket betyder?"

"Att väldigt få vet om den", sa Ringmar. "Och bara en person utanför den här roteln."

Winters mobiltelefon ringde.

Han svarade, lyssnade, nickade, tryckte av och stoppade tillbaka telefonen.

"Det är dags", sa han och sträckte sig efter rocken.

En patrullbil hade dirigerats till skogsdungen efter att Winter ringt. Han hade gjort det redan därinne i mörkret, och väntat på att bilen skulle komma innan han körde till polishuset med Jonas i sätet bredvid.

Winter och Ringmar anlände minuten efter kollegerna från tekniska roteln.

En av dem var veteran.

"Jag tror inte det är sant", sa han när Winter steg ur bilen och gick mot dem. "Samma gård och samma dunge."

"Du har gott minne, Lars."

"Ibland är det en belastning."

"Historien upprepar sig alltid", sa Winter.

"I så fall hittar vi ingenting den här gången heller."

"I så fall ber jag om ursäkt", sa Winter.

"Det gjorde du inte förra gången."

"Ska vi börja?" sa Winter och började gå mot de bekanta träden och buskarna. Snart känner jag det som om jag själv växte upp här.

Dom där gungorna är mina. Det enda som är borta är karusellen. Det hade funnits en karusell mitt på lekplatsen när han var här första gången. Den var borta nu, av säkerhetsskäl. Barn kunde skada sig, dras med runt av halsdukar som fastnade, de kunde snubbla och hamna under karusellen.

Gungorna vajade i den eviga vinden. Det måste ständigt blåsa från samma håll här, ta sig in från nordväst mellan de två huskropparna som lutade sig över lekplatsen och skuggade skogsdungen.

De stod mitt i den nu.

De två teknikerna började montera upp strålkastare. I kväll skulle de inte göra så mycket mer. Bilda sig en uppfattning om platsen. Resa ett tält över alltihop. Komma tillbaka i morgon bitti. Det var rutinen. I mörkret kunde de förstöra mer än de fann. Att gräva i jord var ett känsligt arkeologiskt arbete. Ibland hade Torsten Öberg och hans tekniker till och med samarbetat med arkeologer från universitetet, direkt på fyndplatsen. Det var samma arbete för kriminaltekniker och arkeologer: att gräva efter det förflutna. Att gräva efter döden. Och Winter kunde stå bredvid gropen och vara en del av helheten. Han var själv en brottets arkeolog. Han grävde på sitt sätt.

Lars Östensson testade en av strålkastarna och den lilla platsen exploderade i ett vitt ljus som gjorde den naknare än någonsin. Är det så här den ser ut, tänkte Winter.

"Var är det?" frågade veteranen.

Winter pekade mot skålen i löven. I det starka ljuset såg Winter att den var djupare än han trott. Jonas måste ha varit där längre än han trott. Eller vara starkare än han trott.

"Vad är det vi letar efter?"

"Jag vet inte", svarade Winter.

"Förra gången vi var här var det en hand nån unge sett."

"Du kommer ihåg det?"

"Hur skulle jag kunna glömma? Efter mordet på den där tjejen. Jag hade nog glömt men jag blev påmind."

Östensson hade tagit emot gipshanden. Han skulle aldrig glömma den.

"Letar vi efter nåt stort eller nåt litet?" frågade han.

Winter slog ut med armarna. Det var också en rörelse mot platsen på marken. Sök. Finn. Det kan vara allt eller inget.

"Jag kan inte vänta tills i morgon", sa han.

"Vi gör mer skada än nytta nu, Erik. Det vet du."

"Jag vill ta hit hunden."

Det fanns en kriminalsökningshund vid Göteborgspolisen. Den kallades likhunden. Det var inget vackert namn. Den hette Roy. Den var tränad att känna molekylerna i liklukt.

Nu stod den på lekplatsen med tungan synlig mellan de vassa tänderna. Hundens ögon lyste i strålkastarskenet. Eller i månljuset. Det var starkt i natt, det starkaste Winter någonsin sett.

Strålkastarna lyste över skogsdungen och den svarta jord den stod på. Jorden blev ännu svartare i skenet, som om den redan blivit ett djupt hål. Winter tänkte på när han stått här med ficklampan för så många år sedan. Pojkens vita ansikte intill. Hundens häftiga andning, och skallet som plötsligt exploderat starkare än vilken strålkastare som helst.

Hundskötaren hette Bergurson och var islänning. Han hade pratat med Roy på ett språk som låtit uråldrigt.

De var på väg mot dungen nu. Hunden såg ut som en varg. Winter kunde se andedräkten från männen som stod runt om.

Bergurson och Roy försvann glimtvis bland träden. Winter följde efter.

Platsen verkade mindre upplyst nu, som om ett moln seglat in framför strålkastarna. Winter såg hunden. Det var första gången för Winter. Han hörde hunden.

Det verkade gå en lång tid.

Winter blundade. Han var inte trött. Det var som om han aldrig mer skulle bli trött.

"Nånting finns det i den här jorden", sa Bergurson.

De tog sig ner genom det yttersta lagret löv som stelnat till en spröd hätta. Gryningen hade kommit med ett milt sken. Fyra tekniker arbetade inne i dungen under ledning av Östensson. Winter var också där. Teknikerna hade delat in jordytan i ett rutmönster. De skulle arbeta sig igenom lagren sektionsvis med sina spadar som liknade vilka trädgårdsspadar som helst. De skulle sålla all jord, ta tillvara all jord. De skulle försiktigt närma sig det som Roy känt i luften. Det kunde ta lång eller kort tid.

"Det är nästan så att jag känner igen den här jorden", sa Östensson och öste undan ett lager. Hans närmaste kollega hette Arnberg, en yngre man. Han reste sig och justerade den ena strålkastaren. Gryningsljuset var fortfarande som en halv natt. "Hur djupt ska vi ner?" mumlade Östensson för sig själv.

Winter gick ut ur dungen, passerade lekplatsen, gick in i porten och ringde på Anne Sandlers dörr. Han visste att det skulle vara förgäves. Fönstren hade varit svarta. Hon var sannolikt fortfarande kvar nere på polishuset, hos sin son. Han ringde ändå på dörren. Ingen annan öppnade, och ingen annan dörr öppnades.

Han gick tillbaka nerför trapporna. Mobiltelefonen ringde när han stod på gården.

"Ja?"

"Mario Ney hade en anställning på Hotell Odin för hundra år sen", hördes Halders röst. Den lät metallisk och tunn, som om mottagningen gick fram bara till hälften eftersom det bara till hälften blivit morgon.

"Har han bekräftat det?" frågade Winter.

"Nej, för helvete. Han vet ingenting."

"Var är han?"

"Svar vet ej. Ska jag ringa Molina och fråga vad han säger nu?"

Kammaråklagaren hade hittills inte funnit skäl att frihetsberöva Mario Ney. Winter hade inte heller sett klara skäl, eller Halders. Samtalet med Molina hade varit rutin.

"Vem har bekräftat?" frågade Winter.

"En gammal husfru. Jag tror det heter så. Hon kände igen honom."

"Namnet?"

"Nej. Bilden. Det var Bergenhem som pratade med henne. Jag har gett Bergenhem beröm."

"Hon kände igen en hundraårig bild?"

"Neys fejs har stått sig bra genom åren", sa Halders.

"Vad gjorde han där? På hotellet?"

"Han var allmän kraftkarl", som hon uttryckte det.

Winter fortsatte att gå mot skogsdungen medan han pratade med Halders.

"Låt oss reda ut det här när jag kommer tillbaka", sa han.

"Hur går det därute?" frågade Halders.

"Ingenting än så länge."

"Grabben verkar inte må så bra", sa Halders. "Morsan är hos honom nu."

"Ja, jag vet. Hon är inte här."

"Gräver ni djupt?"

Winter svarade inte. Ringmar hade stigit ut ur dungen. Han gjorde ett tecken med handen mot Winter. Det var något i Ringmars ögon.

30

EN FÅGEL SKREK. DET VAR SAMMA SKRIK som alltid. Winter tittade upp och såg fågeln högt under himlen, en svart avteckning mot det grå. Den måste ha cirklat över den här skogsdungen i arton år.

Ringmar väntade vid randen. Det egendomliga uttrycket i hans ansikte fanns kvar. Winter visste vad det var. Ringmar visste att han visste.

Winter följde efter den äldre kollegan utan ett ord. En liten kvist hade fastnat i Ringmars hår. Den såg nästan ut som ett smycke.

Veteran Östensson tittade upp från gropen när de steg in i gläntan. Winter kunde inte se någonting därinne han inte sett förut.

"Vi väntade på dig", sa Östensson och vände huvudet mot gropen.

Winter nickade.

Rättsläkaren Pia E:son Fröberg höjde handen till hälsning. Hon stod beredd bredvid gropen.

"Det ligger nån i den här jorden", sa Östensson.

Han sträckte sig framåt och gjorde en cirkel med ena handen över en del av utgrävningen. Det var det ord Winter fick i huvudet. Utgrävning. Och jord. Någon ligger i jorden. Det är inte vigd jord.

"Jag känner en hand här", sa Östensson och höll sin egen hand en decimeter över jorden.

"Låt oss se vad det är", sa Winter. Han kände sig lugn, nästan kall, men inte som om han frös. Det var en annan kyla. Det var en bekräftelse. Någonting han vetat hela tiden. Som pojken vetat. Men det var något mer än den här gropen, den här skogsdungen.

Här hade inte legat någonting för arton år sedan. Synen pojken sett hade berott på något annat. Han kanske inte visste vad. Kanske skulle de aldrig få veta.

Teknikerna började försiktigt skrapa sig neråt i jordlagrets rutmönster.

Östensson behövde inte gräva djupt.

Handen blev synlig.

"Det kommer att ta lite tid det här", sa Östensson.

Winter nickade. Plötsligt kände han sig rastlös, som om han antingen fick börja gräva själv eller gå därifrån.

Han gick ut från dungen och tände en Corps. Dimman hade börjat lätta och fukten verkade stiga upp med dimman mot trädtopparna. Det var som låga moln därute. Winter drog in rök och blåste ut och såg röken stiga med molnen. Plötsligt hörde han röster, ljusa och höga röster, och några sekunder senare såg han två barn komma rusande på andra sidan lekplatsen och hoppa upp på var sin gunga och börja gunga med kraftiga bensprattel.

Det var en bra syn. De var de första barn han sett där. Det gjorde honom på något sätt mycket glad, just då. Han kände det som om han plötsligt skulle börja skratta som en galning. Han kände tårar i ögonen. Det kunde vara röken från cigarren. Han tog bort den från ansiktet och torkade sig över ögonen med armen. Barnen kanske tittade bort mot honom, han kunde inte se riktigt. Det blev dimmigt runt honom för ett par sekunder.

Det kändes som om han skulle börja gråta.

Nu kunde han se bättre.

Barnen var kvar. Fågeln var kvar däruppe.

Han fimpade och återvände in i dungen.

Det fanns mer att se nu. Mer av handen. Teknikerna verkade arbeta snabbare nu.

Winter såg en arm.

En axel.

"En kvinna", sa Östensson med låg och stadig röst. "Här kommer huvudet."

Hon låg inte djupt. Kroppen hade omsorgsfullt täckts av löv.

Hösten hade också gjort sitt. Men Winter kunde inte veta hur länge hon legat här. Det kunde ingen avgöra just nu.

Huvudet blev synligt. Winter såg håret, kinden, en del av hakan. En profil. Det var en ohygglig syn.

"Hon kan inte ha legat här länge", hörde han Östenssons lugna och låga röst. Det var som om den lugnade alla som stod eller knä-böjde vid graven. Men det här var ingen grav. Det var allt annat än en grav. De kallade den grav men det var yrkesjargong. Rutin.

Winter gick ner på knä för att bättre kunna betrakta ansiktet. Håret täckte pannan och en del av vänsterkinden. I strålkastarlju-set var håret vitt, kanske hade det varit blont när hon levde. Winter var inte expert, inte som Östensson och kollegerna på tekniska ro-teln, men han kunde avgöra på ett ungefär hur länge någon varit död. Han hade erfarenhet av det. Kvinnan hade ännu inte återgått till jord, jord har du varit, jord skall du åter bli. Winter lutade sig närmare. Han var nästan ansikte mot ansikte med henne. Hennes ögon var varken slutna eller öppna. Nedre delen av ansiktet låg i skugga från ett träd, en buske, vad som helst. Winter kunde ändå se munnen, hakan, halsen. Han frös plötsligt, som om vinden från havet stormat in bland träden. Flera tankar trängde in i hans hu-vud samtidigt. En av dem sa: Det här är också en bekräftelse.

"Det är Ellen Börge", sa han.

Så han hade funnit henne. Hur kunde han känna igen henne? Hennes ansikte. Ellens ansikte. Det hade gått nästan en genera-tion sedan hon försvunnit och Winter studerat hennes ansikte på bild för första gången. Det hade stannat i hans tankar. Han hade återvänt till fotografierna några gånger under åren. Och Ellens ansikte hade liksom frusits av tiden, och av jorden. Dragen hade slätats ut av döden och ansiktet hade fått ett yngre utseende. Det var inte ovanligt. Döden kunde leda till effektiv ansiktslyftning. Winter hade hört tekniker skämta om det. Men han kände inte för skämt nu. Han stod framför Ellen. Hon låg inte längre i jor-den. Ljuset var annorlunda här, fortfarande elektriskt men blå-are, ännu kallare. Hon såg fortfarande ung ut, ansiktet såg ännu naknare ut i det här ljuset. Hon saknade mellersta tån på höger fot. Han visste inte när hon förlorat den. En olycka, hade Christer Börge sagt. Winter hade nyss läst att han sagt det. Han hade inte pratat med Christer Börge än. Snart. Han hörde att någon kom in genom dörren, och han vände på huvudet. Det var Halders. Han gick fram till bänken, ställde sig bredvid Winter, betraktade kvinnan.

"Jag körde igenom videon igen", sa han till slut utan att släppa blicken från kvinnans ansikte. Han betraktade bara hennes ansikte.

"Ja?"

"Kvinnan på Centralen ser lite äldre ut", fortsatte Halders, "men solglasögon kan inte dölja allt." Han nickade svagt mot ansiktet nedanför dem. "Inte när vi kan jämföra."

Winter nickade.

"Du verkar inte överraskad."

Winter svarade inte. Han blundade och såg ett fotografi framför sig.

"Du har aldrig släppt fallet Ellen Börge", sa Halders. "Och det gjorde du rätt i."

"Jag hade släppt det", sa Winter.

"I så fall har det inte släppt dig", sa Halders. "Eller oss."

"Jag släppte det för tidigt", sa Winter.

"Erik..."

"Jag såg inte tillräckligt klart." Han vände sig mot Halders. "Jag lyssnade inte på vad folk sa."

"Kom igen, Eri..."

"Du har ju själv sagt det, Fredrik", avbröt Winter. "Här finns nåt vi inte ser men som finns där." Han lyfte blicken från Ellens ansikte. "Eller som fanns där."

"Vad tänker du på?"

Winter tittade på klockan. Det var fortfarande inte midnatt.

"Jag åker hem till Börge", sa han.

"Nu?"

Winter svarade inte.

"Ska du inte ringa först?"

"För honom spelar det väl ingen roll, eller hur? Vill han inte veta vad som hänt Ellen?"

Halders vände blicken mot Ellens ansikte igen.

"Han kanske vet."

Winter nickade.

"Är det därför du åker dit?"

"Det vet jag inte än."

Winter började gå iväg från den förbannade stålbänken. Han hade stått vid den förut. Det var det jävligaste i jobbet. Det var värre än fotografier.

"Vad gör vi med Mario?" frågade Halders.

"Var är han nu?"

"Hemma." Halders tog ett steg från bänken. "Vi har inte knackat på, men Frölunda håller diskret koll." Halders gick över golvet. "Det lyser i lägenheten. Dom kan se honom gå runt därinne. Jag pratade med dom för tio minuter sen."

"Vi avvaktar", sa Winter. "Jag kör hem till Börge först."

"Vill du ha sällskap?"

"Ska du inte åka hem till familjen?" frågade Winter.

"Du själv då?"

"Det är gångavstånd från Börges våning hem till mig", sa Winter.

"Ja, det förändrar ju allt."

Winter kunde inte låta bli att le.

"Du får gärna följa med, Fredrik."

"Jag skulle inte åkt ensam", sa Halders.

De stod ute i korridoren. Det kalla ljuset var detsamma här som därinne, som om man inte tilläts släppa åsynen av döden ifrån sig alltför tidigt.

"Det drar ihop sig", sa Halders. "Man måste vara försiktig."

Winter fick ett samtal innan de gav sig iväg.

"Hej, Pia här."

"Ja?"

"Hon har kraftiga skador på handleder och vrister", sa Pia E:son Fröberg.

"Vad menas med det?"

"Hon har varit bunden under lång tid. Fastbunden, på nåt sätt."

"Herregud."

"Ett tunnare rep."

Winter sa ingenting.

"Och hon var fruktansvärt utmärglad", sa Pia E:son Fröberg.

De körde genom mörkret. Natten utanför var tom och svept i dimma. Gatubelysningen var kraftlös. Det var som om havet hade tagit över staden. De få bilar som var ute på gatorna körde ut och in i dimman som fartyg. Winter stannade för rött och släppte över tre män i yngre medelåldern. De var snyggt klädda, rockarna var öppna, en av männens vita skjorta hängde utanför. De stannade plötsligt mitt på övergångsstället och gjorde obscena gester mot Winter och Halders. Männen skrattade medan ljuset slog om. De stod kvar.

"Hade kanske varit annorlunda om vi haft en målad bil", sa Halders.

Winter kröp sakta mot männen. Hans Mercedes var den enda bilen i hela Allén.

"Kör över dom för helvete", sa Halders. "Jag lovar att blunda. Jag har inte sett nåt."

"En annan gång", sa Winter och vräkte in bilen i parken och passerade männen och övergångsstället på två hjul.

Halders vände sig om.

"Det där skrämde skiten ur dom", sa han och skrattade till. "Förhoppningsvis blir dom robbade av ett ungdomsgäng innan natten är över."

Winter tog av åt vänster.

De passerade Vasaplatsen.

"Det lyser visst i dina fönster", sa Halders och kikade snett uppåt mot husfasaden.

"Lilly har lärt sig gå", sa Winter.

"Nu?" sa Halders.

"Hon kan inte sluta", sa Winter och svängde in på Vasagatan. "Det är nog det roligaste hon varit med om hittills."

Winter parkerade invid trottoaren utanför Börges hus.

Hans mobiltelefon ringde.

"Ja?"

"Hej, Winter. Östensson här."

"Vad är det, Lars?"

"Vi fortsatte att gräva i gropen."

"Ja?"

"Det låg ett hundskelett en halvmeter ner."

Winter svarade inte.

"Är du kvar, Winter."

"Ja."

"En liten hund. Har legat där i decennier, gissar jag."

"Jag tror jag vet vad den heter", sa Winter.

"Hur kan du veta det?"

"Vi kan ta det sen, Lars", sa Winter och tryckte av.

"Vad var det där?" frågade Halders.

Winter skakade bara på huvudet som svar.

Halders tittade uppåt mot husfasaden.

"Vilken våning bor Börge på?"

"Tredje", sa Winter och stängde av motorn och öppnade bildörren.

"Det lyser i ett par fönster på tredje våningen. Rakt över porten."

"Det är hemma hos Börge", sa Winter och klev ur bilen.

Halders klev ur på andra sidan.

"Vi kanske är väntade", sa Winter.

Halders tittade upp mot fasaden igen. Den var skrovlig av stuckatur och ornament.

"Det står nån i fönstret", sa Halders.

Hon mötte inte någon på vägen under den snabba promenaden till spårvagnshållplatsen. Det var sällan någon gick där, och ännu mer sällan när det var mörkt. Det hade blivit mörkt snabbare än hon trott. Så var det i november. Allt gick så mycket snabbare än man trodde. Plötsligt var det jul. Då var allt ljusare överallt. Den här gångvägen hade lampor i en rad över sig, som ett stjärntecken som inte tog slut.

Ingen hade sagt något i telefonen. Det fanns ingen andning där heller, vad hon kunde höra. Men hon hade inte lyssnat länge.

Hon visste att hon ville därifrån nu. Det betydde mer än något annat.

31

SKUGGORNA GLED FRAM OCH TILLBAKA i trapphuset. Det tunna ljuset därinne kom från en källa som inte gick att se, som en avlägsen sol. De gick uppför trapporna av blanknött sten. Det var som i Winters hus. Hundra år av steg i trappan.

"Jag går in ensam", sa Winter.

Halders nickade.

"Jag väntar en trappa ner."

Winter ringde på dörren. Kanske kände han igen den. Den var byggd i massivt trä, med stiliserade dörrspeglar. Ljudet av ringsignalen ekade därinne, dämpat av dörren. Det var en gammal signal, hundraårig. Winter väntade. Han ringde på dörrklockan igen. Medan signalen klingade av därinne hörde han steg. Han tittade på klockan. Det var över midnatt nu.

"Vem är det?"

Rösten lät svag, som om den förlorat sin kraft på att ta sig igenom dörren. Winter kände inte igen rösten.

"Erik Winter", svarade han. "Kommissarie Erik Winter. Vi har träffats tidigare."

"Vad vill du?"

Rösten lät tydligare nu, som om den kommit närmare. Winter hörde Halders i trappan bakom sig. Han tittade neråt, såg Halders höjda ögonbryn, vände sig tillbaka mot dörren:

"Kan du vara snäll och öppna, Christer."

Han hörde låskolven röra sig långsamt och sedan klicka till. Det rasslade till i ögonhöjd när dörren öppnades på glänt. Winter kunde se säkerhetskedjan. Han kom inte ihåg att den funnits när han varit här senast. Det var femton år sedan. Ansiktet därinne var mest en skugga. Det gick inte att känna igen någonting i det ansiktet.

"Winter... är det du?"

"Förlåt att det är så sent. Får jag komma in?"

"Vad gäller det? Vad vill du?"

"Får jag komma in?" upprepade Winter.

Dörren svängdes upp med sådan kraft att Winter snabbt fick ta ett steg bakåt. Det svaga ljuset i trappan lyste på gestalten i dörren och Winter kände igen Börge nu. Det var samma ansikte, femton år senare. I Domkyrkan hade han bara sett profilen, men det var samma ansikte. Han var ändå inte säker på att han skulle ha känt igenom honom på gatan, i något annat sammanhang. Men nu visste han. Skulle han ha känt igen Ellen? I livet? Han behövde inte tänka på det. Det var en av de få saker han inte behövde tänka på.

"Kom in då", sa Börge.

Winter steg in i hallen. Han hörde musik, ett klassiskt stycke på mycket låg volym. Han mindes inte att Börge spelat musik någon gång tidigare.

Winter började ta av sig skorna.

"Bry dig inte om det där", sa Börge som väntade längre bort i hallen. Den var lång, som en sal där väggarna hamnat för nära varandra.

Det stod inga skor i Börges skoställ.

De två våningarna i stället var helt tomma.

Det fanns inte några skor överhuvudtaget i hallen.

Winter mindes plötsligt de tre paren han sett stå där när han varit här förra gången. Det hade varit identiska par, hade det inte? Åtminstone två av dem. Herregud. Han vände på huvudet och såg ryggen på Börge. Mannen var på väg in i det stora rummet. Skorna. Han hade sett skorna stå här för femton år sedan. De skorna. Det märket. Ta det lugnt nu, Erik. Men nu fanns här ingenting. Gick Börge barfota på novembergatorna? Stod hans skor i en garderob? Kan jag ha fel? Ja. Nej. Ja. Ecco Free var ett vanligt märke. Men var är Börges skor nu?

Plötsligt vände Börge sig om, som om Winter tilltalat honom.

Winter såg att han stod i strumplästen. Det var ett gammalt ord, strumpläst. I bara strumporna.

"Ni har hittat henne, eller hur?"

Winter satt i Börges soffa. Det var samma soffa. Luften kändes mycket tjock, som om också den var kvar från förr. Tankarna rörde sig snabbt i Winters hjärna. Börge hade inte satt sig. Han stod bakom en fåtölj, som på språng. Nej. Det var bara en av Winters tankar.

"Jag tror inte på det", sa Börge.

Winter sa ingenting. Han hade sagt vad han kommit dit för att säga. Men han hade inte berättat en hel historia. Det gick inte ändå, det fanns inget slut, inte ännu.

"Efter alla dessa år", sa Börge. "Det är omöjligt."

"Jag körde direkt hit", sa Winter.

"Det är omöjligt", upprepade Börge.

Han sträckte på sig, drog upp axlarna, och sjönk sedan ihop igen. Winter kunde se den fuktiga nattluften genom fönstret bakom Börge. Den var som om en vägg rest sig därute, rakt genom gatan. En mur.

"Varför är det omöjligt?" frågade Winter.

"Vad? Vad?"

Börge såg rakt på honom, som om det var första gången han förstått att Winter var där. Att han kommit med sitt bud den här natten.

"Du sa att det är omöjligt, Christer."

"Det är omöjligt", upprepade Börge för tredje gången.

"Vilket är omöjligt?"

"Hur ska du ha kunnat... se nån som har försvunnit?" svarade Börge. "Det går... inte ihop."

Winter reste sig.

"Tror du att jag har ljugit?" sa Börge.

Winter svarade inte.

"Tror du att jag..." sa Börge och tog ett steg från fåtöljen och ytterligare ett steg mot Winter.

"Vad tror du att jag tror?" sa Winter.

Börge svarade inte. Hans blick flackade fram och tillbaka mellan Winter och bokhyllan som fortfarande stod kvar där Winter mindes att den stått också då. Börge hade stått där, med ordboken i handen. Winter hade gått dit. Gick jag dit? Ja. Det stod ett fotografi där, ett av tre. Jag hade inte sett det förut, eller så hade det inte stått där förut. Börge hade varit full, eller börjat bli full. Det kommer jag ihåg. Han är inte full nu. Han ser inte ut som ett fyllo. Det kanske var sista gången. Han kanske visste att jag var på väg. Han såg mig från bussen men han sa inget. Han kanske såg mig nu, i natt, när vi gick ur bilen. Han såg Fredrik. Fredrik har inte träffat Börge. Jag minns att Ellen log på det där fotot tillsammans med sin syster. Dom var ungefär femton år, det minns jag också. Jag frågade Börge vem den andra flickan var och han svarade att det var Ellens syster. Vad hette hon? Det kommer jag inte ihåg. Det var nåt på E. Dom hade inte varit särskilt lika, flickorna. Kanske nåt med ögonen, eller håret. Men sånt kunde förändras. Dom var halvsystrar. Börge sa att han aldrig träffat henne efter försvinnandet. Varför kommer jag inte ihåg vad hon hette? Börge ser jävligt trött ut nu, eller så är det ljuset härinne. Det är inte bättre än ute i trappan. Han kan inte hålla blicken stilla. Namnet. Börge sa att hon gillade att kalla sig olika namn, det kommer jag ihåg. Eva. Hon hette Eva. Heter Eva. Börge hade hittat det där fotot för nån månad sen, sa han. Han hade gått igenom lite grejor och där låg det, sa han. Det kommer jag ihåg ord för ord. Men skorna kommer jag inte ihåg.

Winter såg bort mot bokhyllan. De tre fotografierna stod kvar, antagligen på samma hylla. Det skulle antagligen vara samma fotografier om han gick dit och kontrollerade.

Han tog de få stegen över golvet till bokhyllan. Börge följde hans steg, men sa ingenting.

Fotografiet han sökte stod kvar. Det var samma bild. Flickorna såg ut att stå i en berså, buskarna var täta runt dem. De höll om varandra, fyra armar, fyra händer. Det var sommar, deras kläder var tunna, i bildens utkant kunde Winter se något som glimmade. Det kunde vara en bit av himlen, eller vatten, en sjö, hav.

Winter höll kvar blicken på flickornas ansikten.

Det fanns en likhet. En likhet mellan nu och då.

Jesus!

Han hade inte sett det då. Hur kunde han ha sett det? Han hade inte vetat då. Men nu. Han såg något som han visste betydde något.

Betydde allt.

Flickan bredvid Ellen var Elisabeth Ney.

De var systrar.

"Herregud", sa Ringmar. "Systrar."

"Det är Börges ord", sa Winter.

"Men du kände ju igen henne."

"Jag känner igen Elisabeth", sa Winter. "Det är hon. Hon förändrades inte så mycket. Eller hur fan man ska uttrycka det."

Telefonen på bordet ringde. Winter lyfte luren, svarade, lyssnade, la på.

"Det var Möllerström. Han fick tag på en moster nere i Halland. Ellens syster hette Elisabeth. Bland annat."

"Bland annat?"

"Hon kallade sig Eva också. Det var det namnet Börge nämnde."

"Var det nån som nånsin snackade med henne?" frågade Ringmar. "Då, när Ellen försvann."

"Jag är inte säker på det", sa Winter.

"Vi koncentrerade oss på Christer Börge", sa Ringmar. "Fast inte så mycket som vi kanske borde ha gjort."

"Kanske räknade vi med att nån skulle höra av sig om den försvunna systern dök upp igen", sa Winter. "Så går det till i en normal värld."

"Mhm."

"Jag visste fortfarande inte att ingenting är normalt i den här världen."

"Vilken värld är det?"

"Den du och jag lever i, Bertil."

"Då visste jag det inte heller", sa Ringmar.

Winter tänkte efter. Vad hade han gjort dagarna efter Ellens för-svinnande, veckorna? Han hade ring...

"Men för helvete, vi pratade ju med henne!" Winter sprätte upp från skrivbordet. "Vi visste ju om systerns existens. Nån av kollegerna pratade med henne då. Det måste finnas nånstans i handlingarna."

"Hon bekräftade väl bara att Ellen inte synts till", sa Ringmar.

Winter svarade inte.

"Nåt sensationellt kan det ju inte ha varit."

"Men den systern var Elisabeth Ney", sa Winter. "Elisabeth Ney!"

Ringmar nickade.

"Hjälp mig här", sa Winter.

"Hur ska jag hjälpa dig, Erik?"

"Vilket är sambandet? Finns det ett samband?"

"Du är väl den av oss alla här som funderat mest på det", sa Ringmar.

"Ge mig sambanden, bara", upprepade Winter.

"Ellen och Elisabeth är systrar. Var systrar. Paula är Elisabeths dotter. Var Elisabeths dotter."

"Fortsätt", sa Winter.

"Ellen försvann för arton år sen. Ingen har nånsin sett henne, vad vi vet. För några månader sen bär hon in en väska på Centra-len och lägger den i ett förvaringsfack. Vi är inte säkra på att det var hon, men vi tror det." Ringmar tittade upp. "Och sen är hon inte försvunnen mer. Vi hittar hennes kropp."

Winter nickade.

"Dessförinnan har vi hittat Elisabeths kropp." Ringmar gjorde en paus. "Och dessförinnan har vi hittat Paulas kropp."

"Tre kroppar", sa Winter.

"Tre mord."

"Och tre män", sa Winter.

Ringmar svarade inte. Han visste namnen på männen Winter pratade om: Mario Ney. Christer Börge. Jonas Sandler.

"Vi ska prata lite med Jonas", sa Winter. "Och hans mamma." Han reste sig. "Vi ska visa dom nånting."

*

Anne Sandler reste sig från bädden när Winter och Ringmar steg in i rummet. Jonas låg med huvudet in mot väggen. Han hade inte rört sig när de kommit in. Anne Sandler tog ett steg mot dem.

"Hur är det med honom?" frågade Winter.

"Jag tror han sover", sa hon. "Han verkar helt utmattad."

Winter såg på Jonas bakhuvud. Det var till hälften dolt bakom filten. Pojken rörde sig inte.

Anne Sandler följde hans blick.

"Var det verkligen nödvändigt att ta honom hit?" sa hon.

Det kunde vara anklagande ord, men Winter hörde ingen anklagande ton.

"Vi har honom under observation", sa han.

"Vilken observation är det?"

"Medicinsk, förstås."

"Då kunde du väl ha sett till att han kom till sjukhus?" sa hon.

"Jag skulle vilja att du följde med mig till ett annat rum", sa Winter. "Bertil stannar här hos Jonas."

Hon följde med honom ut i korridoren utan ett ord. Därute vände hon sig mot honom.

"Ni tror väl ändå inte att Jonas hade nåt med det... det där hemska att göra?" sa hon.

Winter svarade inte. Han gjorde en gest mot bortre änden av korridoren. Där låg hans rum.

Därinne ställde hon sin fråga igen. Hon såg ut som någon som plötsligt stigit in i en värld där allting är främmande, och som nu börjar förstå att det inte är en dröm.

"Varsågod och sitt", sa Winter och gjorde en gest mot stolen framför skrivbordet.

"Jonas kan inte ha gjort nåt... ont", sa hon och satte sig abrupt.

"Vad gjorde han egentligen därute?" frågade Winter. "Han har inte kunnat förklara det. Kunnat tala om det."

Han hade själv satt sig.

"Han är chockad", sa hon. "Han är omskakad! Vem skulle inte bli det?" Hennes ögon blev större. "En... kropp... en död i skogsdungen. I vår dunge?"

"Jag fann Jonas därinne", sa Winter. "Det var innan vi fann kroppen."

Hon svarade inte.

"Det är det jag undrar över", sa Winter.

"Jag vet inte", sa hon efter några sekunder. "Han vet inte heller. Han mår inte bra."

Winter öppnade kuvertet som låg på skrivbordet. Han tog fram ett fotografi och höll upp det för henne.

"Känner du igen den här kvinnan?"

"Vem är det?"

"Svara bara på om du känner igen henne." Han sträckte fram fotografiet ytterligare. "Varsågod. Ta det."

Anne Sandler tog emot det och höll det framför sig. Winter justerade ljuset från skrivbordslampan.

Anne Sandler tittade upp.

"Är det hon?"

"Förlåt?"

"Är det kvinnan i... skogsdungen?"

"Känner du igen henne?"

Winter kunde se hur hennes ögon blev ännu större. Det såg ut som om huden stramade över hennes ansikte.

"Det är inte bråttom", sa Winter.

"Nej", sa hon efter en liten stund och la ner fotografiet. "Jag känner inte igen henne. Vem är hon?"

Winter svarade inte. Han tog ut ett annat fotografi och lämnade över det utan att först hålla upp det.

"Har du sett den här kvinnan förut?"

Det kunde vara en fråga utan värde.

"Ja", sa Anne nästan omedelbart. Hon tittade upp. "Det är hon. Hon är yngre här. Men det är hon."

"Vem?"

"Kvinnan som bodde i vår uppgång. Mamman till flickan."

"Hur kan du vara så säker?"

Hon tittade på bilden igen.

"Jag vet inte. Jag känner igen henne bara." Hon tittade upp.

"Det... jag vet inte. Jag känner igen henne."

"Det är Ellen", sa Winter. "Ellen Börge."

Han hade valt att avslöja namnet för Anne Sandler. Det kunde vara ett misstag, men han hade gjort sitt val. Det var samma sak med fotografiet.

"Är det hennes namn? Ellen?"

"Ja."

"Hon hette inte så... hon hade ett annat namn..."

"Eva?"

"Ja!"

"Hette hon Eva när ni träffades?"

"Ja. Hon hette Eva."

"Har du sett hennes bild nån annanstans?"

"Nej. Var skulle jag ha sett den?"

Winter svarade inte.

"Nej... jag har inte sett henne på bild förut."

Winter nickade.

"Så det är alltså flickans mamma." Anne Sandler tittade upp från fotografiet. Hennes hud såg mycket tunn ut i ljuset från skrivbordslampan, som om blodet var på väg att lämna ansiktet.

Ögonen reflekterade hennes plötsliga tanke: "Är det hon? Är det hon som... som..."

Winter svarade inte.

"Var är hon då? Om det inte är... hon? Och var är hennes dotter?"

"Om det är hennes dotter", sa Winter.

"Nu förstår jag inte."

"Dottern sa att hon inte var hennes riktiga mamma."

"Jag förstår ingenting. Vem har sagt det?"

"Din son", sa Winter.

32

MARIO NEY RESTE SIG OMEDELBART när Winter steg in i förhörs-
rummet. Hans ansikte var vitare än kalk. Ringarna under hans
ögon såg ut att vara av sot. Han försökte säga något men Winter
hörde inget ljud. Orden som fastnat i Neys hals fick honom plöts-
ligt att hosta våldsamt, och sedan kippa efter luft. Kanske var det
stora ord, viktiga ord.

Neys hostattack gick över lika fort som den kommit. Han tog
stöd mot bordsskivan och såg på Winter med tårade ögon.

"Var... varför är jag här?" frågade han till slut. "Vad är det som
har hänt?"

"Hur mår du?" frågade Winter.

"Vad... vad är det som har hänt?"

Ney torkade sig över munnen. Winter kunde se svetten blänka
i hans panna.

"Jag ser ju på dig att nånting har hänt."

"Vill du ha ett glas vatten?" frågade Winter.

Ney skakade på huvudet. Han tog ett steg från stolen och såg ut
att förlora balansen. Innan Winter hunnit fram hade han huggit
tag i bordsskivan och återfunnit sin balans, som han nyss återfann
rösten.

"Har ni hittat honom?" frågade Ney och såg på Winter. Det fanns
fortfarande tårar i hans ögon efter hostattacken. "Är det därför du
är här?" Han såg sig plötsligt om, som om han till slut blivit med-
veten om var han var någonstans. "Är det därför jag är här?"

"Sätt dig ner, Mario."

"Jag står bra här", sa han och vinglade till igen. "Tala bara om
vad som hänt."

"Sätt dig", upprepade Winter.

Ney vände på huvudet, såg på stolen, såg på Winter igen, gick de få stegen till stolen och satte sig. Stolsbenen skrapade mot golvet. Winter fick en snabb association till städning, till grus på ett golv, en sopkvast, en dammsugare. En städare, städerska, ett rum, ett hotell.

Winter satte sig framför Ney. Det skrapade på samma sätt från hans stol. Chefen för Länskriminalen har dragit ner på städningen av förhörsrummen. Han är bättre på tjänstledighet än städning.

"Berätta om ditt jobb på Hotell Odin", sa Winter.

"Vad?"

Ney hade ryckt till, som om han skulle drabbas av en ny host-attack. Men hans röst fungerade den här gången:

"Vad är det med det?"

"Berätta om jobbet", upprepade Winter.

"Hur vet ni det?"

"Hur vet vi vad?" frågade Winter.

"Om att jag jobbade där. Det är ju massor med år sen."

"Berätta om det", upprepade Winter igen.

"Ja... vadå... det var ju längesen..."

"Vad gjorde du?"

"Ja... allt möjligt. Jag vet inte vad det har med nåt att göra."

"Förstår du inte det?"

Ney svarade inte.

"Förstår du inte varför jag frågar, Mario?"

Ney såg ner i bordet. Han verkade ha stelnat där han satt.

"Mario?"

Han såg upp.

"Du... tänker på Elisabeth", sa han. "Men ja... jag svär på att jag inte tänkt på att... att jag jobbade där en gång. Det var inte så länge jag var där ändå. Jag svär på att jag inte sammanko... kopplade samman det där."

Svär på, tänkte Winter. Det är stora ord. Men svär gör man i kyrkan. Nej, det är tror man gör. Eller man gör båda. Svär på sin tro. Kyrkan erbjuder den möjligheten.

"Kommer du ihåg vad du gjorde på hotellet, Mario?"

"Vadå gjorde? När?"

Winter svarade inte. Ney såg ut att bli mer medveten om vad han sa. Hans ögon blev vaknare, som om tankarna nu rörde sig snabbare innanför dem.

"Jag menar när under den tiden jag jobbade där", sa han. "För många år sen alltså." Han viftade till med handen. "Det var det jag menade."

"Och när var det?"

"Jag kommer inte ihåg." Han såg ut att slappna av, ögonen blev kanske lugnare. "Jag var ung då, det var tjugo år sen, tjugofem..."

"När du levde med Elisabeth", sa Winter.

"Ja... men herregud, du tror väl inte att jag..."

Winter sa ingenting.

"Är det därför jag är här? För att ni tro... tror att jag dödat min egen hustru?" Ögonen fick liv igen, tankarna. Hans ord blev också snabbare, utan pauser, utan de hörbara tre punkterna i slutet av meningarna och efter ord mitt i meningarna. "Hur kan du tro nåt sånt? Min egen hustru?! Hur skulle man kunna göra nåt sånt?"

"Gjorde du det, Mario? Dödade du henne?"

Ney svarade inte. Han stirrade rakt på Winter nu, som för att ge eftertryck åt sina ord med ögonen.

"Dödade du henne, Mario?"

"NEJ!"

Winter hade rest sig och gått bort till dörren och sagt till om vatten. Sedan hade han gått tillbaka och justerat inspelningsutrustningen på bordet. Den här gången hade han valt bort videokameran. Han trodde att den skulle innebära för mycket distraktion under det här förhöret. Hade han väntat sig något från förhöret? Ja. Nej. Ja. Nej. Inte ett erkännande. Kanske något annat. Någon sorts sanning. En del av den. Det var inte försent än. Vattnet hade kommit. Ney hade druckit som en törstig och satt ner det tomma glaset.

"Vill du ha mer?" frågade Winter.

Ney skakade på huvudet.

"Vem är Ellen Börge?" frågade Winter.

Ney höjde sakta på huvudet. Winter kunde se svaret i hans ögon. Men där fanns också något han inte kunde tyda.

"Varför har du inte berättat tidigare?" frågade Winter.

"Vad skulle jag ha berättat?" svarade Ney.

"Om att Elisabeth hade en syster. Att Ellen var hennes syster."

"Jag... förstår inte. Varför skulle jag ha berättat det? Vad spelar det för roll? Vad betyder det för Elisabeth? Det har väl inte med det här att göra?"

Han nämner inte Paula, tänkte Winter. Han säger inte hennes namn. Varför gör han inte det?

"Om det inte spelar nån roll förstår jag inte varför du inte har berättat det", sa Winter. "Varken du eller Elisabeth."

Ney slog ut med ena armen som för att säga: jag vet inte, det föll oss aldrig in, jag förstod inte.

"Och du har inte berättat om den tiden när Ellen och Paula bodde tillsammans i en lägenhet på Hisingen", sa Winter.

Ney ryckte till. Winters ord verkade träffa honom som stötar. Kanske han hade trott att det värsta var över. Att Winter inte visste vad han visste. Eller att han skulle gissa som han gjorde nu. Men det var inte bara gissningar. Det var något annat. Erfarenhet. Intuition. Fantasi. Kanske något ytterligare. Kanske tur. Eller otur. Vi får se nu.

"Varför bodde Ellen och Paula tillsammans?" frågade Winter.

Ney svarade inte. Han såg ut att acceptera Winters ord, ta emot dem utan att strida emot dem.

"Varför bodde dom i en lägenhet som du hyrde, Mario?"

Ney ryckte till igen.

Winter hade haft tur igen.

"Varför hyrde du den lägenheten, Mario?"

"Det var bara en kort tid", sa Ney.

Orden var korta, direkta, en mörk ton. Men de svarade på frågan.

"Du bodde aldrig där själv, eller hur?"

"Nej."

"Varför bodde dom där?"

"Det var bara en kort tid", upprepade Ney, som om han hade glömt att han sagt det nyss.

"Varför?"

Ney svarade inte. Winter kunde inte se hans ögon. Svetten i pannan var tillbaka. Neys grånande hår såg ut som stålull i det kalla ljuset. Hans ögon var någon annanstans. När dom kommer tillbaka kanske han säger allt, tänkte Winter.

"Varför, Mario?"

"Ellen ville tillbringa lite tid med Paula." Ney tittade upp. Winter kunde se att det fanns någonting som gjorde mycket ont inom honom. Det behövde inte betyda att han var värd sympati. Eller empati. "Bara lite tid."

"Men varför?"

"För att... för att Paula var Ellens barn."

Winter kände att han ryckte till.

Kanske Ney inte sett det. Han verkade inte se något längre. Hans ögon var öppna men han såg inte. De verkade fixerade på väggen bakom Winter, eller på en plats eller en tid som låg långt bortanför väggarna och dörrarna i det här fula tegelpalatset. All tystnad Winter hade mött. Här kom källan till den. Kanske det strömmade mer dold tystnad ur den, fler lögner. Ett ännu större mörker.

"Var Paula Ellens dotter?" frågade Winter långsamt.

Ney nickade långsamt, som efter vart och ett av Winters ord.

"Varför levde hon inte med sina föräldrar?"

Ney slutade nicka. Winter kunde se att han ryckte till igen. Föräldrar.

"Christer och Ellen", sa Winter. "Christer Börge."

Ney tittade på Winter. Winter såg svaret i de svarta ögonen.

"Paula var din dotter."

Ney nickade sakta, på samma sätt som förut.

"Ja. Paula var min."

"Du... och Elisabeth adopterade henne?"

Ney nickade igen.

"Varför?"

"Ellen... var svag. Hon var sjuk. Hon orkade inte."

"Ellen försvann", sa Winter. "Ellen har varit borta. Hon har varit försvunnen."

Ney svarade inte.

"När träffade du Ellen första gången, Mario?"

"Det var längesen. På hotellet. När jag arbetade på hotellet."

"Odin?"

"Ja."

"Arbetade hon där också?"

"Ja."

"Levde du med Elisabeth då?"

"Nej."

"Kände du Elisabeth då?"

Ney svarade inte.

Winter upprepade frågan.

"Ja, lite."

"Var ni tillsammans? Var ni ett par?"

"Ja."

"Varför blev inte du och Ellen ett par?"

"Hon...ville inte", sa Mario "Hon orkade inte."

"Hon levde också tillsammans med någon, eller hur?"

"Ja."

"Christer Börge."

"Ja."

"Varför lämnade hon honom inte?"

"Det... gjorde hon ju."

"Långt senare. Långt efter att Paula fötts."

Ney nickade.

"Hur väl kände du Christer Börge?"

"Inte... inte alls."

"Träffade du honom aldrig?"

"Jo."

"Var?"

"På hotellet."

"Odin?"

"Ja, där också."

"Vad menar du, Mario?"

"Du frågar efter hotell. Vilket hotell menar du nu?"

"Träffade du honom på fler än ett hotell?"

"Ja."

"Jobbade han på Revy?"

"Han var där i alla fall när jag hämtade grejor några gånger. Dom delade visst på grejor. Odin och Revy."

"Varför var Börge där?"

"Varför, varför? Han jobbade där, tror jag."

"Med vadå?"

"Det var väl nån slags vaktmästarsyssla. Jag vet inte så noga."

"Varför har du inte sagt det här tidigare?"

"Ingen har frågat. Och varför skulle jag säga nåt om det?" Han tittade på Winter. "Jag kom inte ens ihåg det förrän du började fråga."

"Och du träffade honom också på det andra hotellet?"

"Odin? Bara ett kort tag. Några veckor."

"Jobbade Christer Börge där också?"

"Ja."

"Som vad?"

"Jag... kommer inte ihåg det heller riktigt. Vaktmästare. Jag vet inte."

Det kan vänta, tänkte Winter. Men nåt annat kan inte vänta.

"Varför berättade ni inte att Paula var adopterad?" frågade Winter. "Varför berättade ni det aldrig?"

"Det kändes inte... nödvändigt", sa Ney. Hans röst hade förlorat styrkan igen. "Det... betydde ingenting då. Det enda som betydde nåt var att hon var... borta. Att hon var död. Ingenting kunde ändra på det." Han tittade upp. "Vi orkade inte."

"Men vi har inte hittat nånting om adoption", sa Winter. "Det finns inga uppgifter om det. Inga handlingar. Inga papper."

"Det... finns inga papper", sa Ney.

"Vad?"

"Det finns inga handlingar", sa Ney.

"Varför finns det inga handlingar?" frågade Winter.

"Vi... dom... bytte... identitet." Ney tittade upp. Hans ögon var klarare nu, som om avslöjandet av den stora livslögnen drog bort hinnorna från hans ögon. Han var på väg att berätta om en livslögn. Det kanske var slutet på hela berättelsen.

"Elisabeth blev... Ellen. Officiellt. Åtminstone när det gällde... myndigheterna. Som om hon hade fött Paula. Och jag blev Paulas far. Vilket jag ju... var."

"Christer Börge då? Vad blev han?"

"Han visste inte."

"HAN VISSTE INTE?"

Winter hade höjt rösten mer än han trott.

"Ellen lämnade honom", sa Ney, "det var dom... månaderna. Men det var längre tid. Det var mer än ett år. Och hon födde barnet..."

"Och flyttade tillbaka?"

Ney nickade.

"Hon sa aldrig nåt till Börge?"

"Nej."

"Och hon fortsatte att leva med honom?"

"Ja..."

"Ända tills hon lämnade honom för gott?"

"Ja..."

"Det är inte möjligt det här", sa Winter. "Det kan inte vara möjligt."

"Det var så det var", sa Ney.

"Varför försvann Ellen?"

"Hon ville komma... bort från honom", sa Ney. "Hon var rädd."

"Varför flyttade hon inte bara? Lämnade sin man? Rent... officiellt?"

"Hon var... rädd", upprepade Ney.

"Vart tog hon vägen?"

"Lite olika platser."

"Vart?"

"Italien."

"Italien?"

"Mina gamla… hemtrakter. Sicilien. Utanför Caltanisetta. Det är i bergen. Söder om Palermo."

Det lät logiskt. Därför hade de varit så förtegna om Marios bakgrund. Sicilien. Vem som helst kunde gömma sig hur länge som helst i en siciliansk bergsby.

"Visste Paula?"

"Visste vad?" frågade Ney.

"Om Ellen? Att Ellen var hennes mor?"

"Nej…"

Winter väntade på en fortsättning. Han såg i Neys ögon att det skulle komma en fortsättning.

"Inte först. Det var… senare." Ney lutade sig plötsligt framåt över bordet, som om en svår smärta i hans bröst hade ökat. "Vi… berättade det senare."

"Hur reagerade hon?"

Ney svarade inte.

"När hon gjorde sin långa resa, var det till Ellen hon åkte då? Till sin mamma? Visste hon att hon reste till sin mamma?"

Ney nickade.

"Och sen fortsatte de att hålla kontakt?"

"När det gick."

"Varför skulle det inte gå?"

"Dom var båda… rädda."

"Rädda? För vem?"

"Jag vet inte."

"Jag tror du vet, Mario."

"Nej." Han tittade upp. "Jag förstod inte."

"Förstår du nu?"

"Ja."

"Vem var de rädda för?"

"Christer Börge", sa Ney.

"Visste han om deras existens? Visste han om Paula? Visste han var Ellen fanns?"

"Jag vet faktiskt inte", sa Ney.

"Sa dom ingenting till dig?"

"Nej."

"Det var kanske dig dom var rädda för?"

"Nej."

"Dom försökte fly ifrån dig, Mario."

"Nej", sa han och lyfte blicken igen och såg Winter i ögonen. Winter kunde inte avgöra vad som fanns därinne. Det var omöjligt. Det var det svåraste han mött.

"När träffade du Ellen senast?" frågade Winter.

"Det är... nog ett par år sen."

"Var träffade du henne?"

"Hemma."

"Var är hemma?"

"På Sicilien.

"Varför bodde Ellen och Paula tillsammans när flickan var tio år?"

Ney verkade rycka till av det tvära kastet i förhöret. Men han kunde också ha gjort en rörelse just då.

"Det var Ellen. Hon ville bara leva lite... med flickan."

"Berättade hon då att hon var mamman?"

"Nej. Inte vad jag vet. För Paula var Ellen en vän till familjen då."

Winter tänkte. Enligt Jonas hade den elvaåriga Paula sagt att Ellen inte var hennes riktiga mamma. Det kunde vara så hon sagt. Ellen var inte hennes riktiga mamma eftersom Elisabeth var hennes riktiga mamma. Det var hennes värld och hennes liv. Det fanns ännu inga livslögner i hennes liv då.

Men Winter kunde ändå inte förstå tystnaden, och han kunde inte acceptera den. Det här var några av de djupaste hemligheter han någonsin mött hos människor som han träffat på i arbetet. En stor del av hans arbete var människors hemligheter. För honom. För varandra. Det gick djupt.

Det fanns ytterligare något bakom allt det här, något Ney inte velat prata om.

Ellen hade lämnat allting. Bara lämnat det. Så såg det i alla fall ut. För många år sedan hade hon gått under jorden. Herregud. När

Winter tänkt tanken förstod han vad han tänkt.

"Varför lämnade Ellen allting?" frågade Winter.

"Jag har aldrig förstått det helt", sa Ney. "Du får fråga henne själv."

33

NOVEMBERHIMLEN GRÄT SOM OM ALLT HOPP var ute för värl-
den. Vinden slet i fönstren som om den ville bryta sig in i polishu-
set. Oktoberstormarna hade kommit en månad för sent. Winter
kände vinden genom rutan, som om den flöt genom glaset.

"Trafiken är avstängd på Älvsborgsbron", sa Ringmar bakom
honom.

"Ingen vettig skulle köra på den i alla fall", sa Halders.

Winter vände sig om.

"Akta dig därborta", sa Halders. "Glaset kan ge med sig."

"Då hamnar vi mitt i en katastroffilm", sa Bergenhem.

"Vi kanske är stjärnorna", sa Halders. "Vi kanske har huvudrollen."

"Det kan bara finnas en huvudroll", sa Bergenhem.

"Då är det mig vi talar om här", sa Halders.

Winter gick bort till det avlånga bordet och satte sig vid kortän-
dan. Han kunde känna vinden ända dit. Den hade tagit över venti-
lationssystemet. Ringmars slips rörde sig. Ringmars slipsknut var
lös, nästan i upplösning. Winter hade inte slips. Den senaste tiden
hade den börjat skava över halsen. Han fick inte luft. Han kanske
aldrig mer skulle bära slips.

Ringmar harklade sig. Det var inte bara för att han ville ha or-
det och återuppta diskussionen. Det kraftiga väderomslaget hade
fört med sig höstens första förkylning. Han hoppades att den här
skulle bli den enda.

"Vad gör vi av det här?" sa han.

"Mannen verkar inte vara ett under av pålitlighet", sa Halders.

De hade diskuterat Mario Ney under en halvtimmes tid. Allt

han hade avslöjat för Winter. Om ordet "avslöjat" var det rätta.

"Har han ett motiv så döljer han det väl", sa Bergenhem.

"Är det inte alltid så?" sa Aneta Djanali.

"Är det inte vad det hela går ut på hos en mördare efter ett brott?" sa Halders. "Att dölja motivet?"

"Motivet och själva brottet", sa Bergenhem.

"Om det finns nåt motiv", sa Winter.

"Han är sinnessjuk alltså?" sa Halders.

"Han mår inte bra", sa Winter med ett torrt leende, "och han har inte gjort det på mycket länge."

"Han mår fan så mycket bättre än dottern och fruarna", sa Halders.

"Kallar du dom så? Fruarna?" sa Aneta Djanali.

"Jag vet inte vad jag ska kalla dom", sa Halders.

"En sak kan vi i alla fall konstatera", sa Ringmar. "Det går fortfarande att lura systemet."

"Vi börjar bli för många i det här landet", sa Halders.

"Det där menade du inte", sa Aneta Djanali.

"Jag pratade bara från ren övervakningssynpunkt", sa Halders.

"Menar du att Storebror börjar tappa greppet?" frågade Bergenhem.

"Det är nästan en generation sen Paula föddes", sa Winter. "Det har hänt en del sen dess i myndigheternas Sverige."

"Den som vill lura systemet kan alltid göra det", sa Ringmar, "det sociala, det ekonomiska."

"Om karlns historia är sann, ja", sa Halders, "men det börjar bli ont om folk som kan verifiera den."

"Så vad gör vi?" sa Aneta Djanali.

"Förhör honom igen, naturligtvis", sa Halders. "Håller honom sex timmar till. Han kan misstänkas för brott, eller hur? Han har inget alibi överhuvudtaget. Han är en del av familjen. Bara det. Och sagan han drog för Erik gör honom ännu mer misstänkt i min bok."

Det blev tyst i rummet. Winter kunde höra vindarna slita i fönsterrutorna. Om två veckor skulle planet till Málaga lyfta. Han skulle sitta på det, vad som än hände. Halders var på väg att ta över. Det fanns mobiltelefoner och allt det där. Men han skulle inte vara med helt och hållet på det där planet och det skulle därmed vara fel att åka. Han skulle inte vara där. Det skulle bli en halvhjärtad vandring i solen. Nej. Jo. Nej. Barnen skulle vara där, och Angela. Hans familj. Världen skulle fortsätta att snurra, och så vidare. Det skulle finnas hopp. Han skulle ha sina barn omkring sig. Det skulle finnas ett hav, en horisontlinje, en solnedgång, en gryning och en skymning. Allt däremellan.

Det räckte för honom.

Hans mobiltelefon ringde. Alla hade suttit i tankar och såg ut att hoppa till när signalen borrade sig genom rummet. Den överröstade naturens vrål utanför.

Han lyssnade, ställde ett par frågor, la på.

"Hon blev hängd", sa han. "Ellen."

"När?"

Det var Ringmar som frågade.

"Inte senare än två veckor sen", svarade Winter.

"Hon var välbevarad", sa Halders. "Det var god jord."

"Vi vet fortfarande inte var det hände", sa Ringmar.

"Och hur han transporterade henne dit", sa Halders.

"Medan ingen såg på", sa Ringmar.

"Vad är det senaste från dörrknackarna?" frågade Ringmar och vände sig mot Bergenhem.

"Ingen har sett nåt. Av dom vi hittills talat med. Eller hört nåt."

"Hur många var oanträffbara?"

"Sex adresser senast jag hörde från killarna."

"Och när var det?" frågade Winter.

"Två timmar sen."

"Ordna fram listan på dom oanträffbara", sa han.

Bergenhem nickade.

De oanträffbara. Lät som namnet på en film, tänkte Bergenhem. En thriller. En katastroffilm.

"Jag ska ta ett samtal med Jonas igen", sa Winter och reste sig.

"Är han kvar?" frågade Halders.

"Ja", svarade Ringmar. "Han ville det."

"Varför?"

"Han sa att han var rädd."

Jonas satt på bädden. Det såg ut som om han hade försökt bädda den. En av de två kuddarna låg på golvet. Winter kunde höra vindarna utanför fönstret också i den här delen av huset. Genom det strimmiga glaset kunde han se Gamla Ullevi. Ingen spelade fotboll där i eftermiddag. Gräset var egendomligt grönt, som målat, och med en mycket bred pensel. Han kunde se över älven till andra sidan, till den stora ön. Hisingen var svept i svarta moln. Bortanför fanns det bara mörker. Bakom mörkret höll solen på att gå ner men ingen kunde se det. Det var bara något man hoppades, att solen fortfarande fanns kvar.

"Hur är det, Jonas?"

Pojken svarade inte. Ansiktet var inte en mans längre, och skulle sannolikt aldrig bli det. Det hade hänt för mycket i det förflutna.

"Berätta nu", sa Winter.

Pojken tittade upp.

"Vad ska jag berätta?"

"Skogsdungen. Varför åkte du ut dit?"

"Jag har sagt att jag inte vet."

"Vad tänkte du när du åkte dit?"

"Ingenting."

"Vad fick dig att sätta dig på spårvagnen?"

"Jag... vet inte."

"Vem är du rädd för, Jonas?"

Han svarade inte. Det var som om han plötsligt inte hörde.

"Berätta, Jonas."

"Jag... det är ju det jag gör."

"Pratade du med nån innan du åkte ut till skogsdungen?"

"Nu förstår jag inte."

"Pratade du med nån innan du gav dig iväg?"

"Nej."

"Din mamma? Du skulle ju åka ut dit? Till henne?"

"Nej. Inte till henne. Jag var inte där."

"Tänkte du gå hem till henne sen?"

"Sen? Vadå sen?"

"När du varit i dungen?"

"Nej, nej. Jag tänkte inte på nåt."

"Du tänkte på Paula", sa Winter.

"Ja. Paula. Ja."

"Varför trodde du att hon låg där?"

Pojken svarade inte. Winter kunde se hur han tänkte på vad han skulle säga. Men han hade hela tiden sagt att han visste. Något drog honom dit. Eller någon. Det hade inte släppt honom.

"Det var som den där... handen jag såg en gång", sa Jonas och tittade upp igen. Han sökte inte Winters blick. Han betraktade fönstret bakom Winter, stormen, vindarna, regnet. Friheten, kanske. Nej. Den verkade han söka härinne. Eller ett skydd.

"Jag trodde verkligen att hon var där nu", fortsatte pojken. "Att Paula var där." Han strök sig över ögonen. "Jag kan inte förklara det."

"Nån var där", sa Winter.

"Vad?" Jonas sökte Winters blick nu. "Vad säger du?"

"Det låg nån under jorden, Jonas. Visste du det?"

"Vad? Jag förstår inte..."

"Visste du att det låg nån i den där graven, Jonas? När du åkte ut dit?"

"Grav? Var det en grav?"

"En kvinna låg nedgrävd där, Jonas. Där du började gräva. Ett par decimeter ner i jorden."

"Pa... Paula? Var det Paula?"

"Nej, inte Paula", svarade Winter.

"Vem var det då?"

Winter svarade inte.

"Vem var det?" frågade pojken igen.

"Hennes mor."

Winter och Ringmar satt i Winters rum. Winter kände en lätt huvudvärk som kanske skulle bli värre. Han hade tagit en Ipren och väntade nu på effekten.

Ringmar snöt sig ljudligt.

"Jag hoppas det där inte smittar."

"Det är försent för det", sa Ringmar.

Winter kände vinden genom fönstret som stod öppet en halv decimeter ut mot parken. Han hade öppnat så fort de kommit in i rummet.

"Grabben måste ju ha sett nån därinne i dungen", sa Ringmar. "Eller utanför."

"Varför säger han inte det då?"

"Vi har inte frågat honom tillräckligt ofta", sa Ringmar.

"Du får gärna gå in där och fortsätta", sa Winter.

"Jag tror inte det hjälper just nu, Erik."

"Varför inte?"

"Han är i nåt slags chock."

"Det är nästan så man är det själv", sa Winter.

"Hur är det egentligen med den här listan från Revy?" sa Ringmar och grep papperet som låg på Winters skrivbord.

"Ja, namnet Christer Börge är inte med på den i alla fall."

"Vad heter han, din portier? Saldo? Salko? I vilket fall sa han väl att den inte var fullständig."

Winter svarade inte.

"Och Börge har väl inte fått nån fråga från oss om det?" sa Ringmar. "Om han jobbade där?"

"Jo", sa Winter. "Jag kommer ihåg det. Inte om han jobbade där, men när jag träffade honom i samband med Ellens försvinnande så sa han att han aldrig hört talas om stället. Om Revy."

"Nehej", sa Ringmar.

"Varför säga en sån sak?" sa Winter.

"Han ville väl inte att du skulle veta?"

"Men vi kunde ju kontrollera."

"Det har vi ju gjort", sa Ringmar och viftade till med listan som han fortfarande höll i handen. "Men det har ju inte hjälpt, eller hur?"

"Det är ju själva fan", sa Winter och reste sig och gick bort till fönstret för att stänga.

"Har du pratat med den där portiern efter det här?" frågade Ringmar. "Vad heter han?"

"Salko, Richard Salko. Nej, jag har inte pratat med honom. Han svarar inte hemma."

"Hotellet då?"

"Hotellet har slagit igen. För gott, tack och lov."

Telefonen skrällde på Winters skrivbord. Ringmar sträckte fram handen och tog luren. Winter var framme vid fönstret.

"Ja? Ja, hej. Nej, det är Bertil. Jaså? Säger du det? Mhm. Mhm. Åh fan. Ja. Ja. Okej, hej."

I datorskärmens svarta spegel såg Winter Ringmar dänga ner luren på bordet.

"Det var Öberg", sa Ringmar.

"Ja? Ja?" Winter kände draget från fönstret. Det kändes som om det hade öppnats på vid gavel. "Vad sa han?"

"Dom har hittat lite saliv på repet", sa Ringmar. "Repet som hängde Ellen Börge."

"Ja?"

"Det är en kvinnas."

"Vad säger du?"

"Elisabeth Neys."

"Elisabeth Neys?" upprepade Winter. Han kände den välbekanta ilningen i bakhuvudet. "Elisabeth Neys?"

"Svar ja. Det är det enda dom har hittat."

"Men..."

"Såvida hon inte återvände från de döda och utförde sitt dåd så har hon varit i kontakt med det där repet tidigare", sa Ringmar.

Tre rep, tänkte Winter. Identiska rep, blå, skrynkliga. Bra mordredskap. Ingenting fastnade. Utom någonting som Elisabeth Ney lämnat efter sig.

Winter hade lagt repen bredvid varandra, men det hade mest känts som en symbolhandling. Han förstod varken symboliken eller handlingen.

"Jag tror inte det var meningen att det skulle finnas nåt spår på det där repet", sa Ringmar.

"Framförallt inte från familjen Ney", sa Winter.

Mario Ney tittade upp när Winter steg in i rummet. Ney reste sig sakta. Plötsligt såg han mindre ut än förut, kortare. Det var något med axlarna. Han brukade vara rak i ryggen, men inte längre. Han stod böjd över sig själv, som om en stor smärta utgick från magtrakten.

Han kanske är beredd, tänkte Winter.

"Vad har hänt?" frågade Ney.

"Varför frågar du, Mario?"

"Du ser ut som om nåt har hänt."

"Hur ser man ut då?"

"Som du just nu."

"Varsågod och sitt", sa Winter och gjorde sina förberedelser för förhör.

"Jag har ingenting mer att säga", sa Ney en stund in i förhöret.

"Du har inte berättat nåt ännu", sa Winter.

"Jag har sagt allt jag vet."

"Berätta om lägenheten på Hisingen."

"Jag har inget mer att säga om den."

"Varför hyrde du den?"

"Det har jag berättat. Måste jag upprepa allting?"

"Bodde du där själv?"

"Inte en enda gång."

"Bodde du nån annanstans i området?"

"Varför skulle jag göra det?"

Winter sa ingenting. Ney väntade inte på något svar. Han verkade studera någonting i fjärran, utanför väggarna.

Plötsligt fixerade han Winters blick.

"Medan vi sitter härinne går det en mördare lös därute", sa han.

34

HALDERS STRÖK SIG UTMED SKALPEN. Den såg nyrakad ut. Winter kunde se takbelysningen blänka i Halders flint, som om han polerat skallen.

"Vad säger Molina?" sa Halders.

"Han frågade mig om det verkligen fanns skälig misstanke", svarade Winter.

"Finns det det då?"

"Jag brukar kunna läsa ut en del av förhören, men Ney är nåt av en gåta", sa Winter.

"Det kanske betyder nåt", sa Halders.

"Spåret av hans fru på repet borde räcka som skäl till anhållan", sa Bergenhem. Han hade kommit in i rummet strax efter de andra.

"Molina anhåller honom inte", sa Winter. "Vi måste ha mer att komma med."

"Som vad?"

Winter svarade inte.

"Vad vi vet har Mario Ney aldrig varit i närheten av det där repet. Något av repen", sa Ringmar.

"Vad har han varit i närheten av då?" frågade Aneta Djanali.

Winter vände sig mot henne.

"Vad sa du?"

Hon upprepade sin fråga.

"Han har varit i närheten av Paulas lägenhet", sa Winter.

"Har han fortfarande nyckel?" frågade Halders.

Ringmar nickade.

"Har han varit i närheten av Hotell Revy?" frågade Halders.

"Har du pratat med portiern än, Erik?" frågade Ringmar.

Winter verkade inte lyssna.

"Erik? Hör du?"

"Eh... vad?"

"Har du pratat med portiern? Salko? på Revy?"

"Nej. Jag har fortfarande inte fått tag på honom."

"Har Ney varit i närheten av det där bostadsområdet på Hisingen?" frågade Aneta Djanali.

"Är vi klara med dörrknackningen?" frågade Halders.

"Det är bara ett enda namn vi inte fått napp på än", sa Ringmar och tog upp papperet som låg på sammanträdesbordet.

"Vilket är det då?" frågade Halders.

"Metzer. Anton Metzer."

Horisonten var röd och grå ute över havet. Det var en blandning av färger som bara fanns i november. Winter kunde se himlen över horisonten, en antydan om vad som fanns bakom, som en blå rök. Mycket snart skulle han se vad som dolde sig däruppe, i ett land långt söderut. Det kändes just nu overkligt, som ett annat liv.

Halders kryssade mellan husen och parkerade framför porten.

Avspärrningsbanden blåste i vinden som virvlade runt skogsdungen. Det fanns inga människor ute på gården, inga barn lekte på lekplatsen. Vinden var stark, som om bostäderna låg på en strand.

Winter ringde på dörrklockan. Ljudet virvlade omkring därinne som vinden därute, men med ett stummare ljud. Winter tryckte på knappen igen.

"Han har varit borta länge", sa Halders.

Winter öppnade brevinkastet med två fingrar.

Han kunde bara se en del av dörrmattan. Det låg en trave tidningar ovanpå. Han kunde se vita kuvert, bruna kuvert. Halders kunde också se.

"Karln avbeställde inte posten innan han gav sig av", sa han.

"Han kanske inte hade nån möjlighet", sa Winter.

"Tror du vad jag tror att du tror?" sa Halders.

"Fanns det inte en fastighetsexpedition i änden av gården?" sa Winter.

Fastighetsskötaren öppnade dörren utan att Winter behövde ringa åklagare. Alla i området var omskakade efter fyndet i skogs-dungen. Fynden. Winter hade fortfarande inte frågat Jonas Sand-ler om hundskelettet i graven. Han hade inte berättat för pojken. Han ville vänta men han var egentligen inte riktigt säker på varför. Pojken kanske visste.

Fastighetsskötaren steg åt sidan. Det var en man i 30-årsåldern. Han hade en ren uniform och ett oskyldigt ansikte. Vi låter ho-nom behålla det ett tag till, tänkte Winter och tackade honom och väntade tills han motvilligt gick nerför trappan och försvann ur synhåll.

Halders stirrade in lägenhetens dunkel. Det kom ett svagt ljus någonstans från slutet av hallen. De hade båda varit därinne, var för sig. För Halders var det längesedan. Winter hade stått utanför den gången. Halders hade gått in. Winter såg aldrig Metzer, det var mycket senare. Det kändes som i går. Metzer hade ett speciellt utseende. När han suttit mitt emot Winter i sin soffa hade Winter sett linjen i ansiktet, eller ärret snarare, det gick från ena tinningen och ner över kinden. Det såg ut som ärr efter en sabel. Metzer kan-ske var tysk ädling, hade Winter tänkt.

Jag blev orolig, hade Metzer sagt till Winter. Det var därför jag ringde polisen.

Men den här gången hade han inte ringt polisen.

De hade försiktigt gått genom hallen och in i vardagsrummet. Det var därifrån ljuset kom. De hade vapnen redo.

De hade känt lukten redan därute. Den var inte stark men till-räcklig.

Ljuset från gården därute lyste över kroppen som låg utsträckt i soffan. De såg inget blod någonstans. I ett annat sammanhang kunde de ha betraktat någon som sov.

Winter hörde en klocka ticka därinne. Han hade inte hört den förra gången han var här. Men nu behövdes den inte längre.

Metzer kunde ha dött i sömnen. Han kunde ha dött av en plötslig sjukdom.

Han kunde ha dött för någon annans hand.

Halders stod redan lutad över kroppen. Han hade en näsduk för munnen.

"Det är ingen vacker syn", sa han med en röst som lät som om den kom inifrån en tunnel.

"Känner du igen honom?" frågade Winter.

"Nej, men det har gått några år sen sist." Halders såg upp. "Och det här sista hjälper ju inte."

"Det är Metzer", sa Winter.

"Ja, du var ju här nyss."

"Det där ärret finns ju kvar", sa Winter.

"Menar du märkena på halsen? Dom ser lite misstänkta ut för min syn."

"Nej, jag menar ärret."

"Förlåt?"

"Ärret", upprepade Winter och pekade mot Metzers ärr som syntes som ett vitt streck från tinning till hals. Det var skarpare tecknat i döden än det varit i livet.

"Han hade inget ärr", sa Halders. "Han hade inget ärr när jag var här."

Halders betraktade kroppen igen, studerade ansiktet. Han gick närmare, backade snabbt, tittade upp med ett förbryllat uttryck.

"Det är fan inte Metzer det där", sa han och tittade upp.

"Vad säger du, Fredrik?"

"Jag säger bara att det där är inte den Metzer jag snackade med."

Det var en annan rättsläkare. Winter hade aldrig träffat honom. Han var äldre än Pia E:son Fröberg, mycket äldre. Han såg ut att vara i ungefär samma ålder som Metzer, men han hade en naturligare färg i ansiktet. Han hette Sverker Berlinger. Måste vara en gammal pensionerad uv som fått rycka in, tänkte Winter. Han ser ut som om han varit med förr.

"Ser ut som en strypning", sa Berlinger och skakade lätt på huvudet.

Han hade arbetat med stadiga händer. Han hade suckat ljudligt när han steg in i rummet och såg kroppen, som för att säga att det här var han egentligen färdig med för länge sedan.

"När?" frågade Winter.

Berlinger ryckte på axlarna.

"Två veckor sen?" frågade Winter. "Tre?"

Berlinger såg sig om, som om han tittade efter väckarklockan som ingen kunde höra längre. Winter kunde se den. Nedanför den såg han Torsten Ögren sitta på huk framför en byrå.

"Det är varmt härinne", sa Berlinger. "Kan ha skett."

"När?" upprepade Winter. "Förra veckan?"

"Nej, knappast."

"Då är det ju två veckor", sa Winter.

"Ja, det blir det visst."

Sverker Berlinger böjde sig över kroppen igen och studerade Anton Metzers ansikte.

"Menzurärr, ser man på."

"Just det, så heter det", sa Winter.

"Du känner igen termen?" frågade Berlinger och tittade upp.

"Jag kom inte på det. Men jag känner till företeelsen."

Berlinger tittade ner på Metzers ansikte igen.

"Det här är lite för långt och lite för grovt för att han skulle ha varit riktigt stolt över det", sa han.

"Du ser ut som om du önskade dig ett själv", sa Winter.

"Jag kommer tyvärr inte från rätt familj", sa Berlinger och log mycket svagt. "Menzur betyder förresten också uppmätt avstånd mellan duellanter."

Winter hörde ingen tysk accent. Han frågade inte efter Berlingers ursprung.

"Kan han ha fått det där ärret på annat sätt?" frågade han.

"Naturligtvis", sa Berlinger.

"Hur gammalt är det?"

"Mer än två veckor", sa Berlinger.

Winter väntade tills skämtet förtunnades ytterligare i luften därinne.

"Mer än femtio år", sa Berlinger.

"Inget rep i lägenheten", sa Öberg.

"Nej, jag såg inget heller", sa Winter.

"Men ett likadant rep kan ha använts", sa Öberg.

"Kan? Eller har?" frågade Halders.

"Kan", svarade Öberg. "Åtminstone kan jag inte säga nåt mera nu. Är det ett nylonrep så är det nästan omöjligt att säga att det är ett nylonrep, om ni förstår vad jag menar."

"Och ingen vit färg", sa Winter.

"Ingen på kroppen i alla fall."

"Det fanns ingen färg på Ellen Börges kropp heller", sa Winter. "Bara hemska märken."

Han tittade ut genom fönstret, som för att mäta avståndet mellan den här lägenheten och skogsdungen. Han kunde se den, men nätt och jämnt. Ett svart moln hade seglat in från Västerhavet, och han kunde redan höra regnet mot rutan.

"Hänger det ihop med det här stället?" sa Halders. "Den här platsen?"

"Jag vet inte vad det hänger ihop med", sa Winter. "Jag vet inte ens om det hänger ihop."

"Vi vet däremot att vi har fyra mord", sa Halders. "Och vad jag förstår hänger dom ihop."

"Metzer också?"

"Han är ju inte en främling i det här gänget", sa Halders. "Utom för mig."

"Du skulle alltså ha pratat med nån annan än Metzer", sa Winter.

"Vi sökte honom som vittne", sa Halders. "Han hade ju själv slagit larm."

Winter sa ingenting. Torsten Ögren hade lämnat dem för att arbeta borta vid soffan.

"Vad är det för en mördarmaskin i arbete?" sa Halders.

Winter svarade inte.

"Var det inte han som slog larm?" sa Halders. "Metzer. Om det där påstådda bråket."

"Kanske det", sa Winter. "Men det var inte han som öppnade dörren när du ringde på."

"Var fan var han då?"

"Det är en svår fråga i det här läget, Fredrik."

"Okej, okej. Den som öppnar är inte Metzer, men han tycker tydligen att det är enklare att säga att han är Metzer."

"Mhm."

"Du håller inte med?"

"Jo."

"Varför tycker han att det är enklare att vara Metzer?"

"För att det är svårare att vara nån annan", sa Winter.

"Varför är det svårare?" sa Halders.

"För att han inte vill att nån ska veta vem han egentligen är."

"Och vem är han egentligen då?"

"Mario Ney" sa Winter.

"Jag vet inte, Erik. Det är många år sen, och killen som öppnade hade helskägg." Halders slog ut med armarna. "Det här kostar mig väl karriären, eller vad som är kvar av den. Men jag kan inte säga om det var Ney som stod i den där satans dörrn för arton år sen." Halders såg på Winter. "Det kan ha varit han, men jag vet inte. Låt mig få lite tid att tänka, och minnas. Det kanske kommer om jag minns vad vi sa. Hur snacket föll. Du vet."

Winter nickade.

"Kan det ha varit Börge?" frågade han.

"Jag har bara sett den karln som flyktigast", sa Halders.

"Börge", upprepade Winter.

"Han har varit med i hela den här historien", sa Halders.

"Ney hyrde lägenheten tvärs över gården", sa Winter.

"Det har han redan bekräftat", sa Halders.

"Han har inte bekräftat att han var här, i Metzers bostad."

"Då är det väl dags att vi ber honom göra det", sa Halders. "Vad sa Molina, förresten?"

"Han kunde inte säga nej under dessa omständigheter. Men det håller inte för häktning." Winter såg Öberg och hans experter i arbete runt om i lägenheten. "Vi behöver teknisk bevisning."

"Eller helt enkelt ett erkännande", sa Halders.

Winter tittade på klockan.

"Jag vill att du är med under förhöret, Fredrik."

"Jag var aldrig där", sa Ney. "Var skulle jag ha varit, sa du?"

"Lägenheten ligger tvärs över gården", sa Winter.

"Aldrig varit där."

"Hur ofta var du i din egen lägenhet?"

"Aldrig."

"Du hyrde den."

"Inte åt mig själv."

Halders satt bredvid. Han sa ingenting. Om Ney hade träffat honom för arton år sedan visade han det inte. Det kan vara han, tänkte Halders. Men det kan också vara nån annan. Det går inte att känna igen honom. Det kan bero på att det inte är han.

"Var var du då?" frågade Winter.

"Jag förstår inte frågan."

"Var bodde du vid den tiden?"

"Hemma, förstås."

"Och var var hemma?"

"I vår lägenhet. I Tynnered."

"Bodde du ensam?"

"Jag bodde med Elisabeth, förstås. Och Paula."

"Paula bodde väl med sin mamma?"

"Bara då. Bara den korta tiden."

"Vi har inte hittat nånting som bevisar ditt faderskap", sa Winter.

Ney svarade inte.

"Du finns inte registrerad nånstans", fortsatte Winter.

"Paula är min", svarade Ney.

"Vad menar du med det?"

"Bara att hon var min."

"Som du kunde göra vad som helst med?"

"Vad säger du?"

"Som du trodde att du kunde göra vad som helst med, Mario?"

"Ni har inte fattat nånting", sa Ney.

"Vad är det vi inte fattat?" sa Winter.

"Se er omkring."

"Vad är det vi ska se?"

Ney svarade inte.

"Ska vi fortsätta att se efter varför du inte kan redogöra för vad du gjort under de här aktuella tiderna?"

Ney sa ingenting. Han verkade ha blicken på himlen därute, rymden. Det var som om han försvann dit ibland, och återvände, och var borta igen. Som om känslorna kom och gick. Vad var det för känslor? Vilka minnen hade han? Vilka handlingar hade han begått?

Nu återvände han, vände blicken mot Winter.

"Jag vill åka hem", sa han.

Elsa klättrade på honom som på ett träd med stor krona. Han höll ut armarna som grenar. Hon var på väg uppför hans högra axel.

"Akta så du inte får svindel", sa han.

"Jag får aldrig svindel!" ropade hon, som till alla långt därnere på marken.

"Vänta du bara", sa han och ställde sig på tå. Han kände hur Lilly höll på att förlora balansen där hon klängde sig fast i hans högerben. Hon gallskrek redan tidigare. Hon ville också klättra.

"Vad gör ni?!" ropade Angela från vardagsrummet. "Hör du inte att Lilly skriker, Erik?"

"Jag har bara två grenar", ropade han tillbaka. Elsa var på väg över till den andra axeln nu. Det skavde över halsen. Lilly hämtade andan för en sekund.

"Vad?" ropade Angela.

"JAG HAR BARA TVÅ GRENAR."

Angela visade sig i dörren. Lilly tog sats igen efter två sekunders tystnad. Det hördes lång väg. Winter lyfte benet och hon hängde kvar.

"Jag har alltid tyckt att du är lite träig", sa Angela.

Winter försökte hoppa på ett ben. Elsa hängde hårt om hans hals. Lilly skrek igen, men nu var det av skratt. Han hoppade ett steg till. Tyngden om halsen blev som en kvarnsten. Högerknäet började låsa sig på ett allvarligt sätt. Det värkte i axlarna. Jag är inte riktigt så ung längre. Han sänkte benet och försökte släppa av Lilly. Han böjde sig framåt tills Elsa nådde golvet med fötterna. Han stod i en egendomlig ställning. Elsa släppte inte taget.

"Akta ryggen", sa Angela.

"Hjälp mig", sa han. "Snälla."

Stormen hade dragit iväg mot söder. Kvar fanns känslan av att vara mycket liten under himlen. Det var så han kunde känna efter de stora ovädren. När vindarna vrålade måste alla böja rygg.

"Hur är det med ryggen?" Angela tittade på honom med ett svagt leende. Han försökte sträcka sig bakåt som han tidigare sträckt sig framåt. "Ta det försiktigt nu."

"Jag förstår inte det här", sa han.

"Du får nog börja träna lite, Erik."

"Jag är polis", svarade han. "Träning är obligatoriskt i tjänsten."

"När tränade du senast då?"

"Jag tränar."

"Vad är det för svar?" frågade hon.

"Vill du ha ett glas vin?" svarade han.

Elsa hade somnat mitt i sagan om den elakaste häxan i hela världen. Winter hittade på under berättelsens gång. Han lyckades aldrig göra häxan tillräckligt elak.

"Hon är för snäll!" hade Elsa ropat. Det var inte första gången hon tyckte att häxan var för snäll.

"Häxan åt ju upp pojken", hade Winter sagt.

"Hon skulle ha ätit upp flickan också!"

Han sträckte sig efter vinflaskan. Angela satt mitt emot honom vid köksbordet. Hon hade gratinerat några havskräftor. Winter kände doften av örterna och vitlöken och smöret.

"Elsa nöjer sig inte med halvmesyrer", sa han. "Den här gången skulle häxan tugga i sig alla fångarna." Han hällde i vin. "Barn allihop, förstås."

"Glöm inte att det är du som berättar", sa Angela och lyfte över en kräfthalva.

"Vad betyder det, om man får fråga?"

"Det är dina historier."

"Nä, nä, det är hennes." Han lyfte glaset. "Skål."

Hon lyfte sitt. De drack.

"Hon vill inte att jag ska berätta överhuvudtaget", sa Angela och satte ner sitt glas. "Hon säger att ingen är elak när jag försöker berätta."

"Det ska du vara glad för, Angela."

"Vad ska man i så fall säga om dig, Erik?"

"Jag vill bara vara snäll", sa han och log. "Jag gör bara som hon vill."

"Häll upp ett glas till åt mig, är du snäll."

"Det är bara historier, Angela." Han hällde upp åt henne. Det var fredag. Han drog till sig ugnsformen med kräftorna. "Det är fantasier."

35

HAN KUNDE INTE SOVA OCH HAN HADE inte räknat med det heller. Man fick ändå göra ett försök. Ingen klarade sig länge utan sömn. Det här arbetet skapade sömnlöshet, men där var han inte ensam. De hade varit bättre att arbeta med kroppen, tillsammans med tanken, då kunde den fysiska utmattningen leda till sömn. Men kroppsarbete var inte ofarligt. Träd kunde ramla ner över huvudet. Byggnadsställningar kunde falla. Traktorer kunde välta.

Winter satte sig upp i sängen. Angela snarkade försiktigt, som om hon ville testa honom. Elsas snarkningar hade mirakulöst upphört, som om de ville spela läkarvetenskapen ett spratt. Det behövdes inte längre någon operation. Winter hade tyckt att kirurgen på öron-näsa-hals sett besviken ut, men det måste vara inbillning.

Han hade sett besvikelse i Mario Neys ögon när han förklarat att Ney inte kunde åka hem. Förklarat. Han hade bara sagt det.

Halders hade skakat på huvudet utanför förhörsrummet.

"Vi vet för lite om den här killen", hade han sagt.

Winter hade tittat på klockan.

"Och nästa vecka åker du till solen", hade Halders sagt och följt Winters blick på urtavlan.

"Det var inte det jag kontrollerade."

"Vad var det då?"

"Jag ville veta hur mycket klockan är."

Halders hade skrattat till. Det hade låtit underligt i den tegelklädda korridoren, som om den legat någon annanstans, en ljusare plats.

De hade mött Ringmar uppe på roteln.

"Jonas gav sig iväg för en halvtimme sen."

Winter hade nickat.

"Hans mor såg inte glad ut."

"Hur såg han själv ut?"

"Som en skyldig", hade Ringmar sagt.

"Till vad?"

Ringmar hade ryckt på axlarna.

"Jag åker hem", hade Winter sagt.

Whiskyglaset glimmade i månskenet. Det var enda ljuset därinne, en stråle som nådde längre in än gatubelysningen nere vid Vasaplatsen. Det var en klar natt. Winter tänkte på Mario Ney när han såg stjärnorna däruppe. Det var den rymden Ney hade sett ut att längta till. Stjärnorna var flera än Winter sett någon gång förut. De täckte himlen hela vägen från Södra skärgården till Angered.

Han lyfte glaset. Färgen därinne var osynlig nu, men han visste att den var bärnsten. Det fanns inga färger på natten, om man inte räknade svart dit. Och vitt. Winter kunde se det vita ljuset skära genom mörkret i rummet. Det vita. Han tänkte på den vita handen. Han tänkte på färgen vitt som symbol. Han tänkte på den som färg. Han tänkte på färgburken som den funnits i. Han tänkte på en vägg som målats vit. Varför hade Paula Neys hand varit vit? Varför hade Elisabeths Neys finger varit vitmålat? Paulas vita hand. Det betydde någonting. Det var ett meddelande. Vit färg. Färgburken. En vit vägg. Vitmålad. Nyss målad. Var kom färgburken ifrån? Det visste de inte. Hade de frågat... målarna? Målarna i Paulas lägenhet. Väggarna där. Halvfärdiga. Nästan färdiga. Ofärdiga. Vad finns det här som vi inte ser? hade Halders sagt. Winter hade själv tänkt det. Tänk efter nu. Tänk.

En vit och halvfärdig lägenhet.

Tänk!

Ingenting märkligt med en vägg som ser ut som om den rivits ner och byggts upp igen.

Men.

Ett meddelande.

Väggen är ett meddelande.

Bakom väggen. Den vita väggen.

Några slarviga penseldrag rakt över.

Någon gång blir det färdigt.

Det vita blir färdigt.

Han satte ner glaset på bordet. Han hade hållit det i handen den senaste minuten utan att märka det, och när handen börjat darra hade han lagt märke till det. Han hade fortfarande inte druckit.

Han reste sig och gick tillbaka in i sovrummet och lyfte kläderna från stolen.

"Vad är det, Erik?"

Angela rörde sig i sängen. Månljuset nådde också in i sovrummet. Sängkläderna var mycket vita. Det såg ut som en tavla därinne.

"Jag måste kolla en sak", sa han.

"Nu?" Hon satte sig upp. "Vad är klockan?"

"Jag är snart tillbaka", sa han.

Hon hade packat, och sedan packat upp.

Vad är jag rädd för?

Väskan låg på golvet med locket utfläkt som en tunga. Det hade ett rött foder på insidan. Fodret hade känts som sammet när hon nuddade det med handen.

Hon kom inte ens ihåg vad hon packat ner längre i den där väskan. Hon hade lyft kläder ur byrålådan utan att se vad det var, som om hon skulle göra en resa men inte visste vart.

Hon hade ringt till en väninna som skulle vara hemma vid midnatt. Jag kan vara hemma lite tidigare om du vill. Det brukar inte vara så mycket framåt tolv. Nej nej, hade hon svarat.

Telefonen ringde igen.

Signalen var som ett skrik.

Det var länge sedan, det kändes som längesedan. Den hade inte ringt sedan hon talat med den store polisen, han utan hår. Hon hade känt sig dum efteråt. Men telefonen hade slutat ringa, som om den som ringde visste om att hon hade berättat för polisen. Det var kusligt.

Hon bestämde sig för att svara.

"Hallå?"

"Jag kom hem lite tidigare i alla fall."

"Ja..."

"Är du på väg?"

"Jag... vet inte."

"Vad är det med dig? Klart att du ska komma."

"Vad är klockan?"

"Bry dig inte om det. Nu slår du igen den där väskan och kommer."

"Hur... visste du att jag inte stängt den?"

"Du låter verkligen skraj!"

Hon svarade inte.

"Ring efter en taxi."

"Det blir dyrt."

"Du tänker väl inte sätta dig på vagnen?"

"Jag har inte... tänkt nåt."

"Hade jag bil skulle jag komma och hämta dig."

"Du har ju inte ens körkort."

Hon hörde väninnan skratta till. Det kändes bra att höra det. Kanske hon behövde komma iväg. Det vore skönt att prata med någon. Om hon inbillade sig saker så skulle hon förstå det då.

"Jag kommer", sa hon.

Efter tio minuter förstod hon att det skulle bli svårt att få en taxi. Det gick inte att komma fram på linjen. Det var märkligt. Hon åkte sällan taxi, men vad hon förstod var den tiden över när man fick vänta i timmar. Jag borde ringa nåt annat bolag än Taxi Göteborg, men jag vill inte. Jag vågar inte. Det är väl fördomsfullt men dom är dom enda jag litar på.

Hon tittade på klockan. Hon kunde spårvagnens tidtabell utantill. Hon hade tio minuter på sig till sista vagnen mot stan.

Hon bestämde sig. Väskan var packad.

Trapphuset luktade höst, fukt.

Därute kändes det som regn, men det var inte regn. Det måste vara en luftfuktighet på hundra procent.

Hon halvsprang längs gångvägen mot hållplatsen. Hon kunde se den. Hon hörde plötsligt spårvagnen skramla fram på andra sidan höjden. Det betydde att hon kanske inte skulle hinna. Hon började springa på allvar.

Hon förlorade nästan balansen när hon såg skuggan falla framåt över asfalten.

Winters tankar rörde sig snabbare än hissen på sin väg ner mot garaget.

Varför grävde Jonas i jorden just där? Just då? Han grävde efter Paula. Var hon en symbol? Symbol för vad? Barndomen? Den förlorade barndomen? Kärleken? Eller trodde han faktiskt att Paula låg därnere? Visste han att hans hund låg därnere. Nej. Ja. Nej. Hade han sett Börge därute? Sett honom gräva i barndomens skogsdunge, i vuxendomens? Hette det så? Vuxendom? Dömd att bli vuxen.

Winter tryckte på fjärrkontrollen och hans bil blinkade till mot honom.

Han tryckte fram Anne Sandlers nummer.

Hon svarade efter tredje signalen. Han presenterade sig, och frågade om Jonas.

"Jag vet inte var han är just nu", sa hon.

Hennes röst lät avlägsen, och dämpad. Det var inte bara för att han ringde från underjorden.

"Jag hade tänkt ringa dig", sa hon.

"Jaså?"

Han öppnade bildörren. Det blev ljust därinne. Han kände den välbekanta doften av läder. Den gick aldrig ur, den var som en trygghet.

"Jag tyckte jag kände igen ett ansikte härute från förr", sa hon. "Nyligen."

"Vem då?"

"Jag vet inte. Ett ansikte. Någon... som bodde här då. När Jonas var liten. Eller bodde och bodde. Det var någon jag såg några gånger."

"Som du kommer ihåg så här långt efteråt?"

"Ja... är det inte konstigt?" Winter tyckte att han såg hennes ansikte för sin inre syn. Hennes förvirring. "Jag kanske tog fel."

"Varför ville du berätta det här för mig?"

"Jag vet inte... jag berättade det för Jonas. Att jag hade sett honom igen härute, den där mannen. Nyligen. Jag... vet inte varför jag berättade det."

Ibland berättar det undermedvetna inte varför vi berättar något, tänkte Winter. Inte genast. Det kommer ibland fram senare.

"Vad sa Jonas?"

"Han sa ingenting..."

Winter väntade på fortsättningen.

"... men jag förstod att han blev påverkad av det."

"Påverkad? På vilket sätt blev han påverkad?"

"Jag vet inte. Han blev... påverkad. Jag har försökt fråga honom men han säger inget. Men han verkade reagera på att jag sett den där mannen."

Winter sa ingenting.

"Och kort efter det... fann du ju honom därute i skogsdungen."

Winter körde söderut, uppför Aschebergsgatan, förbi Vasa sjukhus där han sommarjobbat på en långvårdsavdelning under en tid av sitt liv när han själv aldrig trodde att han skulle bli gammal.

Han passerade Chalmers, svängde vänster i rondellen på Wavrinskys Plats, passerade Guldhedsskolan, svängde höger i rondellen vid Doktor Fries Torg och körde över spårvagnsspåren för att fortsätta på en av gat...

Kvinnan kom rusande på gångvägen som ledde ut från skogspartiet.

Hennes hår flöt efter henne i vinden, fartvinden.

Hon sprang med vilt viftande armar.

Kanske såg hon honom, kanske inte.

Winter hade tvärbromsat, mitt på spåret.

Han hörde ett plötsligt skrammel, och såg backen till vänster lysas upp av ett skarpt ljus. Ljuset blev till lyktor som satt i fronten på spårvagnen som var på väg över kullen, mot honom. Ljuset fångade in kvinnan som fortfarande sprang, mot honom. Winter såg hållplatsen och han tänkte att vagnen måste väl för helvete stanna! Det ligger en hållplats där! Men vagnen fortsatte. Det stod ingen och väntade på hållplatsen. Ingen skulle gå av där. Winter hörde det ohyggliga tjutet från vagnen, skramlet, varningssignalen.

Kvinnan var bara några steg ifrån honom. Han vred ratten åt höger, släppte växeln, tryckte ner gaspedalen och lyfte Mercedesen från spåret som ett jaktplan från ett fartyg.

36

HENNES ÖGON VAR STORA SOM MÅNENS yta ovanför dem. Hon stirrade på honom genom vindrutan men blicken var tom och samtidigt fylld av skräck.

Hon låg över motorhuven och andades som om hon gjorde det för sista gången.

Winter vek sig snabbt sig ur bilen, tog de få stegen mot huven, försökte lyfta upp henne. Hon höll på att glida ner på gatan. Hon vägde som ett ton, en spårvagn.

Spårvagnen hade bromsat i eld och rök femtio meter ner i backen. Winter kunde se hur den förvirrat blinkade med alla sina ljus över Guldhedsskolans fasad.

Han höll henne i sina armar. Hon vägde inte så mycket nu, hon tog spjärn mot asfalten och benen verkade bära men bara nätt och jämnt.

"Kom här", sa han och halvt bar, halvt stödde henne runt huven till bilens passagerarsida, öppnade dörren, hjälpte henne att sätta sig i sätet, stängde dörren, gick runt på andra sidan och satte sig i förarsätet. Spårvagnen stod fortfarande stilla. Kanske kommunicerade föraren med polisen över radion.

"Hur är det, Nina?"

Hon försökte säga något men hon hade börjat skaka våldsamt. Han sträckte ut högerarmen och drog henne intill sig för att dämpa skakningarna. Det lyckades efter en halv minut. Under tiden såg han spårvagnen sakta börja glida iväg. Den hade en tidtabell att följa.

"Vad har hänt, Nina?"

Hon lyfte huvudet och såg ut genom rutan, mot spårvagnens bortflyende ljus. Winter släppte sitt grepp.

"Vad hände?"

"Ha... han ställde sig rakt framför mig. På gångvägen."

"Vem?"

Hon svarade inte. Det såg ut som om hon skulle börja skaka igen. Winter lyfte armen men hon gjorde en avböjande gest.

"Han som har för... förföljt mig", sa hon.

"Vem är det, Nina?"

"Jag tror det är... han."

"Han? Menar du Jonas?"

Hon såg först inte ut att känna igen namnet. Hon tittade ut genom fönstret igen, som för att se om han var kvar därute.

"Jonas? Jonas Sandler? Paulas bekant?"

Hon nickade.

"Var det Jonas?" upprepade Winter.

"Jag tror det", sa hon.

"Sa han nåt?"

Hon skakade på huvudet.

"Gjorde han nåt?"

"Ja... jag sprang. Han stod plötsligt där och jag... jag började springa."

"Varför tror du att det var Jonas?"

"Jag såg... det liknade honom."

"På vilket sätt?"

"Längden... jag vet inte. Det liknade honom."

Winter såg ut genom rutan. Ingen hade kommit ut mellan träden. Det var inget han hade väntat sig heller. Men han kanske var kvar därute. Om han agerade snabbt kunde han kanske gripa honom.

Han hörde plötsligt sirener norrifrån. Han kände igen det ljudet. Det var inte en ambulans. Han såg blåljusen därborta nu, på väg ner i svackan mot den punkt där spårvagnen stått förut. De lyste upp skolfasaden tio gånger bättre än spårvagnen.

Sirenen dog när radiobilen sladdade in bredvid Winters Mercedes. Blåljusen fanns kvar. Nina Lorrinder stirrade ut mot allt det blå och vita som om det betydde en ny fara. Skuggorna i hennes ansikte kom och gick.

Winter såg en av uniformerna stiga ur bilen och säga något i radiomikrofonen. Den andre uniformen steg ur. Winter kunde inte känna igen deras ansikten i det nervösa ljuset. Men han såg att det var två manliga poliser, kanske från Lorensberg.

Han öppnade bildörren och steg ur.

"Ta det försiktigt där!" ropade polismannen närmast honom.

"Det är jag, Erik Winter", ropade Winter. "Winter på span."

Han tog ett steg från bilen.

"Stå stilla!" skrek den andre polisen. Det såg ut som om han grep efter sin SigSauer.

Gode gud, tänkte Winter. Jag behöver inte det här också.

Han kastade en blick ner på Nina Lorrinder, men hon satt tack och lov stilla. Kollegan därborta kunde dra sitt vapen. En plötslig rörelse härifrån och Winter skulle kunna hamna mitt i ett nytt mord.

Han såg vapnet blänka till därborta.

"Ta ner vapnet, förbannade stolle!" skrek Winter. "Det här är kriminalkommissarie Erik Winter under tjänsteutövning. Vilka i helvete är ni?!"

Han såg hur polisen närmast honom vände sig om mot den andre.

"Jag tror det är han", sa han, "jag känner igen den där Mercan." Han vände sig tillbaka mot Winter igen. "Är det du, Winter?"

"Får jag stiga fram?" ropade Winter.

"Händerna över huvet!" skrek polismannen med vapnet. Winter kunde inte se vapnet längre.

"Nej, nej", sa polismannen närmast. "Det är Winter på span."

Winter började gå.

"Vi fick ett larm från spårvagnen", sa polismannen. "Han trodde nån medvetet försökte köra på vagnen." Han log, eller det var åtminstone så Winter uppfattade det. "Vi trodde det kanske var en smitare?"

"Smitare från vad?"

Polismannen ryckte på axlarna. Winter slet fram sin legitimation och höll den högt över huvudet. Han passerade den förste polismannen, gick runt bilen, ställde sig framför den andra, konstaterade att han stoppat tillbaka SigSauern, klippte till honom lätt i solar plexus. Winter visste att solar plexus är en anhopning av nervceller i bukplanets bakre vägg, och att den kan påverkas vid stötar mot mellangärdet, till och med ge tillfällig förlamning. Det var syftet med hans slag.

Polisen stod böjd framför honom, som i en djup bugning.

"Hade du tänkt skjuta ihjäl oss?"

"Ta det lugnt, Winter", sa kollegan.

Winter tittade upp.

"Vad sa du?"

"Ta det lugnt, sa jag."

"Lugnt? Vem är det som ska ta det lugnt här?" Winter tittade ner på den bugande. Han hade börjat resa sig, och samtidigt masa sig undan, i säkerhet.

Winter pekade mot Mercedesen.

"I bilen sitter en kvinna som just blivit utsatt för ett överfall i skogen härbakom. Inne i den skogen fanns den som överföll henne. Det kan till och med vara en mördare som hittills gjort sig skyldig till fyra mord. Som jag har jagat under hela hösten. Som jag kanske kunde ha gripit i natt om inte ni två kommit. Jag betvivlar starkt att han är kvar där nu."

"Hur fan skulle vi kunna veta allt det här, Winter?" sa den äldre polismannen.

"Jag var dessutom på väg att följa upp en idé", sa Winter. "Jag hade bråttom."

Polismannen skakade på huvudet. Det kunde betyda flera saker. Det kunde till exempel betyda att han och hans kollega gjort det mesta rätt. Att de tagit det säkra före det osäkra. Att Winter borde veta att poliser i dag drog vapnet tidigare än förr. Det var farligare än förr.

"Ska vi ge oss in i skogen och leta efter gärningsmannen?" frågade polismannen.

Winter såg bort mot sin bil. Nina Lorrinders silhuett var skarp i bilrutan, som skuren i styv papp.

" Ja. Men först får vi ta hand om kvinnan där. Ni får köra henne vart hon vill."

Han stod i gångvägens mynning och betraktade radiobilens bakljus när den körde upp mot Wavrinskys Plats.

Nina Lorrinder kunde inte säga mer.

Hon var äntligen på väg till sin väninna. Hon ville inte åka någon annanstans.

En patrull var på väg hit, men Winter tvivlade på att de skulle hitta något, eller någon. Han hade frågat den yngre polismannen hur han mådde. Han hade svarat att han mådde prima.Vill du anmäla mig så varsågod, hade Winter sagt. Jag trodde du ville anmäla mig, hade polismannen sagt. Sök upp mig när jag är tillbaka från tjänstledigheten, hade Winter sagt. Efter första juni.

Han gick tillbaka till sin bil. Ingen annan människa hade setts till sedan det här dramat började med att han passerade spåren. Det var som om de varit ensamma på en scen. Men föreställningen var över och det var lika tomt här nu som då.

Winter satte sig i bilen och tryckte in ett nummer på mobiltelefonen och väntade.

Han lyssnade på telefonsvararen ända fram till pipet:

"Jonas, det här är Erik Winter. Jag vill att du ringer mig så fort du hör det här. Om du glömt numret så kommer det här."

Han sa siffrorna. Han sa också vad klockan var. Den var på väg in i vargtimmen.

"Jag vill också att du omedelbart anmäler dig själv till närmaste polisstation. Eller till polishuset. Jag hoppas du hör vad jag säger. Jag hoppas du förstår, Jonas. Jag vill hjälpa dig. Jag vet vad som hände i natt uppe i Guldheden. Du kan stanna där du är och ringa polisstationen. Eller ring mig. Det är över nu, Jonas."

Det där sista visste han inte om det var sant, men det lät bra. Det lät som om han visste allt.

Winter la i backen och backade tillbaka över spåren.

Han la i ettan och bilen gjorde en rivstart. Han fortsatte dit han varit på väg.

Huset var ett av fem som byggts samtidigt, och på samma sätt. Det här låg som nummer två från vänster, och det befann sig i skuggan av gatubelysningen. Det var det mörkaste av alla husen. Månen verkade inte nå dit.

Winter hade parkerat på den smala parkeringsplatsen och gått över den smala gården. Det fanns inga gungor här, inga lekredskap överhuvudtaget. Kanske fanns de på andra sidan. Han hade faktiskt inte sett någon lekplats här. Kanske fanns det inga barn kvar längre.

Han låste upp med nyckeln som de använt sedan mordet.

Hallen var först mörk men blev snabbt ljusare för hans ögon. Det luktade fortfarande av målarfärg och tapetklister därinne. Det var en harmlös lukt, som om den inte kunde skada någon. Den stod för framtid, eller åtminstone för förändring. Den fanns kvar länge. Winter hade målat om hela sin våning i etapper och lukterna var som en kalender. Minnen hängde ihop med dofter.

Han gick sakta genom hela lägenheten, och tände all belysning som fanns där.

Det elektriska ljuset hade kunnat ge en falsk känsla av dag, men för Winter förstärkte det bara natten.

Han var inte trött.

Han kände upphetsningen, eller den första förnimmelsen av den. Det kanske betydde någonting.

Han stod i Paulas sovrum. Den grå väggen bakom sängen var som ett korsvirkesmönster av breda vita streck, målade med pensel. Det fanns rester av spackel. Grundmålningen var inte klar. Winter undrade vilket mönster tapeten skulle ha haft som aldrig kom på plats. Plötsligt ville han veta.

37

WINTER GICK UT FRÅN SOVRUMMET, passerade hallen, gick in i vardagsrummet. Tre av fyra väggar var målade i vitt. Färgen stack i hans ögon i det starka elektriska ljuset. Ytan var slät på de tre väggarna. Det låg fortfarande ett sjok av plast över golvet, grått som ett hav.

Han kände på väggytan. Den var slät som sand. Det var som att känna på hud, naken hud. Han drog tillbaka handen. Plasten gav ifrån sig ett torrt ljud när han klev på den. Det var tyst därinne. Det var alltid tyst i Paulas lägenhet.

Han såg på väggarna igen, vände sig sakta runt i rummet. Han såg på plasten. Dörren ut mot hallen. Fönstret som var ett hål ut mot natten. Och hallen, som fått samma grundbehandling som sovrummet.

Winter gick tillbaka till sovrummet. Sängen stod en halvmeter ut från väggen. Målarna måste ha dragit ut den dit. Winter betraktade väggarna här på samma sätt som han betraktat väggarna i det andra rummet. Penseldragen fram och tillbaka med grundfärg. Den ojämna ytan. Det gick att se ojämnheterna, men de var så många att de tillsammans bildade ett eget slags mönster som sträckte sig från golv till tak.

Han gick tillbaka till dörren och började systematiskt känna med händerna utefter kortväggen mellan dörren och fönstret.

Han fortsatte utefter långväggen, passerade fönstret, fortsatte på andra sidan. Ojämnheterna gled genom hans händer som småstenar på en strand. Det fanns en sådan strand ett par mil härifrån. Den var hans. Det fanns en likadan ett par mil väster om Marbella. Han skulle betrakta den som sin om en vecka.

Regnet började slå mot fönsterrutan. När han stigit in i huset hade de svarta molnen sett ut att öppna sig för den klara himlen, men nu hade de kommit tillbaka.

Han tog bort händerna från väggen och luktade på dem. Det doftade av olja, lösningsmedel, lacknafta. Det kunde bli en berusande doft. Winter tog ner händerna och gick över golvet till sängen, gick runt den, började känna utefter väggen bakom sängen, från höger till vänster. Grundarbetet verkade vara särskilt noggrant här, eller ovanlig slarvigt. Ibland var det svårt att avgöra skillnaden. Ljuset från den högt placerade taklampan mitt i rummet erbjöd ingen hjälp.

Han kände någonting i höjd med sängens huvudände. Det var en meter från golvet. Han rörde händerna som runt en tavla. Ja. Där fanns någonting under de korsvisa färglagren. En kvadrat. Fem gånger fem, kanske. Han rörde fingrarna runt den liksidiga ytan. Han tryckte försiktigt handen mot ytan och den gav efter några millimeter.

Han såg sig om efter något att skära med. Han tänkte på sina nycklar men de var för grova.

Ute i kökslådan hittade han en smal liten kniv. Han tog upp ett par handskar ur kavajfickan och drog på dem.

Tillbaka i sovrummet skar han försiktigt ett litet snitt bakom fyrkantens övre högra hörn. Han såg ett stycke plast och drog försiktigt i hörnet som nu stack fram. Det följde med. Han kunde se mer plast, och någonting vitt inuti plasthöljet. Ett skydd. Winter skar sakta ut fyrkanten på två sidor och kunde dra fram föremålet.

Det var ett platt paket med grov plast som omslag, samma plast som den som täckte golven. Som skulle skydda allt därinne. Winter lindade försiktigt upp plasten. Den var vikt i flera lager runt innehållet. Innehållet var ett fotografi och två ark tunt papper. Han kunde se text på papperen. Det var handstil, skrivstil. Blå kulspets, blek text. Det såg ut som brev. Han flyttade blicken till fotografiet. Det var svartvitt. Två små barn satt på varsin gunga. Gungställningen stod på en lekplats som han kände igen. Barnen tittade på varandra. Det såg ut som om de skrattade. Det var en pojke och en flicka. Winter kände igen pojkens halvprofil. Ungefär femton meter bortom gungorna fanns skogsdungen. Grenarna hängde rakt ner, som om all vind dött den dag fotografiet togs. Det stod en man halvvägs mellan skogsdungen och lekplatsen. Han betraktade barnen. Bilden var tillräckligt skarp och avståndet tillräckligt nära för att Winter skulle känna igen ansiktet. Christer Börge. Winter såg fotografiet skaka till. Det var som om grenarna i träden hade rört sig. Han såg Christer Börges ansikte, det var det enda han såg just nu. Börges ögon var riktade rakt framåt, som om det inte fanns någon kamera, ingen fotograf. Vem tog den här bilden? tänkte Winter. Var det Anton Metzer? Han märkte nu att han också höll de två pappersarken i sin vänsterhand. Han började läsa texten på det översta. Han fortsatte, det gick snabbt. Det var tio rader. Han kände igen handstilen. Winter hade läst de här raderna förut. Också papperet började skaka, som fotografiet gjort för tio sekunder sedan. Han bytte hand, som om det skulle hjälpa. Han läste texten på det andra papperet. Den var lite längre, kanske femton rader. Han räknade dem inte. Innan han läst klart kände han hur tårarna fyllde hans ögon.

Regnet föll som om världen snart skulle bli hav utan land. När Winter fått upp bildörren och stängt den efter sig var han blöt som om han simmat från huset till parkeringsplatsen. Han torkade sig med rockärmen över ansiktet. Han kände en smak av salt på läpparna. Det var inte bara vatten.

Regnet spolade över vindrutan som från en brandslang. Han blundade tre sekunder, öppnade ögonen, försökte blinka bort det han hade i ögonen, startade bilen.

Mobilen ringde när han körde ner mot Linnéplatsen. Det fanns ingen trafik på gatorna. Sahlgrenska såg nersläckt ut, som om alla strömledningar brustit under vattenmassorna. En ny storm var här, tillsammans med den nya dagen. Tekniskt sett var det en ny dag.

Mobilen. Han fick inte fram den förbannade mobilen ur rockfickan! Hans blöta fingrar slant på dragkedjan till innerfickan. Varför hade han dragit upp den? Det måste ha skett när han förlorat medvetandet för några sekunder. När han lämnade huset. Han kom inte ihåg hur han hade lämnat det. Om han gått nerför trapporna. Mobilen pep till i hans ficka nu. Någon hade åtminstone lämnat ett meddelande. Han svängde upp mot Konstepidemin, parkerade utanför psykologiska institutionen, fick äntligen upp dragkedjan och läste på displayen.

Han ringde svarstjänsten: Du har ett nytt meddelande. Det togs emot... och så vidare. Han visste när det togs emot.

Det kom en röst som ur ett stort dån:

"Winter?! Är det Winter? Om du hör det här så kontakta mig."

En paus. Winter hörde dånet i bakgrunden, eller snarare i förgrunden. Det måste vara regnet. Det verkade slå mot något hårt, som en slägga mot ett städ.

"Winter! Jag har få..."

Och där bröts förbindelsen. Det måste vara ovädret. En slavsändare som gått åt helvete. Men han hade känt igen rösten.

Det var Richard Salko, portiern på Hotell Revy.

Salko hade gett Winter en lista på anställda. Christer Börges namn fanns inte med. Det kunde betyda vad som helst. Winter hade själv inte hunnit kontrollera alla anställda genom åren.

Salko hade låtit upprörd.

Det fanns inget nytt nummer att ringa. Samtalet hade kommit från ett privat abonnemang. Men Winter hade ett hemnummer till Salko i mobilens telefonbok. Han knappade fram det, väntade, lyssnade på de ensamma signalerna i andra änden tills han tryckte av mobilen, slängde den på sätet bredvid sig, körde ut mot rött på Övre Husargatan. Där fanns ingen att krocka med. Ljussignalerna måste ha låst sig i stormen.

Mobilen ringde när han svängde in på Vasagatan. Den glödde till på skinnsätet som om den fattat eld. Winter grep den utan att släppa blicken från gatan.

"Ja?"

"Erik. Var är du? Vad händer egentligen?"

"Jag är på Vasagatan", sa han.

"Skönt."

"Jag ska bara kolla en sak först."

"På Vasagatan?"

"Ja."

"Vad då?"

"Christer Börge. Jag är på väg hem till honom."

"Nu? Kan det inte vänta några timmar?"

"Nej."

"Gör inget dumt", sa Angela. "Och gör det framför allt inte ensam."

"Jag gör inget dumt", svarade han.

Kanske var det dumt att dyrka upp Börges dörr. Men ingen svarade på ringsignalerna. Han hade givit honom så mycket tid som var rimlig. Signalerna hördes svagt inifrån. Stormen därute svalde alla ljud.

Han sköt sakta upp dörren. Det låg ingen post på dörrmattan. Inga tidningar. Det var för tidigt för dagens tidning, men Winter tvivlade på att några tidningsbud vågade sig ut den här morgonen.

Han gick genom hallen utan att tända. Han kände pistolen mot höften. Hallen lystes upp svagt av gatubelysningen därute, men lyktorna svängde så våldsamt i vinden att ljuset strök runt i lägenheten i en cirkel som inte gav någon ledning. Det var som på ett diskotek på 70-talet. Träden utanför fönstret såg ut att dansa.

Det fanns inga skor i hallen den här gången heller.

Winter hade varit i Börges hall, och i vardagsrummet, men inte någon annanstans i lägenheten. Han hade planerat att komma hit med en husrannsakan, men eftersom han redan stod därinne behövde han inte längre något tillstånd.

Ljuset var tillräckligt bra i vardagsrummet för att han skulle kunna gå fram till vitrinskåpet och upptäcka att de tre fotografierna var borta.

Han vände sig om.

Det fanns en stängd dörr i bortre änden av rummet.

Winter drog sitt vapen, kontrollerade det, gick tvärs över rummet, förbi den vita soffan, ställde sig tätt intill väggen bredvid dörren, tryckte ner handtaget, öppnade dörren med pistolpipan. Han väntade några sekunder och kastade en snabb blick in i rummet. Han såg en säng, ett bord, en stol, en vägg. Han drog tillbaka huvudet, väntade, tittade igen. Hade det funnits någon därinne hade han vetat det nu. Det fanns ingen därinne. En smal dörr stod på glänt snett bakom sängen. Winter gick över golvet och sköt upp dörren. Han såg något blänka till på golvet. Han kände med handen efter en strömbytare på insidan och fann den. Ljuset var svagare än han väntat sig.

På golvet stod skor. Det såg ut som hundratals skor. Som ett grått lämmeltåg, en flock råttor. Winter kände plötsligt ett vagt illamående, som om han höll på att förlora balansen. Han hade sett några av de där förbannade skorna en gång för många år sedan. De var outslitliga. Någonstans därnere i massan skulle de ändå hitta ett par som stämde överens med avtrycket på Centralens golv.

Han drog igen dörren till klädkammaren, gick ut i hallen, såg den svänga runt hörnet. Han följde kröken och såg dörren i änden av den egendomligt byggda hallen. Den påminde om hotellkorridoren på Revy. Dörren därborta påminde om Revy. Allt därinne började påminna om Revy. Winter gick sakta genom korridoren. Han behövde inte mer ljus än det som läckte in från våningen bakom honom.

Numret "10" var målat med vit färg på dörren. Det fanns ett avstånd mellan de två siffrorna, som om de inte riktigt hängde ihop.

Dörren var låst. Han satte axeln till men den öppnades inte. Han tog sats och sparkade med hälen mot låskolven. Dörren flög upp och han försökte undvika att följa med i fallet samtidigt som han höll pistolen framför sig.

Därinne fanns bara mörker. Rummet hade inga fönster. Han kunde se konturer men det var allt. Den här kammaren måste vara lika stor som sovrummet. Vem byggde ett rum utan fönster? Hade Börge byggt det själv?

Han tog ett steg in och stanken blev ännu starkare än då han sparkat upp dörren. Illamåendet inom honom vällde upp utan förvarning. Han vände sig bort från dörren och andades häftigt. Svetten bröt fram i pannan. Herrejesus.

Han tvingade sig upp, trevade efter ljusknappen, blinkade när ljuset exploderade någonstans ifrån. Han blinkade igen, tittade, blinkade, tittade.

Repen hängde i prydliga öglor utefter den närmaste väggen. De glimmade i samma stålgråblå färg som skorna i klädkammaren.

Arbetsbänken nedanför var fylld av föremål. De var alla vita. Bänken såg ut att vara av stål. Föremålen speglades i bänken, som om de stod på vatten. De var alla delar av människokroppar. Armar, ben, huvuden, en torso i miniatyr. Det såg ut som en rekonstruktion av ett grekiskt tempel tretusen år efter vandalernas besök. Ingenting var längre helt. Winter kunde se märkliga gjutformar i trä och metall, som byggda utifrån minnet, utifrån osynliga instruktioner. Men resultatet såg verkligt ut. Han hade sett det förut. Nu hade han fått komma in i verkstaden.

Men gips luktar inte. Det här såg ut som delar av kroppar men de släppte inte ifrån sig några kroppsliga utsöndringar, och ingen stank. Winter tyckte att lukten lättat under de få minuterna han stått där, men fortfarande var det som att stå i ett rum besprutat med ammoniak.

Han tog ett steg framåt, och ett åt sidan.

Metallöglorna i väggen blänkte dovt som stålbänken, och repen. Väggen verkade också den vara av gips. Rester av rep hängde fortfarande kvar i de stora öglorna. Repen var fransiga i ändarna, som om någon försökt tugga av dem.

På golvet fanns en stor fläck. Den bredde ut sig som en djup skugga. Den såg fortfarande fuktig ut.

Det var här han höll henne fången, tänkte Winter. Ellen. Hon kom hem till slut.

Han kände illamåendet välla upp igen som stormen.

38

WINTER STOD PÅ TROTTOAREN OCH FÖRSÖKTE få i sig all luft han kunde svälja. Regnet hade avtagit men stormen slet i lindarna som om den var ute efter något slags hämnd. Kanske var det en orkan. Winter höll ansiktet mot himlen för att få i sig så mycket vatten som möjligt. Smaken i munnen efter uppkastningarna nyss var fortfarande kvävande stark. Det kändes fortfarande som eld i mellangärdet.

Till höger om den stora fläcken däruppe hade Winter sett Paulas väska. Han hade inte öppnat den.

Mobiltelefonen ringde när han fortfarande stod med huvudet mot den svarta skyn. Han förvånades över att det gick att höra signalerna i vrålet från vindarna.

"JA?" skrek han in i mikrofonen samtidigt som han backade in i porten för skydd.

Han hörde en röst, men inga ord.

"JAG HÖR INTE", skrek han.

Plötsligt hörde han, mitt i en mening. Linjen blev tydlig, som om den hade hamnat i något av stormens ögon.

"Säg det där igen."

"Det var inte för att skrämma henne!"

"Jonas!"

Han fick inget svar.

"Var är du?"

"Jag är..."

Orden försvann ut i natten igen. Eller morgonen. Morgonen kom närmare nu. Kanske det skulle bli ljust den här dagen också.

"Lyssna på mig, Jonas! Kan du höra mig?"

Winter hörde ett mummel men han visste inte om Jonas kunde höra honom. Det var som två personer som stod och talade för sig själva över samma telefonlinje.

Plötsligt hörde han Jonas röst igen, stark och klar:

"Jag ville varna henne för honom! För Börge! Jag har försökt göra det förut! Jag har inte vågat."

"Jag står utanför hans hus", sa Winter. "Jag har varit därinne."

Stormen drog iväg med samtalet igen. Winter tyckte att han hörde namnet Börge nämnas igen, men han var inte säker. Rösten blev svagare, som om själva personen i andra änden nu lyftes av stormen och sveptes bort. Winter kände själv hur det ryckte i kläderna. För ett par sekunder kändes det som om han skulle förlora balansen.

"Jonas?" ropade han. "JONAS?"

Inget svar nu.

Vad skulle han säga? Hörde pojken honom? Förstod han att han var i fara? Skulle han be honom stanna där han var? Men Winter visste inte var pojken var. Det hade låtit som om han var utomhus. Det var farligt. Men det kunde också vara farligt för honom att vara inomhus. Telefonsignalen tjöt i Winters öra nu. Kontakten var definitivt bruten. Winter stirrade på sin bil. Den stod fortfarande emot vindarna. Han vände sig om och såg de svarta fönstren till Börges lägenhet. Kanske såg han ljuset som fortfarande var tänt i rummet längst in, men bara för att han kände till det. Han tänkte på samtalet med Jonas. Det hade avbrutits, precis som samtalet med Richard Salko. Salko hade aldrig sökt honom om det inte varit viktigt, livsviktigt. Winter förstod det. Han höll fortfarande telefonen i handen och tryckte Salkos hemnummer. Ingen svarade den här gången heller.

Det fanns en plats där Salko kunde vara. Det var den enda plats Winter kunde tänka på nu. Det var på den platsen allt började.

Hotell Revy såg ut att vackla i vinden, men det var bara ett skuggspel skapat av ovädret. De smala gatorna i kvarteren runt byggnaden såg ut att ha försvunnit. Men de fanns, Winter hade kört på en av dem ända tills han inte kom längre på grund av två nedstörtade björkkronor. Det fanns mer träd i den här stan än någon räknat med. Centrum såg ut som en djungel, som en plötslig nordlig vildmark. Det kunde inte vara meningen.

Han stod på trappan upp till det stängda och nersläckta hotellet. Skylten fanns fortfarande kvar, i stormen såg den ännu mer ut som en jättelik spindel på väg uppför väggen. Den tidiga gryningen färgade himlen bakom den spruckna fasaden i svart och i en dovt röd färg som började växa fram från ingenstans. Winter kunde se fönstret som tillhörde rum nummer tio. Han gick uppför trappan och tryckte ner det grova mässingshandtaget på porten. Den gled upp utan ett ljud. Winter lyste på låset med ficklampan han tagit ur Mercedesens handskfack. Han såg ingen åverkan på låset. Men mässingen var lika urgammal som allt annat som tillhörde hotellet, och den jämna ytan kunde lika väl bestå av tiotusen skrapmärken.

Lobbyn var kall och rå. Det kändes kallare därinne än utanför. När värmen stängts av måste kylan ha kommit krypande, som om den äntligen fått chans att ta över.

Trappan knarrade för varje steg han tog. De tjocka väggarna stängde ute det mesta av stormens ljud.

"Hallå?" ropade han. "HALLÅ?"

Han stannade på det näst översta trappsteget och lyssnade.

Det var tyst därinne, som om tystnaden nu tagit över för gott, som kylan.

"Salko? Är du här?"

Han stod däruppe i hallen och lät ficklampan lysa upp alla vrår den kunde nå.

Korridoren bort till rum nummer tio låg till höger om honom. Winter vände på huvudet och såg dörren längst bort. Han lyste åt det hållet, men ljuskäglan nådde inte riktigt fram.

När han gick närmare såg han att dörren stod öppen till hälften. Ljuset från utsidan verkade svänga fram och tillbaka därinne, som käglan från hans ficklampa nyss. Fram och tillbaka. Han gick några steg till.

Han såg kroppen svänga i det flammande skenet.

Han såg en rygg, en hals. Repet. Det var svart nu men han visste vilken färg det hade i dagsljus. Kroppen svängde sakta mot honom. Winter var två steg från rummet. Han hörde plötsligt signalerna från mobiltelefonen, det måste vara hans egen. Han kände vibrationerna över bröstet, men det kunde lika väl vara hans hjärta.

Han steg över tröskeln och såg skuggan av slaget innan det träffade honom över halsen.

Aneta Djanali hörde signalerna djupt inifrån en dröm hon skulle glömma när hon vaknade.

Hon vaknade och sträckte sig efter telefonen över Fredrik som alltid sov som en oskyldig. Det krävdes normalt mer än en telefon för att väcka honom. Det var svart överallt i rummet, det var natt. Hon fumlade några sekunder med luren.

"Ja, hallå? Det är Aneta."

"Förlåt att jag ringer så sent... eller tidigt... det här är Angela... Angela Hoffmann. Erik Winters samb..."

"Angela", avbröt Aneta Djanali. Hon hade hört den djupa oron i Angelas röst. "Vad är det som har hänt?"

"Jag... vet inte. Erik gav sig iväg i... natt. Han skulle bara kolla upp en sak, som han sa. Och sen ringde han. Och... och sen har han inte hört av sig."

"När ringde han senast?"

"Det var väl... för nån timme sen. Kanske lite mindre. Jag sökte honom för en liten stund sedan men han svarar inte på mobilen."

"Varifrån ringde han?" frågade Aneta Djanali.

"Vasagatan. Det är ju precis här i närheten. Jag är så orolig. Jag visste inte vad jag..."

"Vad skulle han göra?" avbröt Aneta Djanali.

Hon hörde Fredrik sätta sig upp i sängen bakom henne.

"Vad skulle han göra där?" upprepade hon.

Fredrik lutade sig intill henne för att höra.

"Han sa att han var på väg hem till... den där... Börge", sa Angela. "Christer Börge."

"Jag sticker", sa Fredrik Halders och flög ur sängen. "Jag ringer dit folk." Han sträckte sig efter mobiltelefonen på nattygsbordet.

Vilken jävla idiot, mumlade han när han drog på sig byxorna.

Någonting skavde mot Winters kind men han hoppades att det bara var en del av en dröm. Jag vill inte vakna från den här drömmen, tänkte han.

Han vaknade. Han visste inte vad han hade drömt, eller om han redan varit vaken.

Han låg i framstupa sidoläge. Han försökte röra armarna men de var surrade bakom hans rygg. Hans fötter var surrade tätt tillsammans.

Han kände en fruktansvärd värk över halsen, och hörde nu att han andades som om luftstrupen slitits av.

Ett par fötter kom emot honom över golvet. Det var hans perspektiv, golvet. Ett par skor stannade tätt intill hans ansikte. Winter kände igen märket.

Hans ansikte lyftes upp. Det var svårt att fixera blicken.

"Du kom ändå till slut", sa Christer Börge.

Winter kunde se Börges ansikte på några decimeters avstånd. Det var ett ansikte han aldrig glömt, och som han skulle komma ihåg så länge han levde. Han kanske skulle se det så länge han levde. Det var kanske det sista han skulle se. Ja. Nej. Ja. Det berodde på vad Christer Börge hade att säga. Hur lång tid han skulle ta på sig. Jag har bilen två kvarter härifrån. Snart är alla här.

"Jag har inte så mycket att säga", sa Börge och log. "Jag är inte mycket för förklaringar."

Winter öppnade munnen och försökte säga vad han tänkt säga, men det kom inte något ljud. Han kunde höra väsningen genom halsen, men den hade funnits där innan han öppnade munnen.

"Jag tror din röst fått sig en törn", sa Börge och reste sig upp. Han grep tag i Winters krage och började dra upp honom, mot väggen. Det kändes som om Winters hals gick av, igen.

Hans nacke lutade i en konstig vinkel mot väggen. Det började redan värka i senorna.

"Men så mycket kan jag säga att jag inte tyckte om att hon lämnade mig", sa Börge.

Han stod kvar där han hade rest sig.

"Tyckte inte om det alls." Börge såg ut att luta sig framåt. "Jag såg henne, vet du. Jag har i och för sig sett henne flera gånger, men nu menar jag den där gången, på stationen." Börge gjorde en gest med handen, som om han pekade ut riktningen till stationen. Den låg inte långt borta. Ingenting ligger långt borta härifrån, tänkte Winter. Man kan nästan sträcka ut handen och nå allting. Men han kunde inte röra handen.

"Hon skulle hjälpa flickan att resa", fortsatte Börge. "Dom skulle resa båda två." Han nickade två gånger. "Hon skulle ge sig iväg igen." Han nickade igen. "Men det var försent för det nu. Jag kunde inte låta dom göra det. Inte den här gången. Inte för gott."

Börge gick ner på huk, men han var fortfarande några meter från Winter.

"Ja, du har ju sett henne också. Eller spåren av henne, om man säger så. Jag antar att du varit hemma hos mig." Han log igen. Det var ett leende Winter sett några få gånger under sin karriär. "Hon... tja, ångrade sig. Men det var så dags då." Börge gjorde en gest med armen, ett slags cirkelrörelse. "Och nu har dom lämnat oss allihop. Där ser man. Kalla det hämnd, kalla det vad som helst. Hon gjorde fel. Det är fel att göra fel. Hon ljög. Hon gjorde mycket värre saker." Hans ögon blev plötsligt små.

"Dom ljög allihop! Och vem tänkte på mig, va? Vem av dom ALLA tänkte på mig?" Börge ändrade ställning, men satt kvar på huk. "Dom förtjänade inte att få fortsätta att ljuga. Jag ville att dom skulle be om förlåtelse för vad dom gjort mot mig. Och det gjorde dom till slut. Allihop bad dom mig om förlåtelse. Dom kanske förlorade sin skuld då. Den vita färgen kanske hjälpte dom med det också. Samtidigt som den ledde dig hit." Han ändrade ställning igen. "Fast jag bryr mig inte längre och jag tror inte du gör det heller just nu, eller hur?"

Han log igen. Winter försökte röra på huvudet, men det hade fastnat där Börge placerat det. Han kände det som om halsen var på väg att brista, som om han höll på att strypas.

Dom bad inte dig om förlåtelse, tänkte han. Paula bad inte dig om förlåtelse, din jävel. Hon bad om nåt slags hopp som du inte kunde ge henne. Hon bad om att alla lögner skulle försvinna.

"Du ska ju följa med dom, Erik Winter. Du ska också resa iväg, som dom har gjort. Kalla det... logik. Det blir en enkelresa den här gången."

Börge reste sig igen och tog ett par steg närmare Winter.

"Sitter du obekvämt? Ska jag hjälpa dig?" Han lutade sig över honom och försökte dra upp hans överkropp igen, samtidigt som han tryckte Winters huvud åt sidan. "Är det bättre?"

Jag måste säga nåt, tänkte Winter. Jag måste försöka säga nåt.

Han såg Salkos hängande gestalt. Den var stilla nu. Börge måste ha satt den i rörelse innan Winter klev in.

Börge följde hans blick.

"Du funderar över den där gamle piccolon?" Han såg neråt på Winter igen. "Finns inget att fundera på. Han blev skraj, bara. Han visste ett och annat och han berättade det tydligen inte för dig. Han kanske skulle gjort det. Han försökte kanske, vad vet jag. Men han ville träffa mig, och det här var ju den bästa platsen, eller hur? Det är tyst och lugnt här." Börge vände på huvudet igen och tittade uppåt mot Salko. "Han ville ha lite pengar men det hade jag ingen lust att ge honom. Han trodde att jag hade nåt åt honom men det var nåt annat än han trodde." Börge tittade ner på Winter igen. "Det var egentligen så det började. Salko ville ha nåt. Man kan säga att han satte igång nåt. Du undrar kanske varför det tog sån tid innan jag... reagerade. Tja..." Börge ryckte på axlarna. "Det var som den gamle skojaren ute på Hisingen, Metzer. Du har ju träffat honom också. Han ville kanske inte ha pengar men han ville inte hålla käften. Han tyckte inte det var roligt längre. Det var som om han bara ville ha roligt." Börges ögon blev små igen. Hans röst blev en annans. "Men allt är inte roligt, eller hur? Och när det inte är roligt så får man kanske tänka efter. Inte hota med att rusa iväg och prata med vem som helst. Han ville prata med dig, till exempel. Om mig! Han hotade att göra det." Börges ögon blev större, och såg ut att vändas åt ett annat håll, en annan tid. "Och på ett sätt hade han redan gjort det. Kommer du ihåg paret Martinsson?" Börge log. "Visst kommer du ihåg dom! Du och din kollega åkte ut till det där stället på Hisingen när nån hade ringt om nåt bråk." Börge log igen. "Det var Metzer som ringde, men det vet du väl. Och det var jag som bråkade! Fast det var egentligen inte jag. Jag var bara i den där lägenheten för att den låg nära Ellens. Jag hade lärt känna Martinssons. Men den där idioten Martinsson trodde att jag var intresserad av hans fula fru." Börge log inte nu. Han såg förorättad ut, missförstådd. "Hur kunde han tro det? Hur kunde han tro att jag var intresserad av nån annan än Ellen? Hon bodde därute då, Ellen. Ellen och hennes förbannade horunge. Jag höll koll på dom. Det var min rättighet. Det där fattade inte Martinsson. Det fattar inte vem som helst. Han nickade mot Winter. "Som såna som du, till exempel. Vem som helst. Du är vem som helst, är du inte?"

Börge log sitt leende. Han såg ut som om han skulle säga något mer, men hans blick försvann bort från Winters ansikte.

"Men nu får det vara färdigpratat", sa han efter några sekunder.

Jag måste säga nåt, tänkte Winter. Det är livet eller döden.

Börge gick plötsligt bort till en plastsäck som stod bakom dörren. Winter kunde se den i höger ögonvrå. Börge böjde sig över säcken och stoppade ner ena armen. Han tittade plötsligt upp.

"Det är nåt speciellt med det här rummet, eller hur? Det var hit Ellen flydde den första natten, men det där vet ju du, om nån!"

Jag måste säga nåt, måste säga nåt, måste säga nåt, säga nåt, säg...

"Jo... Jon... Jo", sa han och det lät som om han försökte vissla.

Börge ryckte till. Han hade fortfarande armen nere i säcken.

När han tar upp den där armen är det kört, tänkte Winter. Då blir det enkelresa.

"Jon... Jon..." visslade han igen.

Börge drog upp armen. Handen var tom.

"Vad? Försöker du säga nåt, Winter?"

Winter kunde inte svara. Han kände sig utmattad av sina försök att säga något. Men den fruktansvärda värken över halsen började släppa. Det var som om halsen började läka. Och som om tankarna började röra sig igen i hans huvud, som om också de tillfälligt strypts av slaget.

Blåljusen svepte över Vasagatan. Vinden ryckte i dem, fick dem att snurra oregelbundet, som en trasig karusell. Det stod två radiobilar utanför porten till Börges hus. Halders hade lämnat bildörren öppen bakom sig när han sprang mot porten.

Det fanns redan folk inne i våningen.

"Ytterdörren stod på vid gavel", sa polisinspektören utanför.

"Är han därinne?" frågade Halders.

"Det verkar tomt."

Halders gick in i hallen. Den krökte sig egendomligt och han följde kröken. I bortre änden såg han den öppna dörren. Han kunde se en uniform röra sig därinne. Han såg ett ansikte vända sig mot honom. Han såg ansiktsuttrycket.

"Vad är det?" ropade han och började springa.

Medan han fortfarande var i rörelse såg han repen, metallöglorna, arbetsbänken, kroppsdelarna, formarna. En stor fläck på golvet, glänsande i det nakna ljuset.

Den kvinnliga polisinspektören höll sig för hakan, munnen, näsan. Halders kunde bara se hennes ögon.

Det fanns inget levande i den här kammaren. Erik har varit här, tänkte Halders. Han måste ha sett det här. Han måste ha förstått. Förstod han vart han skulle åka härifrån?

Det stod en färgburk på golvet intill den högra väggen. Det låg en pensel på golvet. Den vita färgen hade stänkt i ett solfjädermönster när penseln slängts. Det fanns text på väggen. Texten såg kritvit ut mot väggens gråvita gips:

MÖRDARE

Ordet var målat med halvmeterhöga bokstäver. Det täckte hela väggen. Färgen hade runnit utefter väggen och runnit ut på golvet och blivit en del av solfjädern.

"Nån var här efter Erik", sa Halders.

Börge gick över golvet och lutade sig över honom. Han lutade sig närmare, la sitt öra nära Winters mun.

"Det kanske går bättre om du viskar?"

"Jon..."

"Jon? Jon? Vad säger du? Jon?"

"Jon... Jona..."

"Jona? Aha! Jonas! Du frågar om Jonas?!"

Winter blinkade. Det betydde "ja".

"Herregud, Winter, har vi inte gamla gemensamma bekanta så säg! Du såg ju fotot hemma hos Paula, eller hur?" Börges ögon var stora nu, som om han var den lyckligaste människan på jorden. "Söt pojke, det där. Som flickan. Dom var så söta båda två." Börge såg ut att förlora sig i minnen för några sekunder. "Han blev lite upphetsad av mitt lilla skämt när han var liten, Jonas. Jag skojade bara lite med den där handen han såg." Börge log nu, men det var ett annat leende än förut, ett varmt leende. "Jag hade den där hobbyn redan då. Man måste pyssla lite med händerna, eller vad säger du? Gamle Metzer tyckte inte det var roligt, men jag brydde mig inte så mycket om vad han sa."

"Ha... ha..."

"Vad säger du, Winter? Ha ha? Javisst, det är roligt."

Winter tog sats med allt vad han hade av lungkapacitet och muskler för att kunna pressa fram några ord till.

"Ha... han såg dig."

Winter andades häftigt efter kraftansträngningen.

"Såg mig? Såg mig?" Börge drog tag i Winters axel och skakade den. "Såg mig när? När jag var här? Knappast. När jag var där? Knappast då heller. Här eller där spelar ingen roll. När jag snodde repet från Paulas lägenhet kom han smygande, men då var jag redan ute. Dom där två stackarna tydde sig till varandra, på nåt sätt."

Börge släppte Winters axel.

"Han är beroende av mig, den där grabben. Precis som hon var beroende av mig. Du läste väl brevet?" Börge nickade, som åt sina egna ord.

Winter hade läst. Paula hade skrivit till Börge. Winter hade först inte förstått. Hur kan man förstå sådant? Hon hade skrivit om sitt liv, om rätten till sitt liv. Hon hade velat ha sin frihet. Hon hade krävt den. Kanske hon trodde att alla hemligheter skulle upphöra då, alla lögner. Att någonting annat skulle komma efter alla tystnader, någonting bättre. Hon hade också krävt Jonas frihet.

"Faktum är att jag bjudit in grabben hit", sa Börge. "Han får gärna komma när som helst nu. Han är beroende av mig, som jag sa. Det sa jag väl? Har han sagt nåt till dig, till exempel? Om nånting? Svaret är nej."

Winters mobiltelefon ringde. Han hade glömt att han ägde en. Det tillhörde en annan värld, ett annat liv. Börge hade reagerat på signalen men bara för någon sekund. Den spelade ingen roll, inte för honom, inte för Winter.

Här ligger jag. Eller sitter, eller vad i helvete det ska kallas. Jag satte mig här själv. Jag försatte mig i det här. Jag rycktes med. Jag slutade tänka. Nej, jag tänkte men på fel sätt. Jag var ensam. Vem pratade jag med senast? Det var Jonas. Var det Jonas? Vad sa jag? Det kommer jag inte ihåg. Jag hörde nästan ingenting av vad han sa. Det hände för mycket på för kort tid. Natten var för kort. Jag pratade med Nina också. Jag berättade för henne att jag skulle åka hem till Paulas lägenhet. Visst gjorde jag väl det? Men det hjälper ju inte. Jag ville göra allt. Lösa allt. En komplett lösning. Jag ville ha det gjort innan jag satte mig på planet. Nu blir det inget av nånting. Jag skulle inte ha klippt till den unge polisen. Jag frågade inte ens efter hans namn. Det där var Angela på mobilen, jag kände på mig att det var Angela. Jesus! Elsa, Lilly. Jag skulle ha gift mig med Angela. Hon ville det. Jag älskar er och jag kommer alltid att älska er vad som än händer. Paula visste. Hon skrev om förlåtelse när hon fick skriva vad hon ville. Hennes mördare dikterade inte. Hon skrev vad hon ville när hon visste att hon skulle dö. Hon tog på sig skulden. Jag förstår det nu. Allt det kaotiska som hände i hennes liv berodde på att hon var ett oplanerat barn, kanske oönskat. Hon måste ha sett, förstått, upptäckt. Vad sa Börge till henne här i rummet? Behövde han säga så mycket när hon redan visste? Hon ville lindra sorgen för de efterlevande. Gud i din himmel. Hjälp mig nu när jag har förstått, när jag vet. Hade jag haft benen fria hade jag sparkat ihjäl den här jäveln. Nu reser han på sig. Han går bort till säcken. Jag måste förbereda mig på det här. Han drar upp nåt. Ja, ja, det är ett rep, han har rep så det räcker runt hela jorden. Kan jag skalla honom? Han måste komma så pass nära att han kan lägga snaran om halsen på mig och om jag kommer åt så...

Börge närmade sig med repet. Löpsnaran var redan klar. Han försvann plötsligt bakom Winters rygg. Winter halvlåg med sidan mot väggen. Han hade börjat glida ner igen mot golvet. Han såg inte skymten av Börge. Han hörde honom bakom sig. Det var meningslöst. Han var hjälplös. Det enda han kunde se var fönstret, och där fanns ingen hjälp att få. Winter visste inte hur lång tid som gått sedan han steg in här, det kunde vara timmar, dagar, men livet därute var inte till någon hjälp för honom. Han kunde inte ens avgöra om det var dag eller natt utanför fönstret.

Han kände snaran om halsen. Börge drog i den. Luften började försvinna, det lilla som fanns kvar i luftgångarna. Börge knuffade till honom, kanske för att han skulle glida bättre över golvet.

Winter hörde ett plötsligt ljud någonstans utanför, som metall mot metall. Där kom det igen. Han såg någonting flaxa till i utkanten av synfältet. Han visste inte när han faktiskt förstod att de vilda skuggorna utanför fönstret inte tillhörde naturen, himlen. Kanske först när glaset krossades. När Börge ropade till. Kanske när den svarta gestalten flög in genom fönstret, som en vild och främmande fågel. Winters luft var på väg att ta slut. Han hade inga tankar kvar. Det sista han tänkte var att pojken måste ha klättrat hela vägen uppför ställningen.

39

HAN HÖRDE BARNEN SKRATTA UTE I HALLEN. Han såg väskorna
stå öppnade på det slipade furugolvet. Han kunde se spegelbilden.
I morgon skulle de vara iväg, tidigt i morgon. Det hade tagit lite
längre tid än de räknat med från början, men kliniken i Marbella
hade visat förståelse.

John Coltrane blåste hårt och högt från A Love Supreme, en
högre kärlek.

Winter reste sig och gick ut i hallen och fångade upp Lilly mitt
i steget.

"Läggdags, gumman."

Senare under kvällen pratade han kort med Halders.

"Ge fan i och ring om det inte är rent privat", sa Halders.

Winter skrattade till.

"Jag skojar inte, Erik."

"Jag tänker inte ta nåt ifrån dig, Fredrik."

"Det finns inte mycket kvar att ta", sa Halders.

"Hur är det med Börge?"

"Skit i det."

"Jag försöker."

"Han säger att han har gjort allt han var tvungen att göra", sa
Halders.

"Inte riktigt", sa Winter.

"Vill du att jag ska påminna honom? Att han inte klarade av
dig? Och grabben? Han hade ju planer för grabben också."

"Han klarade av mig", sa Winter.

"Då hade vi inte haft det här samtalet nu", sa Halders.

"Han är ingen grabb", sa Winter. "Han är ingen pojke längre."

"Där håller jag med dig", sa Halders.

"Jag ringde honom i morse", sa Winter. "Han är en ensam man. Paula hade blivit något särskilt för honom."

Halders sa ingenting.

"Det är inte över för honom, Fredrik."

"Nej. Och jag tänker inte skita i honom."

"Det vet jag."

"Och det tänker inte Mario heller."

"Det vet jag också."

Winter hörde vattenkranen spola ute i köket. Efter tio sekunder kom Angela in i rummet och satte sig i soffan. Hon hade morgonrocken på sig, och det var helt riktigt. Det var inte så långt till morgonen.

"Börge hittade ett sätt att komma åt henne genom dom två barnen", sa Winter in i luren.

"Mhm."

"Paula var... centrum. Hon var beviset på att han hade svikits av alla. Hennes existens var beviset på det."

"Ja."

"Men det var inte bara det."

"Nej."

"Vi hörs, Fredrik."

"Ta hand om dig nu, Erik, och familjen."

Ännu senare under kvällen tänkte Winter på vad han hade tänkt på när han låg på golvet i rum nummer tio. Han ville inte tänka på det, men han skulle fortsätta att göra det under de kommande månaderna.

"Det finns en svensk kyrka i Fuengirola", sa han.

Angela tittade upp. De hade ännu inte gått och lagt sig. Kanske skulle de sitta här tills det var dags att åka ut till flygplatsen.

"Vill du gifta dig där?" frågade han.

"Med vem då?" frågade hon.

"Med mig, tänkte jag."